A PROPOS DE L'AUTEUR

Après cinq ans passés dans le désert d'Arizona où elle élevait des chevaux, Linda Lael Miller est revenue vivre à Spokane, dans l'Etat de Washington, où elle est née. C'est dans ces cadres grandioses de l'Ouest américain qu'elle place ses personnages, des héros aux tempéraments forts et impétueux à l'image de la nature sauvage qui les entoure.

Une bague au doigt

LINDA LAEL MILLER

Une bague au doigt

SAGA
LES MARIÉES DE BLISS COUNTY

Collection : SAGAS

Titre original : THE MARRIAGE CHARM

Traduction française de FRANÇOISE RIGAL

HARLEQUIN®
est une marque déposée par le Groupe Harlequin

SAGAS®
est une marque déposée par Harlequin.

HARLEQUIN

83-85, boulevard Vincent-Auriol, 75646 PARIS CEDEX 13.

Service Lectrices — Tél. : 01 45 82 47 47

www.harlequin.fr

ISBN 978-2-2803-4877-5 — ISSN 2426-993X

1

A la seconde où son copain Tripp Galloway et sa jeune épouse, Hadleigh, quittèrent la scène, rayonnants de joie et, comme tous jeunes mariés, visiblement pressés d'entamer leur lune de miel, Spencer Hogan — « Spence », pour les amis —, estimant avoir accompli l'essentiel de ses devoirs de garçon d'honneur, quitta la réception et retourna au poste de police, qui n'était qu'à cinq minutes en voiture.

Une fois arrivé, il traversa l'accueil exigu en saluant hâtivement Junie McFarlane, à l'accueil, et ses deux adjoints, Nick Estes et Moe Radner, qui discutaient avec elle.

Une fois dans son modeste bureau, il s'empressa d'échanger son smoking de location et ses étincelantes chaussures à lacets contre le jean éculé, la chemise bleue en coton et les bottes de tous les jours qu'il avait entreposés là, plus tôt dans la journée. La chose faite, il attrapa son chapeau suspendu près de la porte et s'en coiffa. Enfin, heureux de ne plus avoir l'impression d'être un singe savant déguisé et d'avoir retrouvé son vrai moi, il laissa échapper un profond soupir de soulagement.

De nouveau prêt à l'action, il examina les lieux.

Ses deux adjoints, de retour à leur bureau, avaient l'air si concentrés sur des bricoles sans intérêt que leur zèle en irradiait presque. C'étaient des bleus, aux cheveux en brosse, aux uniformes si empesés qu'ils avaient encore leurs plis.

Junie croisa son regard et sourit. Agée d'une quarantaine d'années, elle était belle, un peu à la manière d'une diva de musique country. Sauf que, par bonheur, elle ne forçait pas trop sur le maquillage — du moins au travail —, réservant les faux cils et les jeans moulants piqués de strass à la fièvre du samedi soir. Sans compter qu'elle faisait son travail de dispatching avec sérieux et intelligence.

— Comment s'est passé le mariage, chef ? lança-t-elle, une étincelle malicieuse dans ses yeux verts. Hadleigh a-t-elle fini par se marier, ou un crétin s'est-il encore interposé pour faire dérailler la fête ?

Comme lui, Junie avait assisté à *l'autre* cérémonie. Un événement entré dans la légende locale, au même titre que le hold-up de la banque en 1984 ou le fameux jour, au milieu des années 1950, où le cortège de limousines d'Elvis et de sa cour, en route pour Yellowstone paraît-il, avait traversé la ville à toute allure.

— Non, répondit-il avec un petit rire, se remémorant le mariage d'anthologie, dix ans auparavant.

Le crétin en question était Tripp et la mariée de dix-huit ans, Hadleigh, belle comme une princesse de conte de fées, mais naïve et en grand besoin d'être secourue. Ce qui ne l'avait pas empêchée de protester vertement en cet après-midi ensoleillé de septembre, quand le plus beau jour de sa vie avait été interrompu. Quant au fiancé évincé, c'était l'erreur personnifiée, mieux connu sous le nom de Oakley Smyth.

Tel un tourbillon de poussière mué en tornade destructrice, Tripp, se considérant investi d'une mission, avait fait irruption dans la petite église de briques rouges, juste avant l'échange des vœux. Après avoir posément proclamé que, selon la formule consacrée, il pouvait fournir une raison s'opposant à l'union des deux fiancés, il n'avait pas tardé à mettre sa menace à exécution.

Comme on pouvait le comprendre, Hadleigh n'avait pas apprécié son intervention. Prise d'une rage folle, elle l'avait frappé à coups redoublés avec son bouquet, faisant voler une pluie de pétales autour d'eux.

Impossible de la raisonner.

Finalement, Tripp l'avait soulevée de terre et, après l'avoir jetée sur son épaule comme un sac de grains, l'avait emportée hors de l'église.

Ce qui avait, bien évidemment, décuplé la colère de Hadleigh qui l'avait bourré de coups de pied en hurlant durant tout le trajet vers la porte — et vers un monde infiniment plus prometteur, un point qui avait sûrement dû lui échapper vu son état de furie.

Le plus outrageant pour elle, c'était que personne n'était intervenu, pas plus le pasteur qu'Alice Stevens, sa grand-mère, ou les invités pétrifiés sur leur banc. Personne n'avait bronché ni élevé la voix. Pas même le fiancé.

Considérant la nature des petites villes en général, et de Mustang Creek en particulier, le phénomène était on ne peut plus étrange. Parce qu'à l'inverse des habitants des grandes villes, les villageois se faisaient toujours un plaisir d'intervenir en cas de conflit. Les hommes, la plupart éleveurs, fermiers, charpentiers, électriciens, camionneurs ou mécaniciens, étaient toujours prêts, en cas de besoin, à se jeter dans la bagarre, quelle qu'elle soit. Quant aux femmes, une fois poussées à bout, elles pouvaient se montrer féroces, individuellement ou en groupe.

Pourtant, ce jour-là, personne n'avait levé le petit doigt, personne n'avait dit un mot, se contentant de regarder la scène.

Sans doute parce que dans l'esprit de la communauté Tripp n'était pas un étranger animé d'intentions glauques. Après tout, comme la mariée outrée qui se balançait sur son épaule, c'était un enfant du pays. Et, en dépit de sa jeunesse tumultueuse et de son peu d'assiduité à l'église, un bon travailleur et un homme franc et honnête.

De plus, il avait servi honorablement son pays en temps de guerre. Or, dans un bled du genre de Mustang Creek, c'était une chose qui comptait.

En revanche, bien qu'Oakley soit aussi natif du coin et issu, qui plus est, d'une famille influente, sa cote de popularité locale était au plus bas. Plus adolescent prolongé qu'adulte, il n'avait jamais montré l'ombre d'une ambition, s'était contenté de faire la fête durant toutes ses études. Et, plus condamnable encore, il avait la fâcheuse réputation de toujours choisir la solution de facilité.

S'il n'était pas haï, il n'était pas vraiment aimé.

Quand, par hasard, les gens pensaient à lui, c'était généralement pour se demander ce que la fille Stevens, une gamine intelligente et exceptionnellement belle, avait bien pu lui trouver. D'autant plus qu'au-delà de tous ses atouts, elle était gentille et aurait pu fixer son dévolu sur n'importe qui d'autre.

Junie ramena Spence, toujours perdu dans ses pensées, à la réalité avec une tape dans le dos.

— Tu ne trouves pas ça romantique, que Tripp et Hadleigh finissent ensemble, après tout ce qui s'est passé ? demanda-t-elle, la voix teintée de nostalgie.

Il rajusta son chapeau en fronçant les sourcils.

— *Romantique ?*

Bien qu'il ne l'ait jamais admis, le simple fait d'entendre ce mot, et *a fortiori* de le prononcer à haute voix, le rendait nerveux. Bien sûr, il se réjouissait pour les nouveaux mariés. Tripp et Hadleigh étaient faits l'un pour l'autre et ils voulaient passer leur vie ensemble. Ils avaient emprunté des voies séparées, plutôt arides et solitaires, avant que leurs chemins ne se recroisent. Après une période de retrouvailles orageuse, ils avaient décidé de s'armer de courage pour tisser une relation susceptible de surmonter presque tous les obstacles.

Si quelqu'un méritait d'être heureux, c'étaient bien ces deux-là.

Il n'empêche qu'à son avis, ses amis étaient l'exception qui confirmait la règle. Il éprouvait le même sentiment chaque fois qu'un de ses copains se casait : un soulagement doux-amer à l'idée que ce n'était pas *lui* qui s'était présenté devant Dieu et les hommes pour jurer fidélité à une femme et s'engager avec elle pour le meilleur et pour le pire.

Si, par bonheur, la donnée « pour le meilleur » de l'équation se réalisait, c'était super. On héritait de la maison avec jardin, du sexe à domicile et de la flopée d'enfants qui allaient avec.

Mais que faire si c'était « pour le pire » qui l'emportait ? Autant le reconnaître, sur un plan statistique, les chances de succès ne dépassaient pas les cinquante-cinquante. Et dans ce cas, un homme qui se mariait pouvait réserver tout de suite une chambre à l'hôtel des Cœurs Brisés — au moins, il aurait un endroit où se réfugier quand, une fois toutes ses illusions envolées, il prendrait conscience de l'étendue du gâchis.

Une chambre seule, s'il vous plaît, et pour une durée indéterminée.

Spence aimait les femmes. Et pourtant, celles-ci le considéraient comme un malotru, car il se défilait régulièrement, au bout d'un ou deux rendez-vous. Il y avait des explications au phénomène, ou plutôt une seule, et qui avait un nom. Mais il préférait garder cette information pour lui.

Profondément pessimiste sur le plan amoureux, il refusait autant que possible de s'engager. De là sa réputation d'homme à femmes et même de coureur de jupons. Qu'importe ! Il se fichait que cette impression soit injustifiée. Personne n'avait besoin de savoir ce qu'il s'efforçait de dissimuler : que pour lui, toute promesse, aussi stupide soit-elle, était sacrée, et que quoi qu'il advienne, il ne pouvait la briser, être à l'initiative de la rupture.

Dès que la situation était devenue critique, son père avait abandonné sa famille, et il était hors de question qu'il suive ses traces. Il avait beau partager avec Judd Hogan le même ADN, pour le reste, tout était question de choix.

S'il se mariait un jour et que sa femme réclame le divorce, il ne ferait rien pour l'en empêcher. En revanche, il ne ferait jamais le premier pas ; au plus profond de lui-même, il aurait l'impression d'être un lâche en forçant la main à qui que ce soit.

Il fut presque reconnaissant à Junie quand elle le tira de ses mornes pensées en posant la main sur son bras. Une lueur espiègle pétillait dans ses yeux et un sourire narquois flottait sur ses lèvres.

— Quoi ? lança-t-il sur un ton irrité en jetant un coup d'œil à Estes et Radner.

Ces derniers, à l'autre bout de la pièce, tapaient frénétiquement sur leur clavier. Ils jouaient probablement à des jeux vidéo ou actualisaient leur profil sur les réseaux sociaux, au lieu de parcourir les bulletins d'information des sites de la police, afin de glaner des renseignements utiles à tout policier qui se respecte, ainsi qu'ils cherchaient à le lui faire croire.

Et, bien sûr, ils ne perdaient pas une miette de sa conversation avec Junie, avides de capter quelques bribes de ragots à rapporter à leur jeune et bavarde épouse. La rumeur prétendant que Junie et lui entretenaient une longue liaison à éclipses avait beau être sans fondement, elle n'en continuait pas moins de circuler.

Le sourire de son interlocutrice se mua en grimace malicieuse. Ils étaient amis bien avant de devenir collègues de travail, et non seulement Junie déchiffrait ses pensées aussi facilement que les panneaux routiers, mais elle se plaisait à le lui rappeler à toute occasion.

Il avait fait la connaissance de Junie quand, à l'âge de neuf ans, sa mère l'avait déposé sur le paillasson de sa belle-sœur en annonçant que la coupe était pleine. Elle en avait plus qu'assez de l'élever seule, d'assumer toutes les responsabilités, de faire tous les sacrifices et de prendre toutes les décisions. Terminé, tout ça ! Elle s'en lavait les mains.

Kathy Hogan n'avait plus été la même après que son mari l'avait quittée pour une autre femme — plus jeune et plus mince, bien sûr. Il n'empêche qu'elle n'avait jamais été une mère dans l'âme, pas plus avant qu'après le divorce. A sa décharge, après cet abandon, elle avait fait plusieurs tentatives sincères pour reprendre son fils, réapparaissant périodiquement chez sa belle-sœur pour le récupérer et le ramener avec elle en Virginie. Malheureusement, elle n'avait jamais eu la fibre maternelle, et tôt ou tard, Spence se retrouvait à la case départ : chez tante Libby.

Quand son père et sa nouvelle femme avaient péri dans un accident de bateau, trois ans après leur mariage, quelque chose était mort en même temps qu'eux chez sa mère. Cédant aux instances de sa belle-sœur, elle avait cessé de trimballer son fils de-ci de-là.

Spence chassa en soupirant le souvenir de son enfance

perturbée. Il savait que celui-ci reviendrait bientôt le hanter, avec une vigueur renouvelée.

S'il n'y avait pas eu tante Libby, la sœur aînée de son père, et Junie, sa voisine qui était vite devenue sa meilleure amie, il se serait enfui à l'adolescence. Une idée qui lui avait souvent trotté dans la tête et qu'il n'avait, heureusement, jamais mise à exécution.

Et c'est pour toutes ces raisons qu'il n'avait pas grande foi dans le mariage. Et s'il aimait indiscutablement les femmes, il avait du mal à leur faire confiance.

Il crispa la mâchoire et jeta un regard hargneux à Junie, qui l'observait en silence.

— Je sors, marmonna-t-il. Si tu as besoin de moi, et fais en sorte que non, je serai à la Moose Jaw Tavern. Ensuite, je rentrerai directement chez moi. Mes corvées ne vont pas se faire toutes seules. Après avoir pelleté le fumier, je vais dormir comme un sonneur, jusqu'à ce que j'aie envie de me réveiller.

Il fit volte-face en ajustant son chapeau, puis s'immobilisa, le temps de toiser son doublet d'adjoints.

— Dehors, il y a une ville à surveiller, leur rappela-t-il en désignant de la main les alentours. Malgré votre emploi du temps *surchargé*, les contribuables et moi-même apprécierions que vous trouviez le temps de faire une ronde de temps en temps. Avec tous ces cambriolages, une petite démonstration de force ne nuirait pas à nos services.

Saisis, Radner et Estes s'exclamèrent en chœur « Oui, chef ! » et se levèrent précipitamment pour passer à l'action. Ils foncèrent comme un seul homme vers la porte en se bousculant, tant était grande leur hâte de protéger l'ordre, la justice et le mode de vie américain.

En moins de dix secondes, ils avaient disparu, à la grande satisfaction de Spence qui préférait ne pas les voir — du moins, la plupart du temps.

— Tu te délectes de voir ces pauvres gars s'agiter comme des benêts, lui fit remarquer Junie, hilare, en retournant à son bureau.

— Oui, c'est vrai, avoua-t-il, amusé. Le pouvoir doit me monter à la tête. Bon, on se voit plus tard.

Alors que Junie s'apprêtait à répliquer « Pas si je peux l'éviter », comme à l'accoutumée, le téléphone sonna, l'arrêtant dans son élan.

— Police de Mustang Creek, que puis-je faire pour vous ? demanda-t-elle en lui faisant un petit signe de la main.

Il n'attendit pas la suite. Dans ce trou paumé, les situations d'urgence étaient rarissimes et, en cas de besoin, toute info utile lui serait relayée en une nanoseconde *via* son téléphone portable ou le système wifi hypersophistiqué de son pick-up. Généralement, les appels concernaient des chats égarés, des bruits inquiétants en provenance d'un grenier ou d'une cave, des bagarres d'ivrognes, un voisin indélicat bloquant une allée, du tapage nocturne, ou des ados n'ayant pas réintégré le domicile à l'heure convenue, au grand dam de leurs parents affolés. Estes et Radner devaient être capables de gérer ces problèmes de routine.

En revanche, la vague de cambriolages, beaucoup plus préoccupante, tranchait nettement sur le train-train quotidien de cette bourgade tranquille. Le plus déroutant était que, chaque fois, les voleurs avaient semblé parfaitement renseignés.

Quand Spence atteignit le parking du commissariat, ses adjoints démarraient déjà le 4x4 de patrouille flambant neuf.

Le spectacle le fit sourire. Six mois auparavant, quand le maire et le conseil municipal avaient augmenté son budget, il avait sélectionné Radner et Estes au sein d'une ribambelle de diplômés, fraîchement issus de l'académie de police. C'étaient de bons flics qui, au fil du temps, s'amélioreraient à mesure qu'ils accumuleraient les heures de service, car ils avaient du potentiel.

Il monta dans son pick-up et, après avoir allumé le moteur, jeta un regard morose à l'écran bleu fluorescent de l'ordinateur fixé sur son tableau de bord. Combattant l'envie de rentrer directement chez lui faire ce qu'il avait à faire, avant d'aller s'écrouler sur son lit — après tout, il avait fini son service et avait grand besoin de repos —, il se résigna à prendre le chemin de la Moose Jaw Tavern.

En tant que garçon d'honneur, il était censé faire une apparition, même brève, à la fête d'après-cérémonie. S'il avait esquivé ces festivités, Tripp ne lui en aurait sûrement pas tenu rigueur, bien sûr. A l'heure qu'il était, l'heureux marié devait faire passionnément l'amour avec sa passionnée d'épouse sans se soucier des traditions de Mustang Creek, exigeant que les jeunes mariés s'attardent en public après la cérémonie.

A cette idée, Spence ressentit un vague spasme au creux de l'estomac, qu'il préféra ne pas analyser.

Cela étant, passer devant la Moose Jaw Tavern sans s'arrêter était hors de question. S'il faisait l'impasse, les mauvaises langues ne se gêneraient pas pour inventer un conte à dormir debout expliquant son absence. Par exemple, que, malgré son amitié pour Tripp, il était épris de Hadleigh. Et que, s'il avait réussi à se maîtriser et à faire bonne figure durant la cérémonie et la réception, à présent que les dés étaient jetés, il préférait se réfugier chez lui pour lécher ses plaies.

Un ramassis d'idioties ! Bien sûr, il avait de l'affection pour Hadleigh. Il l'aimait même beaucoup et ne pouvait nier qu'elle était un régal pour les yeux. N'empêche qu'il n'y avait jamais eu la moindre attirance entre eux.

Quand cette rumeur s'était propagée, il en avait été profondément affecté. La fable était encore plus absurde que celle concernant Junie. Oui, à une époque, il avait beaucoup joué avec les dames, mais en y regardant de plus près, on aurait facilement conclu que si elles étaient si nombreuses, c'était parce qu'il ne s'investissait auprès d'aucune. Même son amitié avec Trudy Reinholt n'avait été que cela : une amitié. Jusqu'à ce que la jeune femme commence à désirer plus que ce qu'il voulait offrir. Plus qu'il ne *pouvait* offrir…

Alors, oui, il allait se montrer à la Moose Jaw Tavern pour prouver à tous qu'il ne se lamentait pas sur un amour brisé.

Et puis, en service ou pas, il était le chef de la police. Son travail était le maintien de la paix, ce qui exigeait de garder un œil sur la foule. Pour la plupart, les invités du mariage étaient des gens raisonnables, tous amis de la mariée, du marié ou des deux. Mais on était samedi soir et la taverne devait grouiller d'habitués et de quelques touristes. D'après son expérience, à la suite des mariages ou des enterrements, des événements chargés d'une grande puissance symbolique, l'émotion était à son comble. Versez là-dessus une rasade d'alcool et vous pouviez vous attendre à tous les débordements.

Il arriva rapidement en vue de la taverne, où régnait une ambiance du feu de Dieu. Sur le parking, c'était la folie. Des voitures, des pick-up, des motos, des vélos à dix vitesses, tout ce qui portait des roues à l'exception des trains électriques ou des skateboards, était réuni sans la moindre méthode ! Les véhicules garés en tous sens, comme si le conducteur et les passagers, saisis de panique, les avaient abandonnés sur place. L'effet général était aussi chaotique qu'un jeu de dominos tombé d'une boîte.

— Si les clients étaient si pressés de siffler des bières, dans quel état seront-ils à l'heure de la fermeture ? marmonna-t-il.

Il sortit de son pick-up en soupirant et claqua la portière. Cela faisait vingt heures qu'il était sur le pont, ayant effectué double service le vendredi, avant d'assister à l'enterrement de vie de garçon de Tripp. Non seulement il était éreinté, mais il avait l'estomac dans les talons. Depuis sa pizza de la veille, il n'avait avalé qu'une tranche de gâteau de mariage, une poignée de dragées à la menthe et un sandwich au saumon de la taille d'un dollar en argent. Pas de quoi nourrir son homme.

Il avait besoin de protéines, de préférence sous la forme d'un épais steak saignant. Et, après avoir nourri ses bêtes, un cheval et un chien, pris une bonne douche, bien chaude, si Dieu le voulait il pourrait s'effondrer sur son lit et dormir.

Il ne l'aurait avoué à personne, bien sûr, et même sous la torture, mais il ne pouvait s'empêcher de se faire du souci.

Harley, son chien, un corniaud blanc et noir fruit d'une foule de croisements divers, devait surveiller fébrilement la route en guettant son retour. Perché tel un vautour sur le dossier du canapé du salon, il montait sûrement la garde, l'œil rivé sur la fenêtre.

En revanche, son hongre gris, nommé Reb en l'honneur de l'héritage sudiste de son maître, devait être ravi de continuer à paître en profitant des joies de l'été, dans la prairie jouxtant l'écurie. Il n'empêche que les chevaux, qu'ils soient sauvages ou apprivoisés, étaient, par nature, des animaux sociaux et qu'ils avaient besoin de compagnie.

Préoccupé par le sort de ses compagnons, il fut tenté de filer directement au ranch, comme s'il n'avait jamais eu l'intention de faire une halte à la taverne.

Mais, prenant sur lui, il traversa le parking en direction du bar, un authentique saloon, ouvert sans interruption depuis la conquête de l'Ouest. La bâtisse penchait légèrement de côté, une traînée de rouille marquait l'emplacement de chaque clou et les bardeaux des murs jamais repeints étaient délavés par le temps.

Il allait rester dix minutes maximum, histoire de se montrer et d'être vu. Si un échange verbal s'imposait, il lancerait un « bonjour », ferait un tour rapide des lieux, serrerait quelques mains puis repartirait illico.

Mais en attendant, il poussa la porte et entra. Rien que dix minutes. Pas plus.

A la Moose Jaw Tavern, la musique du juke-box était trop forte et on se marchait dessus.

Du moins c'était l'opinion de Melody Nolan, car autour d'elle, tout le monde semblait s'éclater. Les gens hurlaient, riaient et dansaient tout en avalant force bières.

Bien sûr, les raisons de se réjouir ne manquaient pas. Hadleigh et Tripp étaient *enfin* mariés — un petit miracle, considérant leur obstination réciproque. Donc, le pacte matrimonial passé par ses deux amies, Hadleigh et Bex, et elle avait bien fonctionné. Ce qui était réconfortant.

Déjà un mariage de conclu. Plus que deux à concrétiser.

Melody tripota la petite tête de cheval en or accrochée à

son bracelet, un symbole de triomphe, non seulement pour Hadleigh, la première casée, mais pour Bex et elle. Elle avait personnellement dessiné et fait réaliser ces gris-gris, un pour chacune des trois amies. La breloque figurait l'union de Hadleigh avec Tripp, éleveur et cow-boy.

Jusqu'à présent, tout se passait bien.

Elle était ravie pour Hadleigh, son exceptionnelle meilleure amie. C'était certainement la fatigue — et ses pieds en compote ! — qui la rendait triste, excédée, presque au bord des larmes. L'inconfort physique accentuait son malaise, voilà tout. Pourtant, elle n'osait pas envoyer valser les talons aiguilles qu'elle portait depuis plus de six heures. Une éternité…

Si elle les ôtait, elle savait que son soulagement serait de courte durée et qu'elle s'en mordrait les doigts. Ses pauvres orteils allaient gonfler démesurément, l'empêchant de rechausser ces satanés escarpins. Or, elle n'avait nullement l'intention de passer le reste de la soirée pieds nus. Surtout pas dans le plus miteux débit de boisson de Mustang Creek, Wyoming, ce bouge au plancher dégoûtant, au risque de se faire écraser les orteils par un danseur déchaîné chaussé de santiags.

Elle se résolut donc à continuer à souffrir.

Quand Bex — le diminutif de Becca — Stuart, sa seconde exceptionnelle meilleure amie, rejoignit leur table poisseuse en riant, tout essoufflée d'avoir dansé son énième quadrille endiablé avec un énième cow-boy, elle lui jeta un regard noir.

Moulée dans une robe jaune de demoiselle d'honneur identique à la sienne, Bex, qui avait remarqué son regard peu amène, lui répondit par une grimace.

— Pourquoi ne vas-tu pas danser ? lui cria cette dernière pour dominer la musique qui braillait et les hurlements de la foule.

— Pourquoi est-ce que tu boites ? riposta-t-elle.

Les chaussures de Bex étaient les répliques des siennes. Jaunes, pointues au bout, avec des talons effilés, et parfaitement incongrues dans cet environnement, où les santiags étaient visiblement la tendance du jour. Comment faisait Bex, qui était coach de fitness et vivait en baskets, pour garder le sourire avec ces instruments de torture aux pieds ? Sûrement grâce à ses mollets musclés, acquis en donnant des cours de gym.

Dans le chahut, le soupir de son amie fut plus visible qu'audible. La breloque sur son bracelet étincela dans la lumière, quand elle leva la main pour repousser une mèche artistiquement bouclée, tombée sur son front.

— Franchement, Mel, tu es obligée de jouer les bonnets de nuit ?

Un peu chagrinée, Melody tritura son propre bracelet en répliquant avec humeur :

— Je suis heureuse, compris ?

— Ben, on ne le dirait pas, rétorqua Bex.

« Fiche-moi la paix et laisse-moi me lamenter sur moi-même », allait-elle répliquer quand elle sentit un étrange friselis au bout de ses doigts. Soudain, son bras se dressa, comme par enchantement. Effarée, elle l'abaissa vivement, puis, oubliant totalement la conversation, se redressa sur sa chaise en fixant instinctivement l'entrée du bar.

Spence Hogan était là. Spence, l'homme qui lui avait brisé le cœur…

Oh ! pas uniquement le sien ! Car, en gros, toutes les femmes séduisantes de la ville tombaient dans cette catégorie. Spence aurait dû porter une pancarte « Attention danger » accrochée autour du cou. Apparemment, si vous étiez du beau sexe et habitiez Mustang Creek, vous ne pouviez résister à l'envie de sortir avec lui. D'après la rumeur publique, beaucoup seraient arrivées à leurs fins. Mais elle s'efforçait de fermer ses oreilles à tous ces ragots.

Spence était en train de franchir le seuil, le chapeau à la main. Il était si grand qu'il dut presque se courber pour ne pas se cogner la tête.

Cela paraissait impossible, et pourtant il était encore plus beau en habits de tous les jours que dans l'élégant smoking qu'il portait au mariage. Avec lui, le mot « garçon d'honneur » prenait un tout nouveau sens, songea-t-elle, plus maussade encore. Elle croyait ne plus le revoir, car depuis deux jours ils ne cessaient de tomber l'un sur l'autre. Elle avait même dû s'asseoir à ses côtés et pour la répétition du dîner et pour le dîner ! Heureusement que le père de Tripp, Jim, avait rapidement rectifié cette bévue, sinon, cela lui aurait gâché la fête. Sa nouvelle épouse, chargée du plan de table, devait ignorer que Spence et elle avaient un passé. A priori, c'était logique de les installer côte à côte, puisqu'elle était demoiselle d'honneur et lui garçon d'honneur.

Garçon d'honneur !

En quel honneur ? Parce qu'il était beau gosse ? Qu'il faisait l'amour comme un dieu ? Qu'il avait le chic pour piétiner vos rêves ?

La simple vue de cet homme l'anéantissait. C'était d'autant plus étrange qu'ils avaient été forcés de se côtoyer durant le mariage, et qu'ils vivaient dans la même bourgade depuis toujours. Quels que soient leurs efforts pour s'éviter, ils finissaient par se croiser, inévitablement.

Et à cet instant précis, ses nerfs vibraient comme un circuit électrique saturé.

Pourquoi ne pouvait-elle pas regarder ailleurs, faire comme s'il n'existait pas ? Elle y était pourtant habituée ? se demanda-t-elle, paniquée.

Aucune réponse ne lui vint à l'esprit — ce qui, en soi, était exaspérant, car elle avait *toujours* réponse à tout. Sauf quand il s'agissait de Spence. Spence, avec sa démarche résolue et chaloupée de cow-boy et le bleu pénétrant de ses yeux — un bleu si limpide que l'on aurait pu jurer qu'il portait des lentilles de contact. Même à cette distance, l'intensité de son regard était frappante. Sans oublier sa chevelure ébène, ses larges épaules, le tombé de son jean sur ses hanches fines, ses longues jambes… Par quel mystère ces atouts qu'elle connaissait par cœur pouvaient-ils encore la troubler à ce point ?

Bien qu'il habite dans les parages depuis quelque temps, il avait treize ans l'été où il avait surgi pour la première fois sur son radar personnel. Elle en avait six et s'entendait déjà comme larrons en foire avec Bex et Hadleigh.

Spence était un copain de Will, le grand frère de Hadleigh,

et de Tripp, et il traînait souvent autour de la maison des Stevens.

Et un jour, il avait définitivement attiré l'attention de Melody, au point de provoquer chez elle un cas sévère d'idolâtrie.

Pour cela, il avait suffi que sa chaîne de vélo déraille, la projetant sur la chaussée. Spence, qui jouait au basket avec Will et Tripp, s'était élancé à son secours. Après l'avoir aidée à se relever, il avait examiné son genou et son épaule éraflés, sans se moquer des larmes qui ruisselaient sur ses joues. A la place, il les avait essuyées avec le bord de son T-shirt, puis l'avait amenée à l'intérieur pour la confier aux bons soins de la grand-mère de Hadleigh. Quand elle était ressortie de la maison, ses bobos proprement nettoyés et pansés, son vélo réparé l'attendait près du garage.

— Ça va ? lui avait demandé Spence, comme s'il se souciait vraiment de la réponse.

Elle avait hoché la tête.

— J'ai ajusté ta chaîne, avait dit Tripp. Elle était trop lâche.

— La dernière fois que j'ai fait une chute pareille, j'ai pleuré, moi aussi, avait poursuivi Will. Tu ne dois pas te sentir un bébé pour ça.

Puis, tous trois étaient retournés à leur partie de basket.

C'était tout.

Cependant, l'affaire avait grandement impressionné Hadleigh et Bex, car, d'après leur expérience, les garçons remarquaient à peine leur existence.

En surface, rien n'avait changé depuis ce jour mémorable. Simplement, Will et Tripp toléraient avec une indifférence bienveillante la présence des filles, et Spence suivait le mouvement.

De leur côté, les trois amies partageaient la conviction secrète que les choses ne seraient plus jamais les mêmes. Elles chuchotaient entre elles en gloussant, tentant de démêler le mystère de leur étrange fascination. De nombreuses années s'étaient écoulées sans qu'elles y parviennent.

Aujourd'hui, après une éternité, Hadleigh et Tripp, profondément épris l'un de l'autre, venaient de s'unir par les liens sacrés du mariage.

Une coïncidence ? Probablement pas, songea Melody en sirotant sa bière, sa conscience philosophique certainement aiguisée par les événements du jour. Ce mariage était le point culminant d'un long processus qui avait débuté dans leur enfance à tous.

L'aspect conte de fées de leur histoire commune aurait pu alimenter la légende si Bex et Will, en grandissant, étaient à leur tour tombés amoureux. Malheureusement, Will avait été tué en Afghanistan. Depuis, Bex avait multiplié les rencontres, surtout à l'époque de l'université, mais sans jamais trouver *le bon*.

Quant à Spence et elle, ils avaient flirté un été, avant qu'elle s'aperçoive que, tandis qu'elle flottait sur un petit nuage en échafaudant des rêves d'avenir — une jolie maison, des enfants et le reste —, l'intérêt de Spence n'était que provisoire. Par une belle nuit de juillet, sous les derniers feux d'artifice de la fête nationale, elle avait fini de se ridiculiser en lui demandant de l'épouser. Elle n'oublierait jamais l'expression de Spence, pendant qu'il se creusait la tête pour trouver quoi lui répondre.

Au lieu de lui décocher son éclatant sourire habituel, au lieu de répondre « Oui ! Marions-nous ! », comme elle s'y attendait, il lui avait tapoté la tête en lui expliquant gentiment qu'il n'était pas prêt pour ce genre d'engagement. Qu'il ne le serait jamais. Ensuite, avec une sollicitude blessante, il lui avait rappelé qu'elle n'avait même pas fini ses études.

Il lui avait fallu des années pour digérer l'injure.

Elle reprit une gorgée de bière tiède en se remémorant tristement cette nuit affreuse.

Oui, il l'aimait, avait-il proclamé quand elle le lui avait demandé en sanglotant. Il l'aimait bien. Beaucoup, même. Raison de plus pour refuser de saboter ses études, sa carrière et peut-être sa vie entière, en l'empêchant de voyager, de réfléchir et de décider ce qu'elle voulait faire vraiment.

Jusqu'à ce moment terrible, où son univers avait sombré dans un trou noir, Spence et elle avaient passé presque tout leur temps libre ensemble. Au fil des jours, ils s'étaient rapprochés petit à petit, jusqu'à faire tendrement l'amour, pour la première fois, sous le ciel étoilé. Et, par la suite, dans tous les recoins possibles et imaginables.

Oui, elle avait aimé Spencer Hogan de tout son cœur et de toute son âme ! Quelle idiote d'avoir cru que son amour était payé de retour !

Du moins, jusqu'au jour de la rupture.

Tandis que Spence se consolait avec Junie McFarlane, elle avait tourné chez elle comme un ours en cage, dans l'attente de son départ pour l'université, le mois suivant. Distraite, abattue, elle avait tout d'une somnambule. Consciente que cela ne pouvait plus durer, elle avait décidé d'opter pour les beaux-arts à la place du droit, car elle avait toujours aimé les formes, les couleurs et les textures. Constatant que le changement n'avait pas eu l'effet escompté, elle s'était cachée dans les dortoirs, sautant les cours et les repas, dormant à peine.

Sa mère, qui venait de se remarier après des années de veuvage et projetait de déménager à Casper, se rongeait d'inquiétude pour elle. Melody avait bien conscience de la rendre malheureuse, de l'empêcher de jouir de son bonheur retrouvé. Mais cela n'avait pas suffi à la sortir de sa déprime.

Livrée à elle-même, elle aurait sûrement fini par exploser en vol.

Grâce au ciel, Bex et Hadleigh avaient refusé de la laisser s'autodétruire. Improvisant une thérapie sauvage, elles l'avaient coincée dans la minuscule chambre qu'elles partageaient sur le campus. Au début, elle les avait envoyées paître en exigeant qu'on la laisse seule. Mais, aussi têtues qu'elle, ses deux amies n'avaient rien voulu entendre.

Elles l'avaient harcelée durant tout un samedi, jusqu'à ce que, dans l'espoir de gagner cinq minutes de répit, elle cède sur certaines de leurs exigences. Elle avait donc enlevé le pyjama qu'elle portait depuis des jours, pris une douche et enfilé sa tenue préférée.

Mais loin de s'en tenir là, Bex et Hadleigh l'avaient traînée dans le couloir, puis en dehors du campus et de là vers le centre commercial le plus proche. Dans un salon de coiffure sans rendez-vous, une grande folle affublée d'une crête d'Iroquois fuchsia et d'un nombre ahurissant de piercings lui avait ordonné de s'asseoir dans un fauteuil, avant de lui couper les cheveux, de les faire bouffer, de les vaporiser, réussissant enfin à lui redonner figure humaine.

Aussi miraculeux que soit ce résultat, il n'avait été que le prélude de la grande campagne « Sauvez Melody d'elle-même ».

Dès leur sortie du salon, Bex et Hadleigh avaient déclaré qu'elles mouraient de faim. Ni une ni deux, la petite bande avait foncé vers le coin des restaurants, avec leur ribambelle de plats désastreux pour la santé. Après mûre réflexion, elles avaient choisi des nouilles *ramen*, du poulet *teriyaki* et des rouleaux de printemps.

A la suite de quoi, comme le multiplex leur tendait les bras, elles avaient décidé d'enchaîner un film ou deux.

Au final, elles en avaient vu trois — deux romances sentimentales et un film catastrophe.

Le lendemain, Melody était retournée en cours et, durant les semaines suivantes, Bex et Hadleigh l'avaient aidée à rattraper son travail en retard.

En dépit de ses pieds douloureux, de sa mauvaise humeur et de l'arrivée de Spence, elle ne put s'empêcher de sourire à ce souvenir, émue.

Tout cela était de l'histoire ancienne, songea-t-elle, les yeux rivés sur Spence qui s'arrêtait pour échanger un mot, une poignée de main, ou une plaisanterie au passage.

Incapable d'arrêter de le fixer, elle le vit s'approcher du comptoir, discuter avec le barman, puis repartir sans rien emporter. Spence buvait rarement. D'après lui, l'alcool arrondissait trop bien les angles, comme il le lui avait expliqué quand ils sortaient ensemble, sans qu'elle comprenne bien ce qu'il voulait dire.

Enfin, elle réussit à détacher ses yeux de lui à grand-peine et à regarder de l'autre côté. Mauvaise idée ! Bex lui souriait, arborant cet air entendu propre aux meilleures amies.

Enervée, elle lui retourna une grimace. Bex se contenta

d'éclater de rire en secouant la tête, avant de se lever pour répondre à l'invitation à danser d'un nouveau cow-boy.

— Ne t'étonne pas si je ne suis plus là à ton retour ! lui lança Melody.

— A ta guise ! répondit Bex, avec une bonne humeur exaspérante.

Depuis leur arrivée à la Moose Jaw Tavern, Melody faisait tapisserie. Au point qu'elle avait l'impression de faire partie du papier peint. Il avait suffi de quelques refus polis pour que les invitations à danser se tarissent. Et c'était très bien ainsi. Pour elle, comme pour ses pauvres pieds.

Comme disait sa grand-mère, elle avait eu son compte de rigolade pour la journée.

Il était temps de mettre les voiles.

La serveuse avait apporté l'addition et elle tenait à payer sa part. Elle se fraya donc un chemin vers la caisse, à l'extrémité du bar, tout en fouillant dans son minuscule sac à main jaune — un autre accessoire de sa tenue de demoiselle d'honneur — en quête de sa carte de crédit.

Après avoir réglé, elle boitilla vers la porte, maintenue grande ouverte pour laisser entrer la brise, et inspecta le parking à la recherche de sa voiture… qui était bloquée des quatre côtés.

— Oh ! Zut ! marmonna-t-elle.

Comme si elle n'avait pas eu sa dose de désagréments, elle était maintenant confrontée à un dilemme fort déplaisant, à savoir : retourner à l'intérieur et demander au propriétaire des lieux de trouver les quatre clients responsables et les obliger à bouger leur véhicule, ou rentrer à pied chez elle.

— Tu as un problème ?

Elle sursauta et se retourna. Spence, le visage à demi dans la pénombre, l'observait avec une expression indéchiffrable. Enfin, pas tout à fait. Il lui semblait discerner un rictus ironique sur ses lèvres.

— Oui, en effet, j'ai un problème, répondit-elle sèchement, avant d'inspirer à fond. J'en ai même plusieurs, précisa-t-elle, les mots se bousculant sur ses lèvres. D'abord, je veux rentrer chez moi et j'en suis incapable parce que ma voiture est littéralement encerclée. Ensuite, mes pieds me font un mal de chien, et…

Elle se tut. Spence n'avait pas besoin d'en savoir plus.

Après avoir examiné l'enchevêtrement de véhicules, certainement garés par des babouins, il poussa un soupir et se retourna vers elle. L'intensité de son regard d'acier la surprit. Il posa nonchalamment les yeux sur ses chaussures, qui n'étaient pas du tout faites pour marcher jusque chez elle — pas faites pour marcher du tout, d'ailleurs ! — puis remonta lentement en s'attardant sur ses jambes. Le sourire narquois qu'il devait réprimer depuis un moment éclaira son regard.

— Je me demande comment tu peux marcher sur des échasses pareilles, fit-il remarquer. Sans vouloir t'offenser, dans cette robe, tu ressembles à une jonquille renversée, légèrement fanée. Elle a certainement du style, mais le jaune n'est pas du tout ta couleur. Le seul point positif, c'est qu'elle découvre tes jambes. Ce qui est super. Parce qu'elles sont très jolies.

— Merci beaucoup ! répliqua-t-elle sèchement en levant les yeux au ciel. Ta *galanterie* me touche infiniment.

— C'était juste une opinion. En revanche, je ne plaisantais pas à propos de tes jambes.

— Je ne me souviens pas t'avoir jamais demandé ton avis sur ma robe, mes chaussures ou mes jambes, riposta-t-elle, à bout de patience.

Mon Dieu, cette nuit épouvantable n'aurait-elle donc jamais de fin ?

Pour toute réponse, Spence lâcha un gloussement rauque, si viril qu'elle sentit son cœur s'emballer.

— C'est vrai, tu ne m'as rien demandé, admit-il, beau joueur.

Puis son sourire disparut, son expression changea du tout au tout. Il avait l'air épuisé et plus du tout sarcastique.

— Je comptais rentrer aussi, et je serais ravi de te déposer chez toi, reprit-il. Demain matin, ta voiture sera dégagée, si c'est ce qui t'inquiète.

Le cœur de Melody était à présent bloqué au fond de sa gorge.

— Je ne crois pas… je ne pense pas… je veux dire…, bafouilla-t-elle.

Une fois de plus, Spence lui décocha un sourire moqueur, et ses yeux pétillèrent de malice, lui donnant une folle envie de le gifler.

Et aussi, plus bizarrement, de l'embrasser.

Elle aurait voulu…

Bon sang ! Elle ne savait pas du tout ce qu'elle voulait.

Sans avertissement, Spence la hissa sur son épaule et l'emporta d'un pas décidé à travers le parking.

Submergée par quelque chose de primitif sur lequel elle ne voulait pas s'attarder, elle hoqueta et lança :

— Qu'est-ce que tu fabriques ?

— C'est évident, non ? Je te transbahute jusqu'à mon camion pour te ramener chez toi. Tu n'es pas équipée pour y arriver par tes propres moyens. Pas avec ces chaussures ridicules en tout cas.

— Tu me *transbahutes* ?

— Je te porte, si tu préfères. Dis donc, tu parais toute mince, comme ça, mais en fait, tu es plutôt costaud. J'ai trimballé des veaux qui pesaient moins lourd.

— *Costaud ?* Et tu me compares à… à un *veau* ? Comment oses-tu proférer des horreurs pareilles ? s'écria-t-elle, vexée comme un pou.

Arrivé près de son camion, Spence la déposa sur le marchepied côté passager et la retint d'une main, le temps d'extraire ses clés de la poche de son jean. Après l'avoir fait pivoter sur le côté, il ouvrit la portière et l'invita à monter en lançant avec un manque flagrant de conviction :

— Désolé.

Comme elle ne bronchait pas, il la jeta ni plus ni moins sur le siège.

Son dos atterrit brutalement contre le dossier, mais elle était trop sidérée par son audace pour pouvoir émettre le moindre son. Et encore moins bondir hors du pick-up.

Il se gratta le menton, comme s'il réfléchissait à une idée qui venait de lui traverser l'esprit. « Tiens, sa barbe commence à pousser », songea-t-elle distraitement.

— J'aurais pu montrer plus de tact, reconnut-il. « Costaud » était un peu malvenu. Mais je me suis excusé, non ?

Cette fois, elle recouvra suffisamment de voix pour le traiter de tous les noms.

Il eut beau feindre l'étonnement, son sourire meurtrier n'attendait que la première occasion pour jaillir… et la déstabiliser.

— J'aurais dû me douter que c'était une erreur de te proposer cette faveur, dit-il avec un air de martyr. Boucle ta ceinture, ajouta-t-il sans lui laisser le temps de riposter.

Sur ce, il claqua la portière, fit le tour du véhicule et prit place au volant.

Dommage qu'elle n'ait pas le courage de boiter jusque chez elle. Sinon elle se serait fait un plaisir de dire à Spence Hogan où il pouvait se fourrer sa *faveur* ! Puis elle lui aurait claqué la portière au nez et l'aurait laissé en plan.

Malheureusement, ce n'était qu'un rêve délicieux.

Les bras croisés, elle fulmina en silence, jusqu'à ce qu'ils soient sortis du parking, mais, une fois sur la nationale, elle ne put s'empêcher de marmonner :

— C'est *toi* qui as commencé.

Spence éclata d'un rire sonore et ne releva pas.

— Oui, c'est toi, insista-t-elle, piquée.

Pourquoi ne pouvait-elle se taire et laisser tomber ? Après tout, son domicile n'était qu'à cinq minutes en voiture. Elle pouvait tout de même tenir sa langue *cinq minutes.*

Eh bien non !

— Qu'est-ce qu'il y a de si drôle ? lança-t-elle, comme il se tournait vers elle, le sourire aux lèvres.

— Toi. En fait, c'est vrai ce qu'on raconte.

— Et qu'est-ce qu'on raconte ?

— Que certaines choses ne changent jamais. Et certaines personnes non plus.

2

D'après les calculs approximatifs de Spence, dix minutes avaient suffi pour aboutir à un fiasco complet.

A la seconde où il s'était garé devant la maison de Melody, avant qu'il ait pu mettre un orteil à terre pour aller ouvrir sa portière, la jeune femme avait bondi du camion et remonté son allée en boitillant, sans un salut de la main ou un regard en arrière. Sans même se fendre d'un « au revoir » ou d'un « merci ».

Considérant qu'un homme qui se respecte ne pouvait raccompagner une femme chez elle, la nuit, et rester à son volant en la regardant clopiner vers sa porte, il avait réagi en une fraction de seconde.

Il avait rattrapé Melody à la barrière, où ses pieds douloureux l'avaient contrainte à s'arrêter. Pour garder l'équilibre, elle s'était retenue d'une main à un des poteaux, pour se débarrasser de ses escarpins. Elle les avait ôtés l'un après l'autre avec une grimace de soulagement. Un moment, il avait cru qu'elle allait les jeter dans les buissons environnants, éventuellement sur lui. Mais non. Elle avait dressé le menton et croisé son regard en assenant sèchement :

— Maintenant, tu peux t'en aller.

Puis elle avait désigné sa maison en balançant à bout de bras les perfides talons aiguilles, et avait ajouté :

— Je peux me passer d'une escorte policière pour arriver jusqu'à ma porte.

Obstiné, il avait ouvert la barrière sans un mot, puis il

avait empoigné son coude et l'avait escortée jusqu'en haut du perron. Bien qu'elle n'ait pas émis d'objection — audible tout au moins —, son air furibond prouvait qu'elle l'aurait volontiers mordu.

Sans commentaire, il avait attendu qu'elle trouve son trousseau au fond de son sac microscopique, puis qu'elle introduise la clé dans la serrure. Ce qu'elle avait fait si violemment qu'il n'aurait pas été étonné si la clé s'était cassée en deux.

Mais, heureusement, cela ne s'était pas produit.

Sitôt le seuil franchi, elle lui avait lancé un regard meurtrier, avant de lui claquer la porte au nez.

A ce souvenir, un muscle de sa mâchoire tressaillit. Il changea de vitesse en faisant rugir son moteur pour laisser la ville derrière lui, puis accéléra encore en atteignant la nationale. Alors, à grand-peine, il se força à desserrer les dents et à relâcher les épaules.

Bon, d'accord ! Tout à l'heure, sur le parking, il avait manqué singulièrement de tact. Mais qu'y faire s'il perdait toujours ses moyens en présence de Melody ? N'empêche qu'il s'était excusé, et avec sincérité encore, même si c'était à contrecœur.

Ses excuses, bien que réticentes, auraient dû compter, non ?

Si Melody n'avait pas eu l'esprit de contradiction chevillé au corps, elle aurait pu faire des concessions, ou au moins lui manifester un soupçon de courtoisie, ne serait-ce que pour l'avoir sortie d'un mauvais pas. N'importe qui, à sa place, l'aurait remercié de son aide.

Seulement Melody n'était pas n'importe qui. C'était la pire des têtes de mule. Vu son comportement, on aurait pu croire qu'il avait voulu la kidnapper.

Irrité au plus haut point — il était épuisé, affamé, et par conséquent d'une humeur de dogue —, il jeta son chapeau sur le siège passager et fourragea nerveusement dans ses cheveux.

Bien sûr, le fait d'avoir porté le petit chat sauvage sur son épaule et de l'avoir jeté sans ménagement sur le siège de son camion n'avait pas arrangé les choses. On n'était pas dans un vieux film avec John Wayne et Maureen O'Hara. Aujourd'hui, de nouvelles règles régissaient les rapports homme-femme. Des règles très compliquées, à son avis.

Bon. Autant reconnaître ses torts, il avait agi trop précipitamment, sans aucune finesse. Et il risquait de s'en mordre les doigts.

Pourtant, quelqu'un devait faire quelque chose, non ? Sinon, à l'heure qu'il est, Melody et lui seraient toujours sur ce satané parking à se chamailler sans fin, comme deux idiots.

Juste au moment où il commençait à penser qu'il serait bon de prendre un peu de recul vis-à-vis des événements, une nouvelle vague de frustration le submergea, le ramenant aussitôt au point de départ.

Après avoir fulminé pendant cinq bonnes minutes, il recouvra progressivement son calme. Il revit Melody, sous le porche, dans sa robe jaune, avec son maquillage délayé ou figé par endroits, sa magnifique chevelure de miel prête à se libérer de son carcan d'épingles pour cascader sur ses épaules, et surtout… en train de mordiller sa lèvre inférieure, comme elle le faisait toujours quand elle était stressée.

Et cette image l'excita comme un fou.

Quelles que soient les circonstances, Melody était toujours aussi belle, songea-t-il, soudain triste.

A cette pensée, la tension entre ses jambes alla se nicher dans un territoire inexploré de son cœur, où elle déclencha ce sourd battement de chagrin et de regret qu'il connaissait bien.

Il l'avait perdue.

Ce n'était pas un scoop, à proprement parler. Quoi qu'il ait existé entre Melody et lui — ou *presque* existé —, c'était de l'histoire ancienne. Pourtant, épisodiquement, une terrible nostalgie surgissait du néant pour le tarauder.

Comme ce soir.

Il serra les mâchoires pour se cuirasser contre le déferlement d'émotions qui l'assaillait. Parce qu'il n'avait pas le choix et parce que c'était sa manière d'agir, il endura stoïquement le choc, conscient toutefois que toute résistance était vaine et ne ferait que prolonger la souffrance en l'accentuant.

Accablé, il soupira.

Tant que Melody et lui réussissaient à s'éviter, les cadavres restaient cachés dans le placard, selon la formule consacrée. Mais, régulièrement, il se produisait un événement qui les réunissait, comme le mariage de leurs amis, cet après-midi. Alors les spectres pourrissants se dressaient hors de leur tombe, et leurs hurlements, portés par le vent de la nuit, venaient lui rappeler que les projets et les rêves qu'il avait caressés jadis étaient à jamais anéantis.

« Ça aussi, ça passera tôt ou tard », se persuada-t-il.

Et il continua sa route.

Heureusement, la vue de sa maison et de son écurie lui remonta sensiblement le moral. Si les bâtisses manquaient de style et d'élégance, leurs structures étaient solides, et leur histoire si ancienne qu'au fil du temps des racines profondes, noueuses et robustes avaient dû s'enfoncer loin dans le sol, les arrimant à la terre pour l'éternité.

Il se gara derrière la maison plongée dans le noir, récupéra son chapeau et descendit du pick-up. A l'instant où ses bottes touchèrent la fine poussière du Wyoming, il sentit descendre en lui une paix familière.

Il était à la maison. Chez lui.

Il sourit en entendant le vacarme saluant son retour au bercail. Dans la plus proche pâture, Reb, son hongre, invisible dans le noir, hennissait pour l'accueillir, tandis que Harley, véritable chien-orchestre, glapissait de joie et d'excitation, derrière la porte de la cuisine.

— Une minute ! J'arrive, lança-t-il à ses compagnons.

Ses trois chats, Ralph, Waldo et Emerson, étaient assis en rang d'oignons quand Melody, pieds nus, clopina dans la cuisine en jurant ses grands dieux qu'elle ne porterait plus jamais de talons. Même à son propre mariage !

Mais, considérant le piteux état de sa vie amoureuse…

— Miaaaou, lancèrent les chats d'une seule et même voix.

En dépit des apparences, cela n'avait rien d'un comité d'accueil, mais tout d'une manifestation de réprobation.

— Oh ! Arrêtez votre cinéma, gronda-t-elle en se penchant sur le comptoir pour attraper sa tasse favorite, pendue au support de bois près de l'évier. Je sais que je suis en retard pour votre dîner, mais vous n'arriverez pas à me culpabiliser. Aujourd'hui, c'était le mariage d'une de mes meilleures amies.

Elle s'interrompit, le sourire aux lèvres, ravie que Hadleigh soit heureuse. N'était-ce pas la preuve que, parfois, les choses finissaient bien ?

Elle remplit sa tasse d'eau, y plongea un sachet de tisane de framboise et alluma le micro-ondes.

Le trio de chats furibonds ne rompit pas les rangs, se contentant de tourner vaguement la tête vers elle pour suivre ses gestes d'un œil accusateur, pendant qu'elle ouvrait une boîte de pâtée, prenait trois petites assiettes dans la pile appropriée du placard et divisait la nourriture en trois. Et ils restèrent groupés, tandis qu'avec l'adresse d'une vieille serveuse de routier, elle allait poser les trois assiettes à l'endroit habituel.

Ses majestueuses et tyranniques boules de poils formaient une bande bizarre. C'était ce que répétaient ses amies, et Melody était bien obligée de se ranger à leur avis. Issus de la même portée et adoptés au refuge local, quelques années auparavant, tous trois se ressemblaient tellement — jusqu'à la plus petite tache de leur pelage écaille de tortue — qu'elle-même avait du mal à les distinguer.

Ils étaient si interchangeables qu'elle aurait mieux fait de les appeler tous Bob. Cela aurait été plus simple.

Laissant les trois félins à leur banquet, elle sortit de la cuisine et gagna sa chambre.

Là, dans un état de soulagement semi-comateux, elle ôta sa robe, ses collants filés et sa combinaison qui grattait, et les laissa tomber en tas sur le plancher. Puis, en culotte et soutien-gorge, elle prit une chemise de nuit propre, usée et douillette, dans le tiroir de sa commode et alla prendre une douche.

Après avoir réglé l'eau à bonne température, elle se glissa sous le jet et ne bougea plus. Les yeux clos, elle offrit son visage à ce plaisir divin, savoura avec délice ces minutes de détente, pendant que l'eau nettoyait les dernières traces de son maquillage.

Elle se délectait du plaisir banal de se retrouver seule chez elle, à l'abri des regards. Enfin libre d'être la vraie Melody et non plus un personnage en représentation.

Sa coiffure posait problème. Elle dut frissonner hors de la douche, le temps d'ôter les dernières épingles et de brosser ses cheveux crêpés sauvagement le matin par une coiffeuse de la ville. Ceci fait, elle revint sous la douche bienfaitrice. Après un shampoing succinct, un bon savonnage et un rinçage, elle coupa l'eau avec un soupir et sortit de la cabine en s'enveloppant dans son drap de bain comme dans un sari.

Une fois le miroir désembué, elle démêla ses mèches humides. Elle n'avait pas le courage de les sécher, ce qui signifiait que demain elle serait obligée de se tremper la tête pour dompter la bête. Tant pis ! Demain était loin. Demain était à des années-lumière.

Sur pilote automatique, elle se brossa les dents et essuya quelques coulées de mascara rebelles, avant d'enfiler sa chemise de nuit.

Fin prête à se coucher, elle quitta la salle de bains, se félicitant en silence de n'avoir pas pensé une seule seconde à Spence depuis son retour. C'était un véritable exploit, une victoire personnelle. Pendant presque une demi-heure son cerveau avait oublié Spence Hogan !

Soudain déprimée, elle poussa un petit soupir. Voilà qu'il encombrait de nouveau ses pensées…

Vous parlez d'une victoire !

Quand elle entra dans la cuisine, la brigade féline avait fini de manger et était allée vagabonder ailleurs, probablement dans son atelier. Ses chats aimaient se percher sur le manteau de la cheminée, tellement statiques que les visiteurs les prenaient parfois pour des bibelots grandeur nature.

Elle ramassa en souriant les assiettes vides, les rinça avec soin et les rangea dans le lave-vaisselle. Puis elle alla vérifier si elle avait bien mis le verrou à la porte de service. Elle était sûre de l'avoir fait ce matin, avant de quitter la maison, mais comme tout le monde, il lui arrivait d'être étourdie.

Scrupuleusement, elle s'assura qu'elle avait bien verrouillé la porte principale en rentrant, sa rencontre avec Spence l'ayant légèrement troublée.

Ensuite, elle examina les fenêtres une à une.

Comme elle travaillait chez elle et n'avait jamais pu se résoudre à faire installer l'air conditionné, en été, dans la journée, elle gardait au moins trois ou quatre fenêtres ouvertes, dans l'espoir qu'un filet de brise dévalant du sommet enneigé du Grand Teton arriverait jusqu'à elle.

Elle termina sa ronde par l'atelier, sa pièce préférée.

Etant à l'origine un salon, l'espace n'était pas grand, mais c'était un lieu merveilleux pour dessiner, avec ses ouvertures placées stratégiquement pour capter la lumière, ses étagères intégrées et son placard fait sur mesure, dans lequel elle rangeait tout son matériel.

Alors qu'elle examinait la pièce, elle sentit une grande paix l'envahir. Certaines nuits, trop captivée par son travail pour vouloir s'interrompre, il lui arrivait de dormir ici. Roulée en boule sur le sofa, enfouie sous le pesant couvre-lit en coton délavé, elle rêvait qu'elle transformait le plomb en or.

Comme elle l'avait prédit, les chats étaient assis, côte à côte, sur le manteau de la cheminée, telles des statues vivantes. A cause de leur revendication absolue de ce territoire, elle ne pouvait rien y installer, ni cadres photos, ni une jolie horloge, ni le moindre objet décoratif, comme l'aurait fait tout un chacun. Amusée, elle secoua la tête et se tourna vers le tableau d'affichage qui occupait presque l'intégralité du mur opposé. Chaque centimètre de sa surface était punaisé de croquis, cartes de rendez-vous, clichés, pense-bêtes gribouillés, idées de nouveaux bijoux, photos de montres, de pendentifs, de bagues ou de bracelets, découpées dans divers magazines.

Jamais elle n'aurait copié le travail d'un autre artiste, mais elle aimait admirer les beaux objets. Parfois, le détail d'un motif frappait son imagination, la projetant dans une frénésie créatrice, proche de l'hystérie, qui pouvait durer des heures ou des jours. Elle émergeait toujours de ces épisodes intenses riche d'une création totalement novatrice et originale.

Dans son travail, elle se polarisait sur le processus, pas sur l'objectif. Pour elle, la magie résidait dans les essais, les tâtonnements, l'alchimie fascinante consistant à transformer la matière brute en une œuvre belle, raffinée, éternelle et absolument unique. Un objet qui, elle l'espérait, serait apprécié à sa juste valeur, chéri et éventuellement transmis de génération en génération.

En dépit de sa fatigue, elle fut tentée d'aller se percher sur le haut tabouret de sa table à dessin, d'ouvrir son carnet de croquis, de prendre un crayon et de voir ce qu'il en sortirait.

« Va dormir d'abord », lui conseilla la part raisonnable de sa personnalité. Et elle décida de suivre son avis.

Bien qu'elle ait cumulé les nuits blanches au cours de sa carrière artistique, son travail était nettement plus fructueux après une bonne nuit de sommeil.

Il était temps d'aller se coucher.

Quand elle passa devant eux, Ralph, Waldo et Emerson, toujours perchés sur *leur* cheminée, lui lancèrent un regard insondable qui ne fit qu'imperceptiblement bouger leurs yeux.

Avant de sortir, elle s'arrêta pour éteindre la lumière et, avec un petit soupir, lança à leur intention :

— Hadleigh et Bex ont raison. Vous n'êtes pas des chats ordinaires, vous êtes des extraterrestres.

Le lendemain, comme tous les jours en été, la sonnette du réveil intérieur de Spence se déclencha à 4 heures. Au cœur de l'hiver, il réussissait généralement à pousser jusqu'à 5 heures, avant que ses yeux s'ouvrent définitivement, et ce, qu'il ait dormi ou pas son content.

Il s'assit et se frotta le visage en pestant.

Quelques heures de sommeil en plus lui auraient donné l'impression de redevenir à moitié humain. Mais inutile de s'obstiner à rester au lit. La bataille était perdue d'avance. Résigné, il repoussa les draps et posa ses pieds sur le plancher.

Harley, posté sur le seuil de la chambre, la tête inclinée de côté et les oreilles dressées, l'observait avec un intérêt pétri d'espoir.

— Quoi ? lança Spence, bien résolu à ne pas se laisser culpabiliser par son chien.

D'autant qu'hier soir, il lui avait donné un rab de croquettes, additionné d'un supplément d'eau fraîche, et qu'il avait pensé à débloquer la chatière pour une éventuelle sortie nocturne.

Harley répondit par un jappement joyeux et martela le plancher de sa queue, peinant à réprimer son impatience de connaître la suite des événements.

Résigné, Spence soupira en fourrageant dans ses cheveux ébouriffés. Même s'il n'avait pas été programmé pour émerger aux aurores, ce satané chien l'aurait probablement réveillé simplement en le *fixant*.

Il se leva et secoua la tête, feignant l'irritation, alors même qu'il avait du mal à se retenir de sourire. Manifestement, Harley avait deviné que ce ne serait pas une journée de réclusion passée à attendre patiemment le retour de son maître. Aujourd'hui, il allait sortir et savourer une foule de délices canins, comme voyager sur le siège passager du pick-up de son maître adoré, rester collé à ses basques comme une teigne ou fendre les hautes herbes de la prairie en faisant la course avec Reb.

Tant qu'il pouvait le suivre comme son ombre, peu importait à Harley ce que faisait son maître et où il allait, qu'il soit à cheval, en camion ou à pied.

Comment ne pas admirer une telle loyauté ?

Après s'être rasé et douché, Spence retourna dans la chambre et se mit à farfouiller dans les tiroirs. On ne sait jamais. Un change complet de vêtements propres s'était peut-être matérialisé, pendant qu'il regardait ailleurs. Non, pas de chance !

Une serviette nouée autour de la taille, il gagna la petite lingerie jouxtant la cuisine, ouvrit le séchoir et en sortit une chemise. Pour le jean, tant pis ! Celui d'hier ferait l'affaire. Il ne l'avait porté que quelques heures, dans la soirée. Ce n'était pas comme s'il avait planté des piquets avec ou plaqué des veaux au sol pour les marquer.

Non, il avait seulement transporté une furie dans son camion, songea-t-il soudain, amusé.

Peut-être devrait-il refaire des excuses à Melody pour l'avoir qualifiée de « costaud ». « Musclée » aurait mieux convenu. Non. Cela n'aurait probablement pas été mieux accueilli. « Solide » alors ? Hum, non. En fait, ce qu'il avait voulu dire, c'est qu'elle était d'une grâce si féminine qu'il avait été surpris qu'elle ne soit pas plus légère. Qu'elle devait faire du sport.

Il ne trouvait aucune formulation susceptible de plaire à Melody. Mieux valait donc oublier ces nouvelles excuses et garder ses distances plutôt que risquer de remettre les pieds dans le plat une nouvelle fois.

Sauf que cette solution ne le satisfaisait pas plus…

Incapable de se décider, il ouvrit en grand la porte de la cuisine pour que Harley puisse aller et venir sans avoir à se tortiller à travers la chatière. Cédant à l'appel de la liberté, le chien fonça comme un boulet de canon, comme s'il avait rendez-vous avec son destin.

Avant de retourner dans sa chambre, Spence, toujours drapé dans sa serviette, alla brancher la cafetière. Puis il se mit en quête du jean qu'il avait jeté n'importe où la veille au soir. L'ayant trouvé à moitié enfoui sous le lit, il le passa, puis enfila sa chemise.

Elle aurait eu besoin d'un coup de fer, mais quelle importance ? Ce n'étaient pas quelques faux plis qui allaient déranger le grand schéma de l'univers. Après tout, il était en congé et n'avait pas l'intention de fréquenter des endroits huppés, simplement le marchand d'aliments pour animaux, avant une brève halte au supermarché. Et après cela, il sellerait Reb et irait vérifier l'état de ses clôtures.

Quant à l'incident avec l'irritable Mlle Nolan, il allait le chasser au plus vite de son esprit.

3

Melody posa un pied prudent sur le seuil de son atelier, tout en jonglant avec la tasse pleine et les deux magazines qu'elle tenait dans ses mains. Pour une raison inconnue, un des chats — impossible de savoir lequel — avait décidé de louvoyer entre ses jambes. Dans ces conditions, garder l'équilibre frisait l'exploit et… elle n'était pas douée pour les exploits.

Elle trébucha.

Furieuse, elle dut sacrifier un de ses luxueux périodiques — les pages allaient sûrement rester collées ! — pour protéger le coupable félin d'une éclaboussure de café.

— Un jour, je ne me montrerai plus si gracieuse, lança-t-elle à l'intention du trio.

Du haut de leur perchoir, sur le manteau de la cheminée, ses colocataires lui retournèrent un regard dédaigneux, semblant signifier qu'ils ne l'avaient jamais trouvé si gracieuse que cela. Ce en quoi ils avaient probablement raison. Les chats avaient vraiment le chic pour exprimer leur opinion sans émettre un son ou remuer une oreille. Tout dans le regard. Il se trouve qu'ils l'avaient vue faire du yoga et savaient de quoi ils parlaient. D'autant plus que, imitant ses mouvements, ils s'étaient montrés bien plus doués qu'elle.

Bon sang ! Ses pieds la faisaient encore souffrir atrocement. Tiens, et si elle composait une chanson intitulée *Le Blues des orteils en compote* ? Vu le nombre de femmes dans le monde concerné par ce drame, la chanson pourrait finir en tête du hit-parade.

Amusée, elle chassa cette idée fantasque avec un petit soupir. Non seulement elle était styliste en bijoux et pas auteur, mais elle n'avait pas une once de talent musical.

Vêtue confortablement d'un pantalon en pilou avachi et d'un T-shirt informe, elle tira le tabouret de sa table à dessin et se mit au travail.

Ou du moins, elle essaya.

Après trois heures de labeur aussi acharné qu'infructueux, elle finit à contrecœur par affronter la dure réalité : son inspiration était au point mort.

Bon sang ! C'était une commande extrêmement importante ! Un collier en pierreries à l'intention d'une cliente particulièrement exigeante qui choisissait elle-même ses pierres au cours de ses voyages. Malheureusement, le modèle, dissimulé dans un repli de son cerveau, refusait d'émerger. Mme Arbuckle étant réputée pour son caractère acariâtre, elle avait intérêt à la satisfaire, sinon elle se ferait remonter les bretelles, et sans ménagement encore.

Or, elle se trouvait en panne sèche, question inspiration. Et ce n'était pas son seul problème…

Accablée, elle s'affala, le front sur son bras, et visualisa son avenir proche : elle devait probablement des excuses à Spence.

Probablement ? Non. Certainement.

Parce que au bout du compte, elle avait fait preuve d'une impolitesse rare. D'accord, ça l'avait rendue folle qu'il s'estime en droit de l'emporter sur son épaule et de la charger dans son camion, tel un Neandertal en bottes et Stetson. Il n'empêche qu'avec le recul, elle ne pouvait nier qu'il lui avait rendu service. Or, à cause de la faim, de la fatigue et de ses pieds en marmelade, elle s'était montrée odieuse.

Sa grand-mère, qui avait contribué à son éducation, n'aurait pas approuvé sa conduite. Pas plus que celle de Spence, d'ailleurs. Mais ce n'était pas le propos.

Bizarrement, alors que mamie Jean n'était plus là pour exprimer son opinion, elle aurait juré avoir entendu sa voix…

« En effet, des excuses s'imposent, ma chérie. »

Avec un soupir, elle se redressa et reposa son crayon. Elle savait d'expérience que tant qu'elle n'aurait pas fait la paix avec sa conscience, son inspiration resterait aux abonnés absents.

Elle se leva et se planta résolument sur ses pieds — qui, s'ils n'avaient pas retrouvé leur état normal, étaient douillettement blottis dans une paire de chaussures informes, presque aussi confortables que des chaussons.

— Un problème facile à régler, lança-t-elle aux chats. Il suffit que j'aille trouver Spence et que je le remercie d'avoir bien voulu m'aider… même de manière aussi grossière.

Un des chats — elle était presque sûre que c'était Waldo — bâilla avec un désintérêt manifeste. Elle avait beau connaître cette expression de dédain, elle n'en fut pas moins irritée.

— Très bien, je ne vous raserai plus avec ces détails, marmonna-t-elle, vexée. Et je ne reprocherai pas à Spence son impolitesse. Est-ce que cette approche convient à Vos Altesses ?

Vu qu'il aurait été ridicule d'attendre une réponse, elle empoigna son sac — au moins elle avait récupéré le sien, une besace qui pouvait contenir plus qu'une boîte d'allumettes —, résolue à filer de ce pas à la Moose Jaw Tavern récupérer sa voiture.

Elle était à peine sortie qu'elle s'arrêta net. Sa voiture était garée dans l'allée. Sidérée, elle cligna des yeux pour s'assurer qu'elle n'avait pas la berlue. Pas du tout. Elle était bien là.

Pourtant, elle tenait la clé, la seule et unique clé, dans sa main.

Alors, comment…

Spence.

Un chef de la police pouvait-il se permettre de faire démarrer une voiture en bidouillant les fils ? Déconcertée, elle resta un moment immobile en piétinant le sol, de nouveau furieuse contre Spence, pour arriver enfin à la conclusion que si n'importe qui en était capable, pourquoi pas lui ? Génial ! Maintenant, elle lui était doublement redevable.

Au moment de démarrer, elle s'aperçut que non seulement elle était encore affublée de ses pseudo-pantoufles, mais également d'un T-shirt éculé, barré du slogan « Le Wyoming va vous secouer le Teton », et d'un pantalon de survêtement trop large, retenu par une épingle de nourrice. Pour le glamour, elle pouvait repasser.

Tant pis ! Elle allait faire ce qu'elle avait prévu de faire et s'en aller. D'ailleurs, qui se souciait de son apparence ?

Elle allait accomplir une corvée. Elle ne se rendait pas à un rendez-vous galant. Elle n'en détacha pas moins ses cheveux. A quoi bon cumuler les handicaps ? Sans trop savoir pourquoi, elle se remémora le jour où, au cours d'un voyage en camping, Spence et elle étaient allés se baigner dans la rivière Yellowstone, au début de cet été magique… Les cheveux mouillés, presque nu, il lui avait paru absolument sublime. Un après-midi inoubliable…

— Ma vieille, tu as intérêt à ranger ce souvenir au frigo, décréta-t-elle en démarrant.

Elle roula lentement vers le ranch de Spence en préparant son discours. Elle dirait qu'elle était désolée de s'être montrée grognon et rejetterait la faute sur ces escarpins diaboliques. De son côté, il jouerait les indifférents, mais accepterait courtoisement ses excuses, et le tour serait joué. Affaire réglée. Et elle pourrait peut-être se remettre au travail. Créer était une entreprise délicate. Quand elle était énervée, il lui était impossible de se concentrer. Conclusion : elle ne faisait pas cela pour Spence, elle le faisait pour elle.

Une fois franchie l'entrée du ranch Hogan, elle s'engagea dans la longue allée de terre en soulevant une traînée de poussière dans son sillage et observa les alentours. Le pick-up de Spence était garé près de l'écurie. En revanche, son cheval ne se trouvait pas dans l'enclos et son chien n'était visible nulle part.

Manifestement, le chef de la police n'était pas chez lui.

Super ! Elle avait rassemblé son courage et s'était tapé tout ce trajet pour des clopinettes !

Oscillant entre le mécontentement et un morne soulagement, elle se gara et descendit de voiture. Campée mains sur les hanches, elle inspira l'air parfumé de la campagne. A une courte distance, le Grand Teton, surmonté de son chapeau de neige, se dressait majestueusement. Tout en s'imprégnant du décor, elle soupesa les choix qui se présentaient à elle, avant de retourner son attention sur la maison.

Celle-ci était plutôt banale, ce qui n'avait rien de surprenant, car Spence était un homme simple. La longue bâtisse trapue convenait parfaitement au style de vie d'un cow-boy représentant de la loi. Sa large véranda, ombragée par le toit en pente, était meublée de plusieurs rocking-chairs de bois et d'une petite table. Si les murs de l'écurie étaient blanchis par le temps, son toit semblait neuf, et le sol du corral était impeccable. Aucune trace de mauvaises herbes.

Il n'empêche qu'une légère touche féminine n'aurait pas été de trop. Quelques massifs de fleurs, une ou deux jardinières aux fenêtres et des rideaux colorés auraient égayé l'ensemble.

Mais Spence était célibataire et partageait uniquement le ranch avec son cheval et son chien. Un arrangement idéal pour un homme simple. Sauf que Spence n'était pas simple du tout. Il était même rudement compliqué, et exaspérant en diable ! Dire qu'elle avait pu se tromper au point de croire qu'elle le comprenait ! Eh bien, cela lui avait coûté cher.

Bon. Elle ferait bien d'enfouir aussi ce souvenir dans la glace, songea-t-elle, de plus en plus fébrile.

Elle avait absolument besoin de *travailler*. Non seulement c'était son gagne-pain, mais créer avait sur elle un effet thérapeutique réparateur. Et puis, c'était l'unique raison de sa présence ici. Vivement qu'elle se débarrasse de cette corvée pour retrouver toutes ses facultés de concentration.

Et si elle se défilait et repartait, tant qu'il en était encore temps ? Elle pourrait toujours lui envoyer un mail, se fendre d'un bref « Désolée pour hier soir » et tourner la page.

D'autant qu'elle se serait volontiers passée d'un tel psychodrame. Les choses marchaient plutôt rondement pour elle, avant que, brusquement, Spence ne recommence à lui poser problème.

« Relax, ma fille. Tout ce qu'il a fait, c'est te reconduire chez toi. »

Soudain, elle sut ce qu'elle devait faire. Lui laisser un message. Un bon moyen de soulager sa conscience, tout en réglant la question une bonne fois pour toutes.

Son dilemme résolu, elle grimpa avec détermination les marches du perron, puis frappa à la porte, au cas où elle se serait trompée et que Spence soit chez lui. Pas de chien et de cheval signifiait à tous les coups qu'il était absent, mais vu sa déveine actuelle, elle allait le surprendre à poil ou un truc du genre.

Tiens ! D'où sortait cette pensée ?

Elle frappa de nouveau et attendit.

Pas de réponse.

Hésitant à entrer sans y être invitée, elle envisagea de griffonner quelques mots sur une page du carnet de croquis qu'elle gardait toujours dans son sac et de la laisser sur le perron. Mais il y avait du vent, et son message risquait d'être emporté.

Zut de zut !

Excédée, elle martela la porte de son poing.

Aucune réponse. Elle n'avait plus le choix.

Elle inspira à fond et tourna la poignée, à tout hasard. Bizarrement, Spence avait laissé sa maison ouverte. En même temps, il aurait fallu un sacré culot pour cambrioler le chef de la police.

Au moment d'ouvrir, elle retint son geste, amusée de découvrir un nain de jardin, près d'un drôle de buisson — certainement une mauvaise herbe quelconque — à proximité de la véranda. Elle devait reconnaître que la plante était assez jolie, avec ses pimpantes fleurs jaunes. Et tout portait à croire que Spence avait *choisi* de la laisser pousser là. Une décoration florale de ce genre dans le jardin d'un ranch ? Il y avait sûrement un mystère là-dessous. Parce que si ce n'était pas incongru, elle voulait bien manger ses escarpins pointus.

Spence était si… *homme.*

Un homme grand, exaspérant, doté de mains expertes et d'un sourire fascinant, qui faisait l'amour comme s'il se donnait à fond…

Alors qu'il n'en était rien. Durant des années, elle s'était attendue à entendre courir le bruit que Spence était fiancé, or cela ne s'était jamais produit. A un moment, le nom de Trudy Reinholt, une séduisante institutrice, avait été évoqué, la jeune femme ayant réussi à s'accrocher plus longtemps que les autres — en tout cas plus longtemps qu'elle. Mais l'affaire n'avait pas fait long feu.

Melody finit par entrer et se retrouva directement dans le salon. Il n'existait pas vraiment d'entrée, simplement une surface carrelée, servant aux cow-boys à se débarrasser de leurs bottes. A sa gauche, un vieux canapé défraîchi faisait face à une cheminée en galets. Sur la table en pin massif étaient posés un roman écorné et une lampe en métal gravée d'un cavalier de rodéo. La tasse de café de Spence était toujours dessus, mais à sa décharge, il avait utilisé un sous-verre.

Lui en voudrait-il d'avoir fait irruption chez lui sans autorisation ? Mais non. Il ne manquerait plus que ça ! Sa conduite de la veille l'avait privé du droit de se plaindre. S'il n'avait pas été si impétueux, si… autoritaire, elle ne serait pas dans son salon en ce moment.

Tout était sa faute.

Il n'empêche qu'elle était une intruse, et que Spence veillait jalousement sur son intimité. Une chose qu'ils avaient en commun. Tous deux considéraient la solitude comme une amie. Elle, parce qu'elle avait besoin de s'isoler pour créer. Lui, parce que, même si personne n'aurait qualifié Mustang Creek d'« empire du crime », il était quotidiennement confronté à une réalité sordide. Pour lui, la solitude était une planche de salut, le moyen de garder son équilibre.

Pendant qu'il affrontait le monde réel en résolvant des

crimes, elle élaborait des trésors uniques dans son petit royaume protégé.

Ils étaient donc dans deux univers différents. Aux antipodes, pour tout dire.

Etait-ce dans ce contraste que résidait l'alchimie entre eux ? Parce qu'il était l'ombre et elle la lumière ?

Non, Spence était lumineux, mais différemment.

Mais mieux valait couper court à ses divagations et chercher un stylo, car, visiblement, elle n'en avait pas dans son sac. Pas plus que de carnet de croquis, d'ailleurs. Après quelques secondes de réflexion, elle décida de fouiller dans les tiroirs et les placards, pour finalement sortir un relevé bancaire de son sac. Ayant repéré sur une table basse un stylo, marqué « Findley, nourriture pour bétail », elle s'en empara. Elle était en train de rédiger ses excuses, quand la porte s'ouvrit.

— Salut !

Au son de la voix de Spence, elle fit volte-face, juste à temps pour recevoir l'assaut d'une boule de poils noirs et blancs, qui, dans un élan de pure adoration, s'était jetée sur elle en aboyant à tue-tête.

Le maître des lieux était de retour.

Oh oui, il était bel et bien là, appuyé nonchalamment au chambranle, son habituel petit sourire ravageur aux lèvres…

— Mes excuses, m'dam, mais je crois que vous commettez une violation de domicile. Harley, tiens-la à l'œil.

— Oh je… je te laissais un message.

Melody était vraiment craquante, prise ainsi en flagrant délit, surtout quand elle tentait d'écarter un chien surexcité d'une main en tenant un stylo de l'autre.

Son problème, c'était qu'il la trouvait craquante… tout le temps. Même dans sa robe jonquille, oscillant sur ses talons ridicules, elle lui avait mis la tête à l'envers. Peut-être parce qu'il avait pu admirer tout son soûl ses jambes grâce à la fente interminable de sa jupe…

Mais, à son avis, la Melody qu'il avait devant les yeux, la vraie, l'artiste excentrique attifée à la diable avec des vêtements dépareillés, ses longs cheveux de miel épars sur ses épaules, était tout aussi attirante. En fait, la tenue n'avait aucune importance.

— Et pourquoi donc ? demanda-t-il en haussant un sourcil.

— Pourquoi quoi ? répliqua-t-elle distraitement, essayant de calmer l'enthousiasme de Harley.

Il lui aurait suffi d'un ordre pour calmer son chien, mais il n'en fit rien.

— Tu as parlé d'un message, non ? expliqua-t-il, comme elle lui jetait un regard perplexe.

— Ah oui ! Je voulais te remercier pour hier soir.

— Ah bon ? Pour quelle raison ? insista-t-il, savourant d'autant plus son embarras que, la veille, elle n'avait pas eu l'air du tout reconnaissante.

— Pour m'avoir raccompagnée chez moi, répondit-elle en rougissant. Je présume que c'est toi qui as ramené ma voiture à la maison. Alors, merci aussi pour ça.

— Pas de problème.

— Cela a pourtant dû t'en poser un, vu que tu n'avais pas les clés. Comment as-tu fait ?

— Quand on travaille dans les forces de l'ordre, je peux t'assurer que cela n'a rien d'un obstacle insurmontable.

Au cours de sa carrière, il avait rencontré pas mal de gens qui, tout en ayant infligé quelques entorses à la loi, n'étaient pas pour autant de mauvais bougres. Ils s'étaient simplement laissé entraîner. La plupart du temps, en particulier avec les jeunes, il avait suffi d'une petite tape sur les doigts pour les remettre dans le droit chemin. Même s'il n'avait jamais fermé les yeux sur leurs délits, il croyait dur comme fer aux secondes chances.

D'ailleurs, il aurait bien voulu en avoir une, lui aussi… Avec Melody Nolan.

Or, même s'il avait du mal à le croire, tous deux se retrouvaient en tête à tête. Pas comme hier, où la journée avait été débordante d'activités, de cérémonial et d'invités. Là, ils étaient seuls dans sa maison déserte. Et ce, pour la première fois depuis que Melody et lui avaient emprunté des chemins séparés, neuf ans auparavant.

— Réponds à ma question, insista-t-elle. Comment t'y es-tu pris pour démarrer sans les clés ?

— Disons que quelqu'un que je connais me devait un petit service, répondit-il d'un air dégagé loin de refléter son état d'esprit.

Il était tout sauf décontracté. En découvrant la voiture de Melody devant chez lui, son estomac avait réagi de manière bizarre — une réaction qui n'avait rien à voir avec le fait qu'il avait une faim de loup.

Il siffla Harley et remplit un bol d'eau qu'il déposa au pied du comptoir qui séparait la cuisine du salon, espérant que Melody lâcherait l'affaire. Mais non…

— Comment cette personne a-t-elle pu couper le moteur si elle n'avait pas les clés ? demanda-t-elle.

— De la même manière qu'elle l'a fait démarrer, j'imagine. Et non, je n'ai pas laissé un repris de justice endurci conduire ta voiture. Le type en question ne s'est jamais fait coffrer. Il a simplement un passé… un peu insolite.

Franck était un génie de la mécanique, mais à part une virée en voiture volée dans son adolescence, il se tenait à carreau. A la suite de ce délit de jeunesse, tous deux étaient arrivés à une certaine compréhension mutuelle : Spence ne souhaitait pas envoyer Franck en prison, et ce dernier n'avait aucune envie d'y aller. D'ailleurs, ce matin, quand Spence l'avait appelé pour lui demander ce service, Franck avait bien rigolé.

Enfin, Melody choisit d'abandonner le sujet. Posant sur lui son regard aigue-marine, ravivé par la lumière matinale, elle enchaîna :

— Bien ! Je voulais aussi te dire que même si nous ne sommes plus…

— Amants, compléta-t-il avec un grand sourire, avant de croiser les bras en s'appuyant au comptoir.

Et c'était bien dommage.

— J'allais dire *amis*, répliqua Melody en le fusillant du

regard. Car nous ne sommes même plus des amis, au cas où tu ne l'aurais pas remarqué. Quoi qu'il en soit, je paie toujours mes dettes. Alors si, par hasard, tu as besoin d'un service, je pense t'en devoir un.

Son ton était si revêche qu'il ne put s'empêcher de rire.

— Eh bien, m'dame, ce ne sont pas les excuses les plus aimables qu'il m'ait été donné de recevoir !

Les yeux de Melody étaient vraiment de la plus belle couleur qui soit. Une extraordinaire nuance de vert qu'il n'avait vue chez aucune autre. Et même s'ils lançaient des éclairs, ils brillaient de ce feu familier qui lui avait tant manqué… Cela faisait si longtemps qu'il n'avait pas pu les contempler à loisir. Comment l'aurait-il pu quand Melody faisait généralement de son mieux pour l'éviter ? Et quand, par accident, ils se retrouvaient en présence l'un de l'autre, elle faisait semblant de ne pas le voir.

Furieuse, elle empoigna son sac et le jeta sur son épaule. Il semblait si lourd qu'il fut surpris de ne pas la voir tituber.

— Ne joue pas les péquenauds avec moi, Spence. Après ta bourde sur mon poids et la façon dont tu m'as malmenée hier soir, estime-toi heureux de recevoir des excuses !

A son habitude, Harley, visiblement fasciné par leur échange, les observait, la tête penchée de côté. Le chien était si futé qu'il n'avait pas dû en perdre une syllabe. Si Spence prononçait le mot « promenade », il fonçait à la porte, et si, par mégarde, il faisait l'erreur de lâcher le mot « sucre », un éclair noir et blanc fusait dans la cuisine, droit sur le bon placard.

Melody s'apprêtait à partir. Ses excuses étaient faites. Son devoir accompli.

Bien qu'il ne comprenne toujours pas pourquoi elle avait pris cette peine, Spence n'avait pas envie qu'elle s'en aille. Signe évident de masochisme — peut-être devrait-il aller consulter un psy ?

— Attends ! lança-t-il. Je sais déjà quelle faveur je veux. Je parle du service que tu m'as promis.

— Déjà ? répondit-elle en le fixant d'un œil suspicieux. Très bien. Vas-y.

Elle avait raison de se méfier, car ses intentions, loin d'être pures, suivaient les diktats d'une portion particulière de son anatomie, qui venait de prendre le contrôle des opérations. Melody, postée devant la fenêtre de la cuisine et nimbée par le soleil, se détachait sur le panorama des montagnes et le bleu du ciel. Sous cet éclairage, sa bouche semblait douce et appétissante, et ses cheveux chatoyants étaient auréolés de soleil. Une merveille…

S'il lui disait ce qu'il désirait vraiment, elle risquait de refuser, aussi préféra-t-il improviser.

— Ne bouge pas, ordonna-t-il.

— C'est ça ta faveur ?

— Oui.

— Hogan, qu'est-ce que tu manigances ?

Ses yeux s'écarquillèrent quand il s'avança vers elle.

Il la débarrassa de son sac en marmonnant :

— Qu'est-ce que tu transportes là-dedans ? Tu as plongé sur une épave et remonté des boulets de canon ?

Le sac s'écrasa sur le comptoir avec un bruit sourd et, plus rapide que l'éclair, il lui enlaça la taille.

— Ça ne te regarde pas, répliqua-t-elle. Eh ! Mais qu'est-ce que tu fabriques ?

— Je t'embrasse.

— Je ne pense pas que…

— Parfait, la coupa-t-il en se penchant vers elle. Penser est hors de propos.

Bien qu'une éternité se soit écoulée, depuis cet été passionné où ils ne pouvaient se rassasier l'un de l'autre, Spence n'avait rien oublié. Ni le goût de sa bouche, ni les courbes de son corps pressé contre le sien, ni ce désir sauvage qu'il n'avait, depuis, ressenti pour aucune autre.

Peut-être que s'il n'avait pas été constamment en contact avec elle, ces derniers jours, il aurait pu se retenir. Jusqu'ici, leurs manœuvres d'évitement réciproques leur avaient servi de bouclier, même si c'était toujours perturbant de tomber sur l'autre dans la rue ou aux différentes fêtes locales.

Pourtant, depuis neuf ans, pas un jour ne s'était passé sans qu'il pense à elle. Un phénomène trop révélateur pour être ignoré.

S'ils mettaient autant d'efforts à renouer leur relation qu'ils en avaient mis à s'éviter, est-ce que cela pouvait fonctionner ? Est-ce qu'ils y auraient droit, eux aussi, à leur seconde chance ?

Le bonheur de Tripp avait sûrement déteint sur lui, lui inoculant un genre de virus amoureux plus virulent qu'une grippe.

Soudain, Melody poussa un cri étouffé de protestation et lui tapa sur l'épaule.

Pas exactement le signe d'un enthousiasme amoureux débordant.

Il répondit en accentuant son baiser. Alors qu'il s'attendait presque à recevoir un coup de genoux bien placé, il sentit Melody se détendre. Ce n'était pas un abandon total, mais c'était toujours ça. Et puis elle ne l'avait pas repoussé — du moins pas encore.

Entre eux, cela avait toujours fonctionné à merveille… sur le plan physique.

Pourvu qu'elle ne pousse pas ce petit gémissement de plaisir si sexy, dont le souvenir obsédant restait fiché dans son esprit ! Sinon, il risquait de se noyer corps et biens.

Elle gémit.

La tête la première, il plongea avec un grand « plouf ! » et commença à s'enfoncer.

Son érection fut instantanée. Melody dut le sentir, car instinctivement, elle se mit à remuer. Un mouvement si érotique et féminin que, s'il n'avait été occupé à lui infliger le baiser de sa vie — ou du moins à essayer —, il aurait gémi à son tour.

Ce qu'il advint par la suite fut entièrement sa faute à elle.

Quand ils cessèrent de s'embrasser, ils étaient aussi essoufflés l'un que l'autre. Le nez dans son cou, il ne bougea pas, attendant un mot de sa part, un geste. Comment allait-elle réagir à ce qui venait de se passer ? La connaissant comme il la connaissait, elle allait rapidement recouvrer ses esprits, et après l'avoir giflé, elle repartirait comme une furie en démarrant sur les chapeaux de roues.

Pourvu qu'elle ne retombe pas sur terre !

Lui, en tout cas, ne savait plus vraiment où il en était.

Par chance, c'était également le cas de Melody.

— Je… je ne comprends pas ce qui s'est passé, balbutia-t-elle en le fixant d'un air égaré.

— Bien sûr que si, murmura-t-il en effleurant sa joue. Je retire ce que j'ai dit hier soir. Tu es adorable en jaune. J'ai été très injuste envers ta robe. En fait, je plaisantais. Tu vois comme je sais m'excuser avec grâce.

— Trop tard pour rattraper ta gaffe, mais tu peux peut-être m'embrasser pour te faire pardonner…

— Je meurs d'envie d'aller bien plus loin.

— Comme si c'était un secret d'Etat ! répliqua-t-elle, moqueuse, sans toutefois s'écarter de lui, ce qui lui procura un traître sentiment de triomphe.

« Attention cow-boy ! Ne fais pas le fanfaron. Tu es loin d'avoir gagné la partie. »

— Mel, as-tu déjà envisagé qu'il puisse ne pas être trop tard ? chuchota-t-il contre ses lèvres, avant de la plaquer sur son torse. Pour nous, je veux dire.

Et sans attendre sa réponse, il l'embrassa. Un deuxième baiser encore meilleur que le premier. Il était peut-être le seul à le penser, mais vu qu'il jouait un rôle actif dans l'affaire, son opinion comptait.

Quand ils se séparèrent, Melody inspira profondément pour reprendre son souffle.

— Je sais que c'est une bêtise, mais je m'en fiche, dit-elle. On va dans ta chambre ?

— Tu ne crois pas que… ?

Mais il laissa la fin de sa phrase en suspens.

A quoi bon perdre son temps à discuter de l'avenir ? Melody n'était pas encore prête à lui faire confiance, et lui ne voulait rien promettre avant d'avoir compris exactement ce qu'elle désirait. D'être sûr qu'ils étaient bien sur la même longueur d'onde.

Il la souleva donc dans ses bras et l'emporta vers sa chambre en se montrant suffisamment avisé pour ne pas prononcer un mot. Il était temps d'apprendre à tenir sa langue.

4

Est-ce le mariage d'un romantisme échevelé de Tripp et Hadleigh qui avait fait basculer l'univers de Melody cul par-dessus tête ? Peut-être ou peut-être pas.

En tout cas, il semblait que deux baisers brûlants aient suffi à persuader l'homme qui la tenait dans ses bras de cesser de la fuir quand il la voyait.

— Ça me prendra deux minutes d'ôter mes vêtements, dit Spence. Laisse-moi d'abord te déshabiller.

La proposition était si adorable qu'elle la fit rire.

— Tu tiens vraiment à m'ôter ce pantalon si glamour et ce non moins sexy T-shirt ?

— Je n'ai pas besoin de vêtements affriolants pour savoir à quoi tu ressembles, répliqua-t-il en lui levant les bras afin de la débarrasser de son haut. Pour un homme lucide et doté d'une bonne mémoire comme moi, ce T-shirt est translucide. Je me fiche de l'emballage, car je connais le contenu. Voyons, Melody. Tu sais très bien que je te trouve belle. Ça n'a jamais été notre problème.

Il avait raison. En sa présence ou au creux de ses bras, elle s'était toujours sentie ultra-féminine. Elle était devenue femme, tout simplement. Car à vingt ans, en dépit des mœurs du temps, elle était encore vierge. Pas par choix conscient. Enfin… pas vraiment. En fait, elle était tellement naïve — ou idiote — qu'elle avait tenu à se réserver pour Spence.

Cela faisait longtemps qu'elle avait le béguin pour Spencer Hogan et, au moment où leur amitié avait tourné à l'histoire d'amour, elle s'y était lancée tête la première. Il y avait eu un moment d'embarras, quand Spence s'était rendu compte qu'elle n'avait aucune expérience, mais leur « première fois » ne s'était pas trop mal passée — sûrement parce que *lui* ne s'était pas réservé pour elle ; il avait une réputation de tombeur à assurer.

Au cours des mois suivants, grâce à une pratique intensive de la chose, ils avaient continuellement amélioré leurs performances en s'entraînant sur toutes les surfaces horizontales à leur portée, jusqu'à ce que le moment arrive pour elle de reprendre les cours. Car leur relation avait continué — du moins sur ce plan-là — après sa désastreuse demande en mariage et son rejet humiliant du début juillet. Ils étaient restés amants durant tout l'été, et elle s'imaginait qu'ils avaient encore un avenir.

Mais, à la rentrée, Spence l'avait brusquement quittée.

En fait, tout ce qu'il désirait c'était une amourette d'été.

Pourquoi ne pas l'imiter, aujourd'hui ?

« Parce que tu n'es pas comme ça, bêtasse, murmura une petite voix intérieure exaspérante, qu'elle aurait volontiers fait taire. Surtout concernant cet homme. »

S'il la trouvait belle, elle le trouvait magnifique, avec ses cheveux sombres et ses yeux plus bleus que bleus. Un coup de chance que, ce matin, elle ait mis un soutien-gorge neuf et une culotte assortie, les seuls dessous qui lui restaient. A cause des préparatifs du mariage, cela faisait un bon moment qu'elle n'avait pas fait de lessive.

Spence fit courir son doigt sur le galon en dentelle soulignant la courbe de son sein droit et laissa échapper un petit sifflement d'admiration.

— Ma vision laser n'avait pas détecté ça, murmura-t-il. Très joli.

— Ne va pas t'imaginer que je le porte pour toi. J'avais des problèmes de stock.

— J'espère que tu ne te formaliseras pas si je te préfère sans…

Et prestement, il dégrafa le soutien-gorge et fit glisser les bretelles sur ses épaules, démontrant une habileté qu'elle risquait fort de lui reprocher plus tard.

« N'y pense pas », s'ordonna-t-elle.

Usant de son audace habituelle, il la souleva de terre et la déposa sur le lit. Sa chambre était résolument masculine, mais rien de plus logique, Spence Hogan n'était-il pas le mâle dans toute sa splendeur ? Au centre de la pièce trônait un lit avec un encadrement en bois et une tête de lit en rondins, recouvert d'une couette imprimée de motifs de pins brun et vert. Comme meubles, un placard, une table de chevet surmontée d'une liseuse. Et une porte, qui devait mener à un cagibi. Unique élément décoratif, la baie vitrée, donnant sur les montagnes.

Cette vue expliquait probablement le fait qu'il n'y ait aucun cadre aux murs. A quoi bon ? Aucune photo n'aurait pu rivaliser avec ce panorama, aussi splendide en toutes saisons. Il n'empêche que l'attention de Melody se polarisait ailleurs.

Maintenant que Spence s'était déshabillé, elle pouvait constater que son corps n'avait pas changé d'un iota. Il était toujours aussi musclé, avec un torse large, une taille étroite et des hanches minces. Elle savait qu'il faisait du sport, car elle avait remarqué son camion devant le club de gym local, appartenant à Bex, et qu'elle fréquentait également. Et puis elle savait qu'il montait Reb chaque jour, qu'il pleuve ou qu'il vente.

Son désir manifeste lui rappelait aussi que l'attirance sexuelle n'avait jamais été leur problème. Ils avaient toujours trouvé l'autre à leur goût et, sur le plan physique, n'avaient jamais eu de motif de se plaindre.

— Tu peux te passer de ce *truc*, fit remarquer Spence en faisant glisser sa culotte en soie le long de ses jambes.

Quand il s'étendit sur elle, le cœur de Melody se mit à battre à un rythme si frénétique qu'il aurait envoyé n'importe quel coureur automobile dans le décor. Il caressa ses seins et, ce qui ne facilita pas les choses, prononça la phrase la plus romantique qui soit :

— Tu m'as manqué.

Des mots tout simples, si vous ne teniez pas compte de la contradiction. Pourtant, Spence semblait profondément sincère.

Et il était séduisant. Sexy. Et… Bref, c'était Spence, égal à lui-même.

— Tu t'adresses à moi ou à mes seins ? demanda-t-elle en enfonçant ses doigts dans ses cheveux épais. Je…

Elle ne put aller au bout de sa phrase — elle ne savait plus trop ce qu'elle voulait dire, d'ailleurs — car il l'interrompit d'un baiser torride qui signifiait clairement « Trêve de bavardage ». Les conversations sur l'oreiller n'avaient jamais été le fort de Spence qui, dans tous les domaines, était un homme d'action. En cela non plus, il n'avait pas changé.

Il avait toujours possédé le don de l'exciter d'une simple caresse ou d'un baiser. Parfois, un regard un peu appuyé suffisait.

Bien qu'elle n'ait guère besoin de préliminaires, il fut suffisamment prévenant pour glisser la main de sa hanche vers son ventre et introduire un doigt profondément en elle.

— Déjà chaude et humide, murmura-t-il. A l'évidence, je t'ai manqué aussi.

Si seulement elle avait été capable de le nier !

— Dépêche-toi, ordonna-t-elle, haletante de désir, en caressant son dos nu.

Distraite par le grincement du tiroir de la table de chevet qui s'ouvrait, elle quitta momentanément son petit nuage et vit Spence sortir un sachet, le déchirer et enfiler un préservatif. Il gardait des protections sous la main. Encore une chose qu'elle risquait de lui reprocher plus tard.

Il la pénétra avec lenteur et pourtant, on sentait qu'il aurait voulu aller beaucoup plus vite et qu'il se maîtrisait. Il était resté l'amant de ses souvenirs, alternant finesse et passion. Sachant avec précision jauger son degré d'excitation, il ajustait ses mouvements en conséquence. Un pur délice de sensations…

Et soudain, tout partit en vrille.

Alors qu'ils bougeaient en harmonie, elle souleva instinctivement les hanches pour venir à sa rencontre, son corps sachant exactement ce qu'elle voulait.

Spence le savait aussi et il accéléra l'allure, trouvant le rythme érotique parfait. Instantanément, elle sentit l'orgasme enfler en elle. Confuse, car il arrivait si vite que cela en était gênant, elle tenta de résister, mais rien n'y fit. Elle perdit son combat.

La chose la plus gratifiante pour elle — à part l'orgasme de sa vie — fut que Spence perdit également le sien, et que sa propre extase le projeta prématurément au septième ciel.

Il s'écroula sur les draps, à bout de souffle et en sueur, la plaqua contre lui et roula sur le côté, sa chevelure noire tout ébouriffée formant un contraste saisissant avec la blancheur de l'oreiller.

— Moi qui croyais avoir toujours dix-huit ans ! dit-il d'une voix enrouée, et nettement moins décontractée qu'à l'ordinaire. Eh bien, ça a été sacrément court.

A l'évidence, tous deux avaient grand besoin de s'envoyer en l'air plus souvent. Mais si elle se mettait à analyser la situation, elle allait bondir du lit, enfiler ses vêtements et filer en quatrième vitesse. Alors pas question de réfléchir aux conséquences psychologiques de cette grossière erreur.

— Inutile de t'excuser, répondit-elle en lui caressant la poitrine.

Il semblait solide, profondément réel, même dans un moment aussi surréaliste que les suites de ces ébats sauvages avec l'homme qu'elle s'était juré d'éviter à jamais.

Bex et Hadleigh allaient l'étrangler d'avoir recouché avec Spence — si elle leur en parlait. En plus, on était dimanche matin et elle était bonne paroissienne. Non seulement elle allait rater la messe, mais elle venait de renouveler sa carte de pécheresse invétérée en faisant l'amour avec le célibataire le plus en vue de Mustang Creek.

Sans parler de sa carte d'idiote patentée.

Les yeux fermés, Spence respirait doucement.

— Si tu as le temps, j'aimerais réparer, murmura-t-il. Je parle de ma précipitation.

Comme s'il y avait quelque chose à *réparer* !

— Je dois nourrir mes chats. Ils n'ont pas mangé depuis ce matin, objecta-t-elle.

— Tu pourrais trouver une meilleure excuse.

La seconde fois qu'ils firent l'amour fut plus lente, plus mesurée, mais tout aussi intense. Elle put se retenir un peu plus longtemps. Mais à la troisième, en atteignant l'orgasme, elle fut projetée si haut qu'elle en oublia son prénom.

Pour ses performances au lit, Spence méritait une étoile gravée à son nom sur un trottoir quelconque.

Sur le plan émotionnel, en revanche, elle doutait fortement qu'ils se comprennent.

Mais elle était trop fatiguée pour penser à tout ça.

La préparation du mariage avait été éprouvante. Elle avait dépensé toute son énergie de cheerleader pour soutenir Hadleigh et Tripp, agitant ses pompons avec enthousiasme, sans se soucier de la torture infligée par ses horribles chaussures. Comme ses copines, elle avait été pom-pom girl au lycée… il y avait une éternité.

Spence dit quelque chose. Trop épuisée, mentalement et physiquement, elle n'enregistra que la cadence de sa voix grave. Les draps étaient doux, ils sentaient légèrement son parfum… Soudain, toute la fatigue et l'agitation des derniers jours la terrassèrent. Bex et elle avaient couru dans tous les sens comme des poulets sans tête, afin de régler une foule de détails et d'épargner tout souci à Hadleigh. Voluptueusement, elle se blottit dans les oreillers, comme un ours dans sa caverne, à l'approche de l'hiver.

— Hé, la Belle au bois dormant ! Je t'ai posé une question.

— Hum. Pardon ?

— Tu veux qu'on en parle ?

— De quoi ?

Il rit doucement.

— Je vais aller en ville, dit-il. Puisque je serai dans le coin, si tu veux, je peux en profiter pour nourrir tes chats, pendant que tu fais la sieste.

Qu'est-ce qu'il avait dit ? La sieste ? Oh oui… Quel mot délicieux.

— D'accord, marmonna-t-elle, avant de sombrer dans le sommeil.

Spence se trouva légèrement déconcerté.

Il avait du mal à comprendre. Pour la première fois depuis l'aube de l'humanité, depuis que des créatures avaient rampé hors de l'eau ou cueilli une pomme dans le jardin d'Eden — selon les croyances de chacun —, un homme proposait à une femme de discuter de leur relation. Et voilà que la femme en question n'en tenait pas compte et s'endormait.

D'habitude c'était plutôt l'inverse, non ?

Alors… il regarda dormir Melody. Elle était à demi tournée vers lui, une main sous la joue, et respirait régulièrement, lentement, profondément. Tous les indices d'un sommeil profond.

Et il n'était même pas encore midi.

Harley gémit derrière la porte de la chambre — peu désireux qu'il assiste à ses ébats avec Melody, il l'avait empêché d'entrer. Or, l'heure de son déjeuner approchait. Résigné, il sortit du lit, enfila son jean et se dirigea vers la cuisine, sans que Melody ait remué un cil.

Quand il aurait nourri son chien, il serait temps de préparer en vitesse un casse-croûte digne de palais humains. L'ennui, c'est qu'il n'avait pas grand-chose à sa disposition.

Il versa les croquettes dans la gamelle. Aussitôt, Harley se jeta dessus et les engloutit avec un appétit qui justifiait largement le déplacement.

— Tu veux venir en ville ?

D'un bond, Harley franchit la porte de la cuisine et atterrit sur le perron, où il s'assit, battant le sol de sa queue. La réponse était claire.

Spence prit ses clés, ainsi que celles de Melody, posées sur le comptoir, laissa un mot à son intention lui disant qu'il revenait pour le déjeuner, puis tapa un numéro sur son portable. A la quatrième sonnerie, quand la propriétaire du Café Ride'em répondit, il lança :

— Bonjour, Carly !

— Bonjour à vous, chef. Vous avez l'air tout guilleret.

En effet, même s'il n'aurait jamais utilisé cet adjectif pour se définir, Carly n'avait pas tort : il se sentait tout guilleret. En fait, il était d'une humeur de rêve. Il faut dire qu'une femme magnifique dormait dans son lit, uniquement vêtue de son bracelet, et que, pour ne rien gâcher, il faisait un soleil radieux.

Carly Riggs était originaire du Sud, ce qui expliquait pourquoi son poulet frit était une véritable tuerie. Il commanda deux plats du jour à emporter, avec leur accompagnement, puis, se souvenant brusquement de son premier rendez-vous avec Melody, y ajouta deux tranches de cheese-cake. Puisqu'ils avaient décidé de s'égarer sur les chemins de la mémoire, autant aller jusqu'au bout. A moins qu'elle ait beaucoup changé, Melody n'appréciait pas vraiment les desserts, en revanche elle avait toujours adoré le cheese-cake.

Il relut le petit mot qu'il lui avait laissé, hésita à rajouter quelque chose mais, jugeant le message suffisamment clair, y renonça.

Dès qu'il ouvrit la portière de son pick-up, Harley bondit et s'installa à sa place habituelle.

— Je t'en prie, mon gars, fais comme chez toi ! lui lança Spence en riant.

C'était une belle journée, pleine de chants d'oiseaux et de petits Cupidons voletant avec leur arc... Au moment de s'engager sur la route, il serra le volant un peu plus fort.

— Mais qu'est-ce qui m'a pris ? marmonna-t-il.

Il avait séduit Melody...

D'accord, elle s'était prêtée au jeu avec un enthousiasme des plus flatteurs, il n'empêche qu'elle n'était pas venue chez lui dans l'intention de se rouler dans le foin avec lui. Alors maintenant, il devait assumer ses responsabilités. Tout était entièrement sa faute.

Il n'avait rien d'un Casanova, en dépit de la réputation qu'on lui avait faite. Principalement parce qu'il se désintéressait rapidement des femmes qu'il fréquentait, et ce... parce qu'elles n'étaient pas Melody.

Qu'est-ce que cette dernière penserait si elle découvrait que ses préservatifs dataient de Mathusalem ? Quoi que l'on en dise, il ne couchait pas à droite à gauche. A une époque, en particulier après leur rupture, il avait beaucoup papillonné, avec beaucoup de femmes différentes, mais sans y engager son cœur. Ce qui posait problème, comme il l'avait rapidement découvert.

— D'après ce que m'a dit Tripp, les chats de Melody sont un peu bizarres, annonça-t-il à Harley, alors qu'ils roulaient droit sur Mustang Creek. Tu vas devoir rester à l'extérieur.

Son chien lui lança un regard signifiant clairement que *tous* les chats étaient bizarres. Ce en quoi il n'avait pas tort.

— Je n'avais pas prévu de renouer avec elle. Du moins, je ne crois pas. En tout cas, pas avant ce week-end…

Etalé sur le siège passager, les pattes croisées, Harley laissa échapper un gémissement de compassion.

Dans la rue principale, il croisa une voiture de sport qui dépassait largement la limitation de vitesse. Il prit le temps d'en informer le poste avec sa radio. Il n'était pas vraiment en service, mais qu'importe. Les fous du volant étaient de vrais dangers publics.

Il se gara devant la maison de Melody, fit asseoir Harley à bonne distance de l'entrée et lui ordonna de ne pas bouger et de monter la garde.

Melody avait transformé son salon en atelier et des croquis étaient dispersés sur sa table à dessin. Il résista à la tentation de les regarder, car, même si elle lui avait donné l'autorisation d'entrer, cela aurait été indiscret. Et malgré sa jeunesse chaotique, il avait été bien élevé par sa tante.

L'endroit était agréable avec son canapé moelleux et son tapis élimé. Le drôle de mobile accroché devant la fenêtre, un assemblage de carrés de verre suspendus à des tortillons en cuivre, montrait bien que l'on était chez une artiste. Inutile d'être très intuitif pour deviner que Melody l'avait fabriqué elle-même. Il resta un moment immobile à admirer son œuvre. Il savait qu'elle était douée pour la peinture et le dessin, mais, l'été où ils étaient sortis ensemble, les beaux-arts n'étaient pas sa matière principale. A l'époque, elle projetait d'étudier le droit.

Elle avait eu raison de changer d'avis. La preuve : ses bijoux et créations diverses se vendaient bien. Durant la saison touristique, les boutiques locales faisaient tellement d'affaires avec ses œuvres qu'elles en réclamaient toujours plus.

Mais il n'était pas venu pour ça. Les chats.

Pas de miaulements. Pas de frottements contre ses jambes. Juste un silence absolu. On était en été et il espérait sincèrement que Melody n'avait pas oublié une fenêtre ouverte et que ses chats n'avaient pas pris la tangente. Peut-être qu'ils avaient peur des inconnus et s'étaient cachés sous un meuble. Les chats étaient des animaux rusés, dotés d'un fort instinct de conservation.

Il jeta un coup d'œil autour de lui et remarqua, sur le manteau de la cheminée, trois chats semblables à des statues. Il les observa attentivement. A vue de nez, ils paraissaient identiques, et leur queue formait un point d'exclamation parfait.

Les bêtes étaient localisées. Et maintenant ? C'est vrai qu'il ne connaissait pas grand-chose aux chats, étant plus coutumier des chiens et des chevaux, même si, occasionnellement, des chats élisaient domicile dans sa grange et s'y nourrissaient en chassant les souris. Cela faisait un drôle d'effet de voir ces félins l'étudier. Visiblement, ils le considéraient comme un intrus et semblaient se demander : ami ou ennemi ?

Tripp avait raison. Ces trois-là étaient de sacrés numéros.

— J'ai la permission, lança-t-il, sur la défensive. Et puis je suis là en service commandé. Votre maîtresse m'a demandé de vous nourrir.

Songeant à sa relation avec Harley, à la compréhension qui régnait entre eux, il poursuivit :

— L'un de vous pourrait-il me montrer où se trouve votre nourriture ?

Aussi incroyable que cela puisse être, le stratagème fonctionna.

Un des chats sauta gracieusement au sol et, agitant la queue, le conduisit dans la cuisine où il fixa un placard.

Il s'avéra que celui-ci contenait bien les boîtes recherchées. Médusé, Spence en ouvrit une, tout en se demandant quelle quantité pouvait manger un chat. Finalement, il divisa son contenu en trois portions, remplit le bol d'eau fraîche et ressortit.

Harley l'attendait toujours sur le perron, et martela le sol de sa queue pour manifester son plaisir de le revoir — ou son admiration d'avoir eu le courage de s'occuper de ces bestioles étranges qu'étaient les chats.

— Mon dévouement devrait me faire gagner des points, dit-il en ouvrant la portière à son chien pour le faire monter.

Quand il arriva au Café Ride'em, l'affluence battait son plein, ce qui était typique d'un dimanche matin. Il salua chaque client de la tête, avant de se rendre au comptoir pour récupérer sa commande.

Ce fut Carly qui le servit. Au moment de l'encaisser, elle lança :

— *Deux* repas ?

— Je meurs de faim, répondit-il en reprenant sa monnaie avec un grand sourire.

Surtout ne pas préciser qu'il avait une invitée, car dans ce trou, les ragots se répandaient comme un feu de forêt au plus fort de l'été.

— En effet, vous devez avoir *très* faim, fit remarquer Carly sur un ton aussi dubitatif que son expression.

— Une faim de loup.

Même si, avec Melody dans son lit, la formule était à double sens, ce n'était pas techniquement un mensonge.

Quand il remonta dans son pick-up, Harley fixa le sac contenant la commande avec un petit gémissement d'envie.

— Oublie, mon bonhomme. Tu as déjà mangé.

Il faut dire que le poulet sentait merveilleusement bon, et que s'il s'était écouté… Mais la perspective de partager ce repas avec Melody le rendit raisonnable. Et *tout guilleret* !

La situation se dégrada à la seconde où il entra chez lui.

Melody, habillée de pied en cap, faisait les cent pas dans

la cuisine. Ou tournait comme un lion en cage, car au regard qu'elle lui lança, il entendit presque un rugissement.

— Tu as piqué mes clés pour m'empêcher de partir ! s'écria-t-elle.

Saisi, il poussa un soupir. Visiblement, cette matinée idyllique venait de tourner court. Il jeta les clés sur le comptoir.

— Je t'ai demandé si tu voulais que j'aille nourrir tes chats et tu m'as répondu « oui ».

— Oh ! Désolée, murmura-t-elle, décontenancée. Je... je n'ai pas beaucoup dormi dernièrement. Excuse-moi.

— Ce n'est pas grave.

Soucieux de passer à autre chose, il brandit le sac de leur déjeuner.

— Ça te tente ? proposa-t-il. Au menu : poulet frit de chez Carly, purée de pommes de terre et salade de choux.

— Non. Je dois y aller, répondit-elle en prenant ses clés, puis sa besace de trois tonnes, avant de se retourner. Tu as nourri les chats ? Comment ça s'est passé ?

Il jura intérieurement. Il avait reperdu le terrain qu'il venait de gagner. Mais il était assez futé pour savoir qu'il valait mieux ne pas insister.

— Je leur ai demandé où étaient leurs boîtes de pâtée. L'un d'eux m'a montré l'endroit. Je les ai servis. Ils sont venus manger. Fin de l'histoire.

— Tu plaisantes, là ? répliqua-t-elle, ahurie.

— Non, je ne plaisante pas. Pourquoi ?

— Ils t'ont trouvé *sympathique*.

— Ça, je ne peux pas le dire. J'ai mis de la pâtée dans des assiettes et ils l'ont mangée.

— Ah bon ? C'est dingue.

— Quoi ? Qu'ils aient mangé ? demanda-t-il, sentant la conversation lui échapper totalement. Je ne vois pas pourquoi ils auraient refusé de le faire. Ils avaient faim. Quelqu'un leur a donné à manger. Ce n'est pas plus compliqué que ça.

— Si, beaucoup plus que tu ne crois, mais qu'importe ! murmura-t-elle en se dirigeant vers la porte.

Et voilà ! Elle était sortie de sa maison.

« Mais pas définitivement de ma vie, j'espère », songea-t-il en l'entendant démarrer sa voiture.

Puis, distraitement, il prit le sac et en sortit une boîte. Heureusement qu'il avait vraiment faim car, manifestement, il allait avoir deux portions entières à manger. Mais la clôture nord avait besoin de réparations, et planter des piquets brûlait beaucoup de calories.

Neuf ans auparavant, si Melody et lui s'étaient séparés, c'était de sa propre initiative. Mais, sur ce point, il avait changé d'avis.

Comme il l'expliqua longuement à Harley, tout en dévorant sa double portion de poulet frit.

5

Melody envisageait de fonder un club : « Cas amoureux désespérés ». Club dont elle aurait été à la fois présidente, trésorière et secrétaire. En tant que fondatrice, et probablement membre unique, elle pourrait se décerner un trophée ou une jolie plaque à son nom, rien que pour marquer le coup. Ce serait drôle, non ? Non. Pas du tout.

Nullement réjouie par l'idée, elle tourna dans son allée, se gara et posa son front sur le volant en laissant échapper un petit gémissement de frustration.

La question du moment était : est-ce que faire l'amour comme des dieux pouvait avantageusement remplacer le bon sens ?

Le jury allait devoir délibérer un bon moment là-dessus ! S'il était composé d'hommes, la réponse serait vraisemblablement positive, mais elle était la preuve… que certaines femmes pouvaient également voter dans ce sens.

Une fois chez elle, elle vit ses trois chats sur le canapé dans leur familière pose de sphinx, pattes tendues, tête dressée, qui observaient — et jugeaient — son entrée.

Epuisée, elle jeta son sac à terre. Pas de doute, il fallait qu'elle effectue un tri, car même s'il lui déplaisait de l'admettre, Spence avait raison. Son sac était trop lourd à porter par un humain lambda.

— Oui, je suis une idiote, alors n'en rajoutez pas ! lança-t-elle aux chats. Je ne suis pas d'humeur.

Elle fonça vers la salle de bains en se débarrassant au

passage de ses vêtements. Peut-être qu'une bonne douche lui éclaircirait les idées. Ce matin, elle avait dépensé beaucoup d'énergie à faire l'amour. Des ébats envoûtants, inoubliables… Et qu'elle devrait illico chasser de son esprit !

Et de son cœur.

Surtout de son cœur, songea-t-elle en se plantant sous la douche. Si Spence couchait à droite à gauche — comme la présence de préservatifs dans sa table de chevet l'attestait —, ce n'était pas son cas à elle.

Il fallait qu'elle discute de cette affaire avec quelqu'un de confiance.

Hadleigh était en voyage de noces, et donc hors de portée, mais elle pouvait toujours se confier à Bex. Même si elle rechignait à tout lui confesser d'emblée, elle pourrait lui avouer que la fréquentation de Spence durant la période du mariage l'avait tourneboulée. Ce qui n'était pas un mensonge.

Loin de là.

Oui, ce qui s'était passé méritait réflexion. Or, l'expérience lui avait appris que, quand un problème se présentait, le plus efficace était d'en discuter avec une amie. Bex, d'une franchise à toute épreuve, savait très bien écouter. Et c'était à cela que servaient les amies, non ?

Elle sortait de la douche lorsque son téléphone sonna.

Elle s'immobilisa en voyant le numéro de Spence affiché sur l'écran. Après avoir hésité quelques secondes et lâché un mot qu'aucune dame n'aurait dû prononcer, elle s'empara de son portable.

— Tu as filé bien vite, lança-t-il sans s'embarrasser de préambule. Ça va ?

En voilà une question ardue ! Et il était sacrément culotté de la poser.

— Je me suis très bien passée de toi pendant neuf ans, Spence, répondit-elle avec un calme admirable. Alors pourquoi ça n'irait pas ?

Le silence au bout du fil fut si long qu'elle crut un instant que la communication était coupée.

— Comme tu as sauté le déjeuner, je me demandais si tu accepterais de dîner avec moi, proposa-t-il soudain.

Dîner ? Avec lui ? Ce soir ?

Non. C'était trop tôt. Trop vite. Trop tout.

Et elle finirait dans son lit. Oui, la confiance avait été brisée. La confiance en elle-même. Résultat : elle était obligée de mettre en doute, une fois de plus, son propre jugement.

— Je ne sais pas, répondit-elle.

Ce qui était la vérité. Mais comme cela sonnait un peu dur, elle s'empressa d'ajouter :

— Je veux dire que ce soir, ce n'est pas possible.

— Ah. Oui. Ton emploi du temps est chargé, je comprends.

Le soupçon de sarcasme dans la voix de Spence semblait mérité. Vu que, de l'avis général, la franchise était la meilleure politique, elle inspira à fond et poursuivit :

— Merci de ton offre, mais j'ai besoin de temps pour démêler ce qui s'est passé.

— J'ai voulu que l'on en discute, mais tu t'es mise à ronfler.

— Je ne ronfle pas !

— Tout le monde ronfle à l'occasion. Excuse, c'est encore une plaisanterie débile. Ce que je veux dire, c'est qu'il faut que l'on parle et que ce serait sympa de le faire en dînant.

— En fait, je ne sais pas ce que je veux. Sur quoi cela pourrait déboucher…

— Si tu ajoutes « Tu n'y es pour rien, c'est moi », je t'arrête sur-le-champ.

Au moins une chose en sa faveur : Spence réussissait toujours à la faire rire.

— Pour quel motif ? demanda-t-elle.

— Abus de platitudes.

— J'ignorais que c'était condamné par la loi.

— Le temps que ton avocat hors de prix se rende compte que non, je me serai suffisamment fait comprendre. Alors, rends-nous service et arrête de tergiverser. Est-ce que tu veux que je te rappelle, oui ou non ?

La question était un peu abrupte. Mais elle avait le mérite d'être claire.

Indécise, elle se mordilla la lèvre, balançant entre l'envie de crier « Oui ! » et celle d'écouter la voix de sa conscience : « Tu n'as pas envie de foncer dans un train fou droit sur un pont effondré ? Alors refuse. »

— Je pourrais te rappeler après avoir réfléchi ?

— D'accord, Mel, la balle est dans ton camp, répondit-il calmement. Tu n'as plus vingt ans, aujourd'hui.

Une fois qu'il eut raccroché, elle fixa l'écran éteint du téléphone d'un œil perplexe. Qu'est-ce que cela voulait dire ?

Elle se tourna vers ses chats alignés sur le seuil de la porte.

— Il est impossible que cet homme soit bon pour moi sauf si ses intentions sont sérieuses. En tout cas, il m'a débarrassée d'une tension sexuelle dont je n'avais même pas conscience.

Les chats posèrent sur elle un regard qu'elle ne voulut pas interpréter et s'éloignèrent dignement à la queue leu leu. Sans doute n'aurait-elle pas dû leur parler de sa vie sexuelle.

Cette journée étant consacrée au travail, Melody s'installa donc pour dessiner de nouveaux croquis et trouver un modèle susceptible de combler sa riche et excentrique cliente en l'incitant à débourser une petite fortune. Ce serait sympa d'avancer un peu.

Comme d'habitude, quand l'inspiration jaillit, elle jaillit... à flots. Instantanément, elle se retrouva concentrée, absorbée, et son crayon entra tout seul en action.

Elle dessina un portrait de Spence.

Ayant toujours été douée, elle peignait et dessinait à toute vitesse. Et comme le visage de Spence était encore frais dans sa mémoire, elle n'eut aucune difficulté à retranscrire la courbe si particulière de son sourire, les frisottis de ses cheveux sur sa nuque, la ligne énergique de sa mâchoire...

— Salut, ma vieille !

Elle sursauta et se retourna brusquement. Bex venait d'entrer sans frapper, un pot de glace dans chaque main, tandis que derrière elle, la moustiquaire reprenait sa place avec un léger claquement.

— J'ai pensé qu'après la journée d'hier, nous avions toutes deux besoin d'un remontant, annonça son amie. Le premier volet du pacte est accompli. Célébrons l'événement avec quelques calories. Tu préfères praline ou sauce chocolat ?

Cela faisait du bien de voir Bex, même si sa spontanéité et sa capacité à déchiffrer les pensées pouvaient se révéler perturbantes — particulièrement en ce moment.

Melody referma hâtivement son carnet de croquis, espérant que sa copine extralucide ne le remarquerait pas. Si elle était surprise en train de griffonner un portrait de Spencer Hogan, des explications s'imposeraient. Or, ne sachant même pas ce qu'elle pensait de cette histoire, comment aurait-elle pu en fournir ?

— Praline, répondit-elle en sautant de son tabouret. Je vais chercher des cuillères.

— Je vois que le triumvirat est d'humeur égyptienne aujourd'hui, observa Bex, après avoir jeté un coup d'œil aux chats, avant de la suivre dans la cuisine où elle s'installa confortablement à la vieille table.

Cette table était un bien de famille, dont Melody avait hérité. Sa patine — en piteux état, auraient dit certains — était le résultat d'années de récurages répétés, mais elle n'avait jamais songé à la remettre à neuf. Elle la trouvait belle ainsi, car elle lui rappelait sa grand-mère en tablier, en train de la nettoyer, après le déjeuner dominical. Ou son grand-père buvant son café matinal en lisant le journal.

Elle n'avait plus de serviettes propres, mais en trouva en papier ornées de la devise : « Toutes mes copines ont une chose en commun : elles ont la dalle en pente. » Il y a longtemps, Hadleigh les lui avait offertes, quand elle était encore célibataire et qu'elles avaient l'habitude de se lamenter sur leur sort au-dessus d'un verre de vin.

— Tu es partie comme une fusée de la Moose Jaw Tavern, fit remarquer Bex en soulevant le couvercle d'un des pots pour se servir une bonne cuillerée de glace. J'ai cru que tu étais allée te cacher aux toilettes. Je suis allée vérifier, mais tu n'y étais pas.

— Mes pieds n'en pouvaient plus. Ils imploraient d'être libérés de prison, répondit-elle en plongeant à son tour sa cuillère dans son pot. Et puis je t'avais prévenue que je m'en allais.

Cette glace était divine. De la glace au déjeuner… Pas très raisonnable. Mais comme disait Bex, elles le méritaient. Et puis, après ce qui s'était passé avec Spence, elle n'aurait jamais pu s'asseoir en face de lui et lui faire poliment la conversation en grignotant du poulet frit.

— Ta voiture était toujours sur le parking, répliqua sa copine, aussi directe qu'à l'ordinaire, avant de la scruter en suçant sa cuillère. Comment es-tu rentrée ?

Ouf ! La question signifiait que tout Mustang Creek n'était pas au courant que Spence l'avait jetée sur son dos comme un ballot pour la raccompagner chez elle. Car, si quelqu'un les avait vus, Bex aurait été déjà au courant.

— Euh… je me suis fait reconduire par quelqu'un dont la voiture n'était pas coincée comme un veau dans un parc d'engraissement. Comment s'est passée la suite de la fête ?

— C'était marrant. Les cow-boys étaient déchaînés.

— Décèlerais-je une note de nostalgie ?

— Je me réjouis pour Hadleigh et Tripp, ça va sans dire, répondit Bex sur un ton résigné. On est tous heureux pour eux. C'était beau de les voir échanger leurs vœux. Et Tripp est tellement amoureux. Seulement, je dois avouer que j'éprouve un soupçon de jalousie. J'ai assisté à de nombreux mariages mais aucun comme le leur. Celui-là avait quelque chose d'exceptionnel. Je *veux* la même chose. Et cette sublime cérémonie n'a fait que renforcer cette envie.

Melody, qui savait exactement de quoi elle parlait, se contenta de hocher la tête.

— Je suis embarquée dans le même bateau, avoua-t-elle. La nef des fous.

Les dons d'extralucide de Bex avaient dû refaire surface car elle lança :

— Spence avait fière allure. C'est dingue ce qu'un smoking peut faire de l'effet, surtout sur un type sexy. Et quand il a débarqué en jean dans le bar, il était encore plus craquant. J'étais près de toi et j'ai vu que tu le remarquais aussi.

Il avait encore plus belle allure avec rien sur le dos…

— En effet, je l'ai remarqué, reconnut-elle en pesant précautionneusement ses mots.

Car, à l'instar d'un requin sentant une goutte de sang diluée dans des millions de mètres cubes d'eau de mer, Bex pouvait détecter un mensonge à des kilomètres.

— Mais vu la manière désastreuse dont s'est terminée ma dernière expérience avec lui, je suis devenue prudente, précisa-t-elle vivement.

La preuve, il l'avait invitée à dîner ce soir et elle avait refusé. Probablement parce qu'il avait des préservatifs à portée de main. N'empêche qu'il avait un chien adorable…

— Je sais bien, mais notre pacte, alors, qu'est-ce que tu en fais ? rétorqua Bex en brandissant sa cuillère. Tu ne voudrais pas lui offrir une seconde chance ? Je ne devrais probablement pas le dire, mais il n'a pas cessé de te regarder. Durant la répétition, le dîner qui a suivi et même durant la cérémonie, alors qu'il était censé jouer les garçons d'honneur, il n'avait d'yeux que pour toi.

— Nous étions assis côte à côte durant ce fameux dîner. Il n'avait d'autre choix que de me parler. S'il n'est pas parfait, il est bien élevé.

— Tu es sûre que c'est terminé ? insista Bex, déçue.

— Oui. Depuis neuf ans, répondit-elle, bien qu'elle ne soit sûre de rien.

— Et alors ? La magie ne s'évanouit pas comme ça. Tripp et Hadleigh ont eu de sérieux conflits, et regarde comment ça s'est terminé.

Bex désigna du regard l'horloge en forme de chat dont la queue battait à un rythme régulier.

— Je parie que je sais ce qu'ils sont en train de faire, reprit-elle. Même si on est au beau milieu de l'après-midi.

Elle, elle n'avait même pas attendu midi, songea Melody. Un simple baiser et le contact de la bouche de Spence au creux de son épaule avaient suffi à la faire succomber.

Deux fois. Non. Trois fois.

— Spence Hogan traîne pas mal de valises, répliqua-t-elle. Ne serait-ce que son passé, et le nôtre. Même s'il était intéressé, je ne pense pas que ce soit mon cas.

Voilà qu'elle s'aventurait dans le domaine des demi-mensonges. En réalité, elle était intéressée, mais elle avait la trouille. On pouvait avoir le cœur brisé et survivre, elle en était la preuve vivante. Mais deux fois ?

C'était plus que douteux.

En ce qui concernait leur pacte, Hadleigh pouvait parfaitement constituer une exception. Les relations amoureuses n'étaient pas accompagnées d'un manuel d'instruction. Si jamais elle écrivait un livre sur le sujet, et elle était la personne la moins qualifiée sur cette belle Terre pour se lancer dans cette entreprise, il avait toutes les chances de se faire lapider par la critique.

— Ne juge pas trop vite, lança Bex en repoussant son pot vide sur la table.

— De quoi tu parles ?

— Spence n'a jamais couché avec Junie. En fait, je crois que sa réputation de séducteur lui vient en grande partie de son physique. Le physique d'un type qui peut se taper toutes les nanas qu'il désire. Spence et Junie sont amis d'enfance. Ils travaillent ensemble. Fin de l'histoire.

Cette journée déjà bizarre commençait à déraper sérieusement, songea Melody.

— Peux-tu m'expliquer comment tu es arrivée à cette conclusion ? demanda-t-elle.

— Non, répondit Bex en se levant pour aller jeter son pot vide à la poubelle.

Elle se retourna et s'adossa au comptoir avec sa mine décidée habituelle pour ajouter :

— Mel, une des raisons pour lesquelles nous sommes si bonnes amies, c'est que tu sais qu'avec moi tes secrets seront bien gardés. Je ne révèle jamais mes sources. Il n'empêche que les rumeurs à propos de Spence et Junie sont fausses. J'irais jusqu'à dire que tous les bruits qui courent sur lui sont pure fantaisie. Ce type n'y est pour rien s'il est un régal pour les yeux.

Sur ce dernier point, Bex devait savoir ce qu'elle disait. Un homme n'arrivait pas à trente-six ans avec des abdos en béton sans faire de l'exercice. Spence soulevait sûrement de la fonte, or c'était elle la propriétaire du club de gym local.

« Oh oui ! Il est vraiment beau à regarder, faillit-elle s'exclamer. Et si tu le voyais nu ! »

Mais elle avait intérêt à s'abstenir de tout commentaire, sinon Bex devinerait qu'elle l'avait vu dernièrement dans le plus simple appareil. Quelques heures auparavant, pour être précise.

— Il semble conserver la forme, marmonna-t-elle sans conviction.

— Tu as remarqué ? Alors comme ça, il te fixait et toi tu le lorgnais aussi.

— Je ne vois pas où tu veux en venir, lança-t-elle en se levant.

— « C'est un beau brin de gars », c'est sûr, comme disait ta grand-mère, répliqua Bex. J'adorais cette femme. Elle avait des expressions imagées qui n'appartenaient qu'à elle. Par exemple « Il fait plus chaud qu'à Tataouine. » Je me souviens qu'elle disait ça, en nous servant ses cookies saupoudrés de vermicelles en sucre. Tataouine ? C'est dans quel pays, ça ? Oui. C'était un sacré personnage, ta grand-mère.

— Je l'adorais aussi, Bex, mais tu t'éloignes du sujet.

— Tu as raison. Bon. Je ne peux pas parler pour Spence, car c'est un grand garçon, mais si je devais me prononcer, je dirais qu'il est toujours intéressé.

La question était : par quoi ou par qui ?

La terre était sacrément dure.

Spence reposa la tarière et cligna les yeux, aveuglés par la réverbération du soleil. Un peu de pluie n'aurait pas été du luxe.

A cet instant précis, c'était la seule chose dont il était sûr.

Il s'essuya le front avec son bandana et but une gorgée

d'eau. Harley, couché dans l'herbe, la tête posée sur ses pattes, le regardait travailler, pendant que Reb paissait non loin.

Même si cette corvée était loin d'être la plus agréable du monde, il était content de l'effectuer parce qu'il était au grand air, qu'il faisait beau et que tout se passait bien. En revanche, sa matinée très intéressante au début était devenue aussi irritante qu'un chardon dans sa botte.

Melody l'avait envoyé sur les roses. Pas de dîner en perspective, rien.

Et pourtant quand il s'était agi de sexe, loin de le rejeter, elle avait été partante — et plus que partante ! Sa réponse à chaque caresse, chaque murmure avait été encore plus réussie et enthousiaste que dans son souvenir. Mais, quand il l'avait appelée, il l'avait sentie froide et distante. En colère contre lui ? Contre elle ?

Peut-être qu'il le méritait, mais qu'il soit damné s'il comprenait pourquoi.

— Elle va détaler comme un cerf hémione affolé, je le sens, lança-t-il en enfonçant la tarière dans le sol.

Au lieu de répondre, Harley et Reb lui jetèrent le même regard empreint de sympathie, qui, s'il lui remonta le moral, ne résolut pas ses problèmes. Reb se rapprocha et lui donna un petit coup de museau sur l'épaule.

— Ça va aller, dit-il d'une voix rauque en lui caressant les nasaux, pour tenter de se rassurer. Je vais trouver mon équilibre et Melody aussi. J'ai beau l'avoir déçue autrefois, je maintiens que j'ai eu raison. Elle était trop jeune.

La chose géniale quand vous parliez à un cheval et à un chien — aussi longtemps que personne ne vous entendait et ne risquait de vous étiqueter comme fou —, c'est qu'ils se contentaient d'écouter.

Il soupira et repoussa ses cheveux en arrière.

— Et puis, fichez-moi la paix, lança-t-il à ses deux compagnons qui se le tinrent pour dit.

Ce qui expliquait certainement pourquoi ils s'entendaient si bien.

Son téléphone sonna. Tiens ! Il réussissait à capter du réseau dans ce coin paumé. Un vrai miracle.

Il le sortit de sa poche et ôta son gant pour répondre.

— Salut, patron !

— Junie ? Tu m'appelles un dimanche ? Qu'est-ce qui se passe ?

— Les bonnes ou les mauvaises nouvelles en premier ?

— Junie, viens-en au fait.

— J'ai pensé que tu aimerais savoir qu'Estes a verbalisé le chauffard que tu as signalé. Pour conduite dangereuse. Cinquante kilomètres au-dessus de la limite de vitesse à sa sortie de la ville. Le hic, c'est que c'est le fils du juge Randolph. Estes n'a pas osé l'arrêter, comme il l'aurait pu. Et maintenant, il est à cran et il s'en veut à mort. D'autant plus que ce n'est pas la première fois que le gamin se fait épingler pour excès de vitesse.

Spence se serait bien passé de ce nouveau casse-tête.

— Merci du tuyau, marmonna-t-il. J'espère recevoir un coup de fil de Randolph. D'autant plus qu'il devrait être le premier à assener, selon sa formule préférée, « tout le poids de la loi » sur le coupable. Dis à Estes que je m'en occupe.

— J'espère que tu ne te trompes pas et que le juge va t'appeler. Alors, tu as récupéré, du mariage ?

— Je suis en pleine forme, répondit-il, pas vraiment enchanté par la question.

Etait-il si visible que sa fonction de garçon d'honneur l'avait profondément remué ? Et lui qui se plaisait à penser qu'il était toujours d'humeur égale et savait garder ses sentiments pour lui ! Il faut dire que Junie et lui se connaissaient depuis très, très longtemps.

— Ravie de l'apprendre, répliqua-t-elle gaiement. Au fait, après la fin de mon service, je serai en congé demain. On se voit mardi.

— A mardi, alors.

Il coupa la communication et remit l'appareil dans sa poche, regrettant de ne pas être dans le vieil Ouest, quand un homme pouvait s'éloigner de ses problèmes et n'était pas obligé de trimballer un portable sur lequel on pouvait le joindre partout. Néanmoins, il était assez sage pour savoir que ce n'était qu'une illusion. Il était impossible de négocier avec les problèmes. Ils avaient toujours existé et existeraient toujours.

Premier problème en vue, dressé sur sa ligne d'horizon : une blonde sexy. Le deuxième, le juge Randolph, traînait bien loin derrière.

Encore trois poteaux à planter. Parfait. Il voulait absolument rentrer chez lui sur les rotules. Si fatigué qu'il n'aurait plus qu'à s'asseoir sous le porche et regarder le coucher de soleil, avant d'aller s'affaler dans son lit.

Sa seule consolation, c'était les deux morceaux de cheesecake qui l'attendaient pour son dîner.

6

Etait-il gênant de plonger sous l'étal de navets du rayon des légumes ?

Melody était sûre que la réponse était un oui franc et massif.

Il n'empêche qu'elle se cachait au pays des navets, simplement parce qu'elle venait d'apercevoir un homme grand et brun, au profil si douloureusement familier qu'il semblait gravé au fer rouge dans sa cervelle. Est-ce qu'elle avait pensé à autre chose qu'à Spence, depuis le matin ayant suivi le mariage ?

Non. Résultat : son travail n'avait pas avancé d'un iota.

Spence jeta un œil aux tomates et en choisit quelques-unes au petit bonheur — les pires de toutes, à son humble avis — avant de se diriger vers les salades. Où il ne montra pas plus de discernement en jetant un sac de laitue prélavée dans son panier.

Cela faisait une semaine qu'elle ne l'avait pas vu, et elle se torturait encore les méninges pour démêler la situation.

Manque de chance, juste au moment où elle se redressait pour filer en douce, Spence fit volte-face et l'aperçut.

Maintenant, elle n'avait plus qu'à faire bonne figure…

— Oh ! Salut ! lança-t-elle, avec un engouement exagéré. Tu fais tes courses ?

C'était brillant.

— Non, je cherche une voiture d'occasion, et toi ? répliqua-t-il, narquois.

— J'ai besoin de…, bredouilla-t-elle, se refusant à évoquer

les navets, même si elle les avait sous le nez. En fait, j'ai besoin… de trucs.

Super ! S'il avait existé le prix de la personne la plus débile de la Terre, elle aurait obtenu un trophée à poser près de ses chats, sur la cheminée.

Une lueur amusée brilla dans les yeux bleus de Spence et, bien évidemment, elle sentit le rouge de la honte lui monter au front.

— C'est ton jour de chance, parce qu'ils ont beaucoup de *trucs* ici, répliqua-t-il sur un ton affable.

Il était grand temps de recouvrer son sang-froid. Ou tout au moins une partie.

— Je ne m'attendais pas à te voir, dit-elle.

— On habite dans la même ville.

— Je suis au courant, marmonna-t-elle, vexée.

Elle empoigna un sac et y fourra quelques navets, juste pour donner le change. Sa grand-mère les écrasait en purée avec du beurre et un peu de poivre citronné. Un vrai régal. Autant profiter de l'occasion pour essayer la recette.

— Tu as l'air en forme, fit remarquer Spence.

Son compliment, pétri d'une subtile sensualité, n'arrangea rien à la chose. Pas plus que son jean éculé et sa chemise en denim. Il avait toujours l'air d'avoir besoin d'une bonne coupe de cheveux, ce qui bizarrement ajoutait à son charme. Heureusement qu'elle avait pris la peine d'enfiler une robe d'été et des sandales à lanières — sans talons, bien sûr — avant de s'aventurer en public.

Soudain, il tourna les talons et s'en alla en lançant :

— A plus !

Abandonnée au milieu des légumes, elle le regarda s'éloigner, envoûtée par sa démarche chaloupée de cow-boy et ses larges épaules. Elle le vit au passage saluer une vieille dame en soulevant son chapeau et remarqua que celle-ci se mettait à minauder, bien que jusqu'ici le sens précis de ce mot lui ait échappé.

« Ça suffit ! »

Elle avait besoin de nourriture pour ses chats. Gare à ne

pas tomber à court de pâtée ! Elle ne pourrait attendre aucun pardon. Elle prit également des filets de poulet, des épinards pour la salade et, sur un coup de tête, y ajouta deux steaks. Pour quelle occasion exceptionnelle ? Elle ne savait pas trop.

Elle gardait le choix ouvert.

Parce que si elle avait beaucoup pensé à Spence et envisagé de l'inviter à dîner, au lieu d'aller au restaurant, elle restait incertaine. En fait, elle se trouvait à la croisée des chemins et cherchait la meilleure voie à suivre. Où se trouvait Robert Frost quand vous aviez besoin de lui ?

Le poète lui aurait sûrement conseillé la route la moins fréquentée. Celle de la deuxième chance. Circulation presque inexistante et toute la place pour stationner.

Elle passa à la caisse et rentra directement chez elle, croisant le pick-up de Spence dans la rue principale. C'était comme si la nature, le destin, les puissances occultes, bref, la force qui contrôlait l'univers s'ingéniait à conspirer contre elle !

A cran, elle se gara n'importe comment dans son allée, déchargea et rangea ses courses sous le regard impassible du « triumvirat », comme Bex appelait ses chats, et alla s'asseoir à sa table de travail.

Sans vouloir se jeter des fleurs, c'était un bon portrait de Spence qu'elle avait fait là. Un travail inutile, mais qui lui avait provisoirement apaisé l'esprit, ce qui était toujours bon à prendre. Résolue, elle se mit à travailler au modèle commandé, puis à l'agencement des améthystes, des opales, des perles fines et des turquoises, et commença à avoir une vue d'ensemble, même si elle n'était pas encore satisfaite des détails.

Soudain, elle fut interrompue par un coup frappé à la porte. C'était l'employé du fleuriste, qui apportait un charmant bouquet sans carte. Elle lui donna un pourboire et examina les fleurs.

Des jonquilles mêlées à des feuilles de fougère.

Spence.

Non seulement l'arrivée de ce bouquet ruina totalement

sa concentration, mais elle la relégua dans les limbes sans espoir de retour.

Les fleurs étaient d'une beauté exquise. Elle coupa leur queue et les disposa dans un vase que sa tante lui avait offert pour son diplôme. Un très joli modèle aux courbes gracieuses, gravé d'un motif de jardin, dont elle admirait l'impeccable symétrie. Une fois sa tâche terminée, elle le posa avec précaution sur son bureau.

Si elle avait été plus avancée dans son travail, elle se serait assise et serait restée en contemplation devant le vase pendant une bonne heure.

Est-ce que, pour parler à l'ancienne mode, Spence… lui faisait la cour ?

Non. Il avait suffi de deux baisers pour qu'elle fonde dans ses bras et saute dans son lit. Spence Hogan ne faisait pas la cour aux femmes. C'étaient elles qui lui couraient après. Jusqu'aux femmes mariées qui flirtaient outrageusement avec lui ! Bien sûr, cela ne la regardait pas, mais elle avait beau s'efforcer de se désintéresser de sa vie privée, elle l'avait constaté. Et plus d'une fois. Pour ce qu'elle en savait, il devait céder à leurs avances, bien que, il fallait être honnête, elle n'en ait jamais eu la certitude.

Au bout de leur tige raide, qui contrastait avec leurs pétales délicatement ourlés, les fleurs semblaient elles aussi la fixer.

— Qu'est-ce qu'il a dans la tête ? leur demanda-t-elle. Toute théorie serait la bienvenue.

Ni les fleurs ni les chats ne prirent la peine de lui répondre.

Pour terminer en beauté cette soirée glamour, elle mangea un reste de pizza en regardant les nouvelles, qui n'étaient pas bonnes, puis alla en titubant s'affaler dans son lit.

Toute seule.

En revanche, elle rêva… intensément. De Spence. Des rêves loin d'être idylliques.

Après une nuit des plus agitées, elle se retrouva, à son réveil, terriblement remontée contre lui, sans aucune raison valable. Il faut dire que dans son rêve, ils se promenaient dans une prairie et que Spence marchait deux pas devant elle, équipé d'un parapluie, la laissant sous une pluie battante. A l'évidence, le Spence de son rêve n'avait rien d'un galant homme. Pourtant, le manque de courtoisie ne faisait pas partie de ses nombreux défauts, alors d'où avait surgi ce rêve ? Qu'est-ce que tout cela signifiait ?

Elle sirota son café en ruminant sur le fonctionnement bizarre du cerveau humain quand on lui lâchait la bride pendant son sommeil.

Malheureusement, la lettre lui assurant qu'elle avait obtenu son diplôme de psychologie s'était égarée quelque part.

Peut-être qu'en se basant sur le symbolisme opaque de son rêve, on pouvait simplement en déduire que Spence était difficile à comprendre.

Il lui avait envoyé des fleurs. Dans quel but ? De son côté, qu'est-ce qu'elle ressentait ? Et, question primordiale : pourrait-elle, un jour, lui refaire confiance ?

Depuis le début de la semaine, Spence avait l'impression qu'il déplaisait à tout le monde.

Irrité par tout et n'importe quoi, il releva brutalement l'écran de son portable. Seul point positif dans son marasme, le problème avec le juge Randolph avait bien mieux tourné qu'il ne l'avait craint. A sa grande surprise, le juge n'avait ni réclamé de faveur ni cherché à faire diminuer les charges contre son gamin. Non seulement il l'avait remercié avec émotion de ne pas avoir coffré son fils, mais il n'avait pas contesté la contravention.

A sa manière bourrue typique, Randolph avait reconnu que son fils était un sacré emmerdeur et qu'il allait le priver de sa voiture de sport.

Spence ne pouvait être plus d'accord avec lui. Epargner l'argent durement gagné des contribuables et faire l'économie d'un procès, tout en libérant de l'espace en prison et en infligeant une bonne leçon à un gamin, à son avis, il n'y avait pas meilleure solution.

Mais pour le reste, il était loin de danser de joie.

D'abord, Melody n'avait pas rappelé. Silence radio en provenance du camp Nolan. Et il avait la désagréable intuition que ce n'était pas près de changer. Ensuite, Junie était au lit, terrassée par une grippe intestinale, et il devait se démener pour lui trouver une remplaçante. Et, cerise sur le gâteau, sa mère lui avait envoyé une lettre, ou une carte — il ne savait pas encore — aux bons soins de la poste de Mustang Creek, Wyoming.

Sa mère. La femme qui l'avait abandonné sur le paillasson de tante Libby.

Il n'avait pas décacheté l'enveloppe, qui était arrivée au poste de police. Preuve qu'elle avait dû faire des recherches sur Internet et découvrir son métier et son lieu de travail.

L'ouvrir ou pas ? Il décida de remettre la décision à plus tard. Il était suffisamment préoccupé comme cela.

Quand son portable sonna, il était plongé jusqu'au cou dans la paperasse et devait ressembler à la créature ronchon du Muppet Show, qui vivait dans une poubelle. Exaspéré, il prit le téléphone et beugla :

— Quoi ?

— Je m'attendais à une réponse chaleureuse, ou au moins subtilement amicale, répondit Tripp, amusé. Je te demanderais bien si ça va, mais je ne suis pas sûr d'avoir envie d'entendre la réponse.

— Ça va. Où es-tu ? répondit-il en refermant le clapet de son ordinateur sur lequel il travaillait depuis plus de douze heures.

— Au soleil, mollement étendu sur une plage de sable blanc.

— Je te hais.

— Tu as raison ! répondit Tripp en riant. Nous passons une semaine de rêve. N'empêche qu'il nous tarde de rentrer à Mustang Creek. Au fait, Hadleigh t'embrasse.

— Ravi de savoir que vous passez du bon temps.

C'était débile de demander, mais il le fit quand même. Après tout, Tripp l'avait appelé, alors peut-être que…

— Est-ce que, par hasard, Hadleigh aurait parlé à Melody ?

— Hum, question intéressante. Il se trouve que oui, il y a à peine une heure. Pourquoi ?

— Je me demandais simplement si mon nom avait été mentionné.

Tripp prit un moment pour répondre.

— Spence, le problème, c'est que l'on est censé tout dire à sa femme. C'est le pacte que l'on signe en se mariant. Si tu m'expliques pourquoi tu me demandes ça, Hadleigh le saura inévitablement. Dès que je vais lui demander si Melody a parlé de toi, elle va me demander pourquoi je tiens tant à le savoir. Et moi… je le lui dirai. Je t'avertis en ami.

Spence était suffisamment gentleman pour ne pas clamer sur les toits qu'ils avaient couché ensemble. Il décida d'opter pour un mensonge par omission, et dit la vérité, mais partiellement.

— Pour résumer l'histoire, je l'ai invitée à dîner. Malheureusement, elle était occupée ce soir-là. Depuis, je n'ai aucune nouvelle, alors qu'elle était censée me rappeler.

Un sifflement retentit au bout du fil.

— Mel et toi, vous remettez le couvert ? demanda Tripp. Fais gaffe. Si tu lui brises une seconde fois le cœur, Hadleigh et Bex vont mettre un contrat sur ta tête.

— Est-ce que quelqu'un pourrait m'estimer assez pour accepter l'idée que je n'ai jamais voulu lui briser le cœur ? protesta-t-il. Melody devait terminer ses études. Je continue à croire que j'ai pris la bonne décision. C'est *elle* qui a décidé de ne jamais me pardonner.

— Je sais. Je me souviens qu'après votre rupture, on en a souvent discuté. Si ça peut te consoler, je t'estime assez pour te croire. Tu sais quoi ? Je vais demander à ma femme. *Ma femme*. Je n'aurais jamais cru que je prendrais autant de plaisir à prononcer ces mots. Promis, je vais lui demander si Melody a mentionné ton nom. Mais cela signifie que Mel apprendra sûrement que tu as posé la question. On est bien d'accord ?

Sa fierté avait été tellement malmenée, durant toute la

semaine, qu'il s'en fichait comme d'une guigne. Et puis, après tout, c'était peut-être mieux qu'elle l'apprenne.

— J'ai pris note de ton avertissement, assura-t-il.

— La vraie raison de mon appel, c'est que l'on va donner une fête au ranch, à notre retour, expliqua Tripp. Samedi de la semaine prochaine. Tu en seras ?

— Est-ce que la question se pose ?

— Oui, parce que j'aurais besoin d'un service. J'aimerais que tu te charges du feu d'artifice et de commander les rafraîchissements, de préférence alcoolisés.

— Aucun problème.

Une fois qu'ils eurent raccroché, Spence resta assis, le regard fixé sur la carte du Wyoming qu'il avait encadrée et accrochée au mur de son bureau. Sans aucun doute, Melody assisterait à la soirée.

Elle ne pourrait l'éviter éternellement.

Bon. A l'épicerie, elle avait bien essayé. Pour son malheur, elle portait une robe d'été rose toute simple dont les bretelles fines découvraient entièrement ses épaules adorables. Pourtant, c'était l'éclat familier de ses cheveux qui lui avait attiré l'œil. A moins qu'il soit tellement obsédé par elle que, dès qu'elle se trouvait à proximité, son radar personnel réagissait.

Même s'il aimait à se considérer comme un homme de parole et s'efforçait de suivre cette ligne de conduite, il lui avait fallu un énorme effort de volonté pour se retenir de l'inviter. Mais il s'était promis que ce serait elle qui ferait le premier pas.

Alors, bien que ce soit une décision stupide, il était obligé de s'y tenir.

La réprimande de Tripp avait beau lui rester en travers de la gorge, son ami avait mis le doigt sur le problème. Est-ce qu'il était suffisamment sérieux pour désirer une seconde chance avec Melody ?

Non seulement le mariage avait totalement bouleversé son univers, mais faire l'amour avec elle avait été une véritable révélation. S'il savait une chose, c'est qu'il la désirait.

Seulement, est-ce que le désir pouvait se transformer en amour ?

C'était une question diablement compliquée et pour laquelle il n'avait pas de réponse. Pas encore.

Parce que si c'était d'amour que l'on parlait, il doutait d'avoir jamais été amoureux.

7

— Les mâles castrés sont bien plus faciles à vivre, observa Melody à l'intention de Ralph, Waldo et Emerson, tout en prenant la posture du guerrier numéro 2.

Queue dressée, une patte de devant en l'air, les chats accomplissaient leur propre variation de l'enchaînement de yoga, ce que, d'ordinaire, elle trouvait hilarant. Mais ce matin, elle n'était pas d'humeur à rire.

La veille au soir, elle était retombée nez à nez avec Spence. Cette fois, au magasin de spiritueux où elle était allée acheter une bonne bouteille de chardonnay en guise de récompense. Elle venait enfin de terminer le dessin du collier qu'on lui avait commandé et avait envie de fêter l'événement.

Donc, elle avait croisé Spence qui lui avait expliqué avec son accent traînant si sexy qu'il était venu commander deux cubitainers en vue de la fête que Tripp et Hadleigh organiseraient à leur retour.

— Il était superbe, comme d'habitude, dit-elle sur un ton sinistre à sa troupe de félins avant de passer, sans trop de maladresse, à la posture du chat en faisant le dos rond, puis en se cambrant.

Inutile de dire que les chats accomplirent le mouvement à la perfection.

Quelle bande de prétentieux !

— Ce serait plus simple s'il avait une grosse verrue sur le nez ou un truc de ce genre. Non ! Je retire ce que j'ai dit !

Il était dangereux de formuler ce genre de vœu. Si le vent tournait, c'était à elle que cela risquait d'arriver.

— J'ai beau savoir qu'il est trop occupé pour ça, je jurerais presque qu'il fait exprès de me suivre partout.

Spence n'avait plus reparlé d'un dîner en amoureux. Et il n'avait pas rappelé non plus. En revanche, chaque fois qu'ils s'étaient croisés, il s'était montré d'une courtoisie à toute épreuve. Limite louche.

Elle en avait été irrationnellement exaspérée, alors qu'il se contentait de respecter sa parole.

Et, autant le reconnaître, elle était toujours aussi agacée.

La veille, au magasin de spiritueux, quand elle l'avait remercié pour ses fleurs, il avait répondu qu'il était content qu'elles lui aient plu. Pas un mot de plus.

Et malgré tout, elle en avait été toute chavirée. Il fallait absolument qu'elle se reprenne !

La solution, elle le savait, résidait dans le travail. Sitôt sa séance de yoga terminée, elle enfila un jean confortable, un T-shirt, tira ses cheveux en queue-de-cheval et se prépara une tasse de thé. Puis elle fonça littéralement à sa table de travail et commença à fignoler les détails du collier, étape suivante de l'opération. Il restait des choix à faire, tels que fixer la disposition des joyaux que sa cliente avait rapportés de ses voyages. Absorbée, elle ne vit pas le temps passer, jusqu'au moment où, en feuilletant son carnet de croquis pour retrouver une de ses idées originales, elle tomba sur le portrait qu'elle avait fait de Spence.

— Même chez moi, il faut qu'il m'obsède, marmonna-t-elle sombrement en fixant son croquis.

Il était temps de prendre une pause bien méritée. A priori, la fête de Hadleigh et Tripp n'était pas habillée, mais elle connaissait son amie et savait que celle-ci ferait les choses en grand. Elle désirait donc s'acheter une nouvelle tenue pour l'occasion. Travaillant à la maison, elle avait tendance à porter son « uniforme », comme elle l'appelait, enfilant régulièrement la même tenue avec de légères variantes. Tous ses jeans étaient fanés et la plupart de ses T-shirts collectionnaient les taches et commençaient à lui faire honte. Et si, par la même occasion, elle en profitait pour s'acheter de nouvelles chaussures — un joli modèle confortable et sans talons, cela allait sans dire. Tiens, bonne idée !

A l'évidence, une expédition shopping s'imposait. Et, avec un peu de chance, Bex serait libre.

Il s'avéra qu'elle l'était, au moins pour un déjeuner prolongé.

— Je veux acheter du matériel pour la salle de sport et j'ai les yeux qui louchent à force de faire des recherches sur Internet, lui expliqua cette dernière. La meilleure machine elliptique sur le marché ? Comment savoir ? Il y a un bon million de modèles disponibles ! Alors oui, une petite pause me ferait du bien.

— Parfait !

Sil n'y avait pas de centre commercial à Mustang Creek, on y trouvait quelques boutiques de stylistes et des magasins de vêtements de confection. Ce serait bien le diable si elle n'arrivait pas à s'équiper de pied en cap.

Pour commencer, Bex et elle se rendirent chez O'Henry dans la rue principale. Le restaurant, niché entre deux grands immeubles, était doté d'une façade de bois et d'une grande vitrine. Son propriétaire et cuisinier, un natif du Wyoming, était parti pour New York, jusqu'à ce que la nostalgie d'un mode de vie plus authentique ne le pousse à rentrer au pays. Sa cuisine était si exceptionnelle que l'on résistait difficilement à l'envie de lécher son assiette ! A leur arrivée, la salle étant bondée, elles s'installèrent à une table du patio, ombragée par un grand parasol bariolé. Puis elles choisirent un sandwich décadent à base de brie, de jambon et de pommes avec, pour l'accompagner, une bouteille d'eau pétillante.

— J'espère qu'il fera aussi beau temps pour la fête de Tripp et Hadleigh, dit Bex en contemplant le ciel. Il n'y a pas un nuage.

— Je l'espère aussi. Au fait, hier, j'ai croisé Spence, enchaîna-t-elle d'un ton léger. Il aidait à la préparation de la fête. C'est lui qui a pris en charge la question des boissons. Ça promet d'être une sacrée nouba.

Bex arbora un sourire malicieux pour annoncer :

— Je nous ai portées volontaires pour aider.

— Moi aussi ! J'ai promis de me charger de la décoration. Je vais fabriquer les lampions. Tu te souviens du soir où j'ai ramené Hadleigh chez elle, parce que tu devais rentrer tôt ? Ce soir-là, elle m'a dit qu'elle voulait des lanternes en papier. Je vais exaucer ses vœux. Et comme de nous trois, c'est toi la plus qualifiée pour superviser une équipe, tu as été nommée d'office reine de la cuisine.

— Ça me convient, répondit Bex. Alors comme ça... Spence t'a invitée à dîner ?

L'arrivée du serveur permit à Melody de différer sa réponse. Dans toute sa gloire graisseuse, le sandwich semblait fabuleux et elle avait faim, mais au lieu de croquer dedans, elle fixa son amie d'un air ahuri.

— Comment tu le sais ?

— Il l'a dit à Tripp.

— Qui l'a répété à Hadleigh, qui te l'a répété. Il n'y a donc aucun secret dans cette ville ? marmonna-t-elle, après avoir avalé une gorgée d'eau.

— Aucun.

Très distinguée, Bex réussit à mordre dans son sandwich en ne laissant tomber dans l'assiette qu'une minuscule goutte de sauce.

— Je pourrais manger cette merveille tous les jours, au petit déjeuner, au déjeuner et au dîner, affirma-t-elle en roulant des yeux extatiques. Mais revenons à nos moutons. Nous en étions au moment où je te disais que j'étais au courant de l'invitation à dîner de Spence.

Sachant d'expérience qu'elle ne pourrait imiter son amie sans perdre le peu de dignité qui lui restait, Melody choisit la bonne vieille méthode du couteau et de la fourchette pour attaquer son déjeuner.

— Et moi, je lui ai répondu que ce soir-là, j'étais débordée, expliqua-t-elle.

Oui, débordée. Et après avoir passé toute la matinée dans son lit, en grand besoin d'intimité et de solitude. Parce que, même s'ils avaient déjà couché ensemble, l'intense gymnastique sexuelle qu'ils avaient pratiquée lui avait fait découvrir une nouvelle version de l'orgasme avec un grand O. Il faut dire que maintenant qu'elle avait vieilli, elle se sentait plus à l'aise avec sa sexualité. Rien à voir avec la gamine de vingt ans aux yeux brouillés par les étoiles. Elle pouvait jouir des qualités d'amant de Spence sans rien attendre de lui. Elle n'avait connu que deux autres histoires sentimentales dans sa vie qui, toutes deux, avaient rapidement tourné court. Il n'empêche que ces relations lui en avaient beaucoup appris sur elle-même, ce qui était le but recherché.

— Ah bon ? répliqua Bex. Tu étais *débordée*. Voyez-vous ça…

Si le sandwich était absolument délicieux, la conversation l'était beaucoup moins.

— Je devais terminer ma commande de collier, répondit-elle, espérant qu'elle était convaincante. Alors, la réponse est « oui ». Et je le suis encore.

— Ce n'est pas pour autant que tu te laisses mourir de faim, fit remarquer Bex en pointant son assiette. *Ce soir-là*, je suppose que tu n'as pas sauté le dîner.

Est-ce que son amie la critiquait d'avoir rejeté Spence ? C'était trop fort ! Dire qu'elle s'était imaginé que ses copines allaient lui ordonner de l'éviter.

— Si tu commences à faire des commentaires sur mon poids, je te laisse payer le déjeuner, répliqua-t-elle.

— Hein ? De quoi tu parles ? Ton poids ? Tu as le genre de corps que les autres paient pour obtenir. Si tout le monde te ressemblait, je n'aurais plus qu'à fermer boutique.

— Laisse tomber, éluda Melody en agitant sa fourchette. En fait, j'hésite beaucoup à fréquenter Spence Hogan, même pour un simple dîner. Toi, c'est normal que tu sois persuadée que sa réputation est usurpée. Tu as toujours eu un faible pour lui.

— Pas toujours, la corrigea Bex en reprenant son sérieux. En tout cas, pas cet été d'il y a neuf ans. J'avais envie de l'étrangler pour t'avoir fait souffrir. Mais… Tu as déjà lu un roman d'amour historique ? demanda-t-elle, avant de feindre théâtralement de réfléchir en tapotant son index sur sa joue. Suis-je bête, bien sûr ! Je t'ai refilé les miens pendant des années. Tu te souviens peut-être que dans ces bouquins, il y a un vieux dicton qui dit que les débauchés repentis font les meilleurs maris.

— Oui, je le connais, quel humour ! s'exclama-t-elle en piquant avec sa fourchette un gros morceau de brie échappé de son sandwich. Puis-je te faire gentiment remarquer que ce ne sont que des fictions ?

— Il y a généralement du vrai dans ces intrigues éculées, rétorqua Bex, avant de changer brutalement de sujet. Tu penses vraiment que Spence est un type superficiel ?

Quelle question ! Spence, superficiel ?

— Oh ! Je t'en prie ! protesta-t-elle, arborant certainement une expression incrédule. Il est tout sauf ça. C'est un homme… terriblement compliqué.

Bon, il était grand temps de changer de sujet.

— On pourrait discuter de notre expédition shopping ? reprit-elle. J'ai besoin de m'équiper des pieds à la tête. A part quelques tenues habillées, ma garde-robe semble empruntée à une clocharde. L'autre soir, j'avais tellement honte de porter mes fringues habituelles que j'ai mis une robe pour aller à l'épicerie. C'est l'inconvénient de travailler à domicile. Tous mes jeans ont des trous ou des ourlets effrangés.

Bex accepta le changement de sujet — soit la diversion avait fonctionné, soit, plus probablement, elle savait quand il fallait laisser tomber.

Elles finirent donc leur déjeuner dans une ambiance amicale et s'attaquèrent à la phase « shopping ». Après l'achat de deux paires de jeans et de deux chemisiers de soie, l'un rouge et l'autre bleu-vert — le deuxième étant, *dixit* Bex, « parfaitement assorti à ses yeux » —, elles se séparèrent. Oh ! En plus, elle se retrouvait l'orgueilleuse propriétaire d'une paire de ballerines bleu marine et ouvertes au bout. Un achat particulièrement heureux, car non seulement c'était un article de marque, *mais* il était soldé.

Tout en retournant à sa voiture, elle repensa à Spence. Rien d'étonnant. Il l'obsédait autant que le refrain d'un tube qui serait passé continuellement sur toutes les radios. Ces derniers temps, elle l'avait si souvent croisé qu'elle avait presque été surprise de ne pas le trouver au rayon féminin du magasin de chaussures local ! Pour y faire quoi ? Mystère. Peut-être appréhender un voleur de talons aiguilles ou une kleptomane.

Repensant soudain à sa conversation avec Bex, elle se mordilla la lèvre, troublée. Quelle mouche avait donc piqué Spence de parler de cette invitation à dîner à Tripp ? Généralement, les hommes ne partageaient pas ce genre de confidence. D'autant plus quand ils s'étaient fait envoyer sur les roses.

En fait, techniquement, elle n'avait pas dit non. Elle n'avait simplement pas dit oui.

Tout en chargeant ses achats dans le coffre, elle considéra les choix qui se présentaient à elle.

L'appeler.

Mauvaise idée.

C'était sûr ?

« Oui ! » décréta-t-elle en claquant le hayon du coffre avec bien trop d'énergie.

Spence prit son stylo, rédigea une note, puis décida que vu que l'essentiel de ses problèmes semblait résolu, sa journée était terminée. Cela faisait plusieurs jours qu'il travaillait sans discontinuer. Il était temps de refermer ses dossiers, d'éteindre son ordinateur, de quitter son bureau et de rentrer chez lui.

Une bonne balade à cheval s'imposait. Cela faisait trop longtemps qu'il négligeait son chien et son cheval.

Sans compter qu'il avait besoin de se nettoyer la tête.

Une heure plus tard, il respirait le bon air des prairies du Wyoming et s'arrêtait à la lisière d'une prairie couverte de castillejas. Rétif, Reb encensa en secouant les rênes. Visiblement, il avait envie de galoper. Les chevaux avaient une manière bien à eux de communiquer leurs opinions sans la moindre équivoque. A proximité, Harley jappa pour exprimer son accord.

Ils voulaient galoper ? Très bien ! Lui, il ne demandait pas mieux.

Il relâcha les rênes, éperonna légèrement les flancs de sa monture et tous les trois s'élancèrent. Rien n'égalait une chevauchée sur le dos d'un cheval puissant, sous un ciel d'azur immaculé, dans l'air embaumé par les senteurs balsamiques des montagnes. En cette période de l'année, leurs arêtes étaient larges et sombres, rayées, telles des roches sédimentaires, par les différentes essences d'arbres, poussant par degrés sur les pentes en fonction de l'altitude.

Rapidement, il dut ralentir l'allure pour que Harley puisse rester à son niveau. Mais ce court galop lui avait fait du bien.

Certains faits irréfutables dérivaient devant lui, comme des radeaux emportés par un torrent coupé de rapides. Le premier étant que, à part de Melody, il n'était jamais tombé amoureux ; l'attirance qu'il avait eue pour d'autres femmes ne comptait pas.

Tous ceux qui les connaissaient bien pensaient qu'il avait brisé le cœur de Melody, mais le sien avait saigné quand il avait repoussé sa demande en mariage et qu'il l'avait vue s'éloigner obstinément de lui. Mais il avait fait ça pour son bien à elle. Alors il en avait marre d'endosser toute la faute.

Il était sorti avec d'autres femmes, bien sûr. Il avait essayé de l'oublier. Et il avait échoué. Chaque fois, pour la même raison.

A la minute où il l'avait embrassée de nouveau, une petite voix lui avait murmuré qu'elle était l'élément manquant dans sa vie.

Elle était brillante. Elle était belle. Et il avait envie de prendre son petit déjeuner en face d'elle tous les matins en la regardant boire deux tasses de ce thé infect qu'elle affectionnait.

Malheureusement, elle en aurait remontré à la plus têtue des mules. Elle n'avait pas sa pareille pour planter ses pieds dans le sol en refusant obstinément de bouger. Et, pour ne rien arranger, il avait l'impression que tous deux tiraient à hue et à dia.

Existait-il un manuel pour expliquer la marche à suivre ? Genre : *Comment conquérir la dame de ses pensées : conseils pour un homme fou d'amour en détresse.*

Si c'était le cas, il allait s'empresser de l'acheter, de le lire et de prendre des notes.

L'idée était si ridicule qu'elle lui donna envie de rire. N'empêche que quelques conseils ne seraient pas de trop, songea-t-il en grimaçant, aveuglé par le soleil qui amorçait sa descente derrière le Teton.

Son téléphone émit un bip. Le message disait que Junie était de retour au travail et qu'il pouvait se reposer. Heureuse nouvelle.

Le coucher de soleil était à couper le souffle. La lumière baissait derrière les sommets, zébrant le ciel de pourpre, de mauve et de saphir. Il s'assit par terre à son endroit favori et médita sur la situation, jusqu'au moment où il arriva à une décision. Une décision certainement prise depuis longtemps sans qu'il ait voulu la prendre en compte.

Son esprit dériva vers l'enveloppe au cachet de Bozeman, Montana, qui était sur son bureau toujours cachetée. La lettre de sa mère. Avec les banques de données à sa disposition, il lui aurait suffi de trois minutes pour trouver tous les renseignements utiles à son sujet.

Valait-il mieux laisser cette partie de sa vie en repos et renoncer à l'explorer ? Il n'en savait rien. Et son esprit était pris par d'autres pensées…

Melody. Il voulait l'épouser. Oui, il voulait épouser Melody Nolan et dormir avec elle chaque nuit que Dieu ferait. L'image d'elle enceinte avec un gros ventre flotta devant ses yeux, tel un mirage scintillant dans le désert. Encore hors de portée, mais qui sait ?

Il l'aimait.

Et même si elle refusait de l'admettre, elle l'aimait aussi. Sinon elle n'aurait jamais passé le dimanche matin dans son lit. Il la connaissait. Elle ne se donnait pas à la légère. D'abord, il avait tenté sa chance avec un baiser, et il avait suffi d'un deuxième pour mettre le feu aux poudres. L'épisode suivant prouvait amplement qu'aucun des deux n'avait changé.

Il avait simplement fallu neuf ans pour qu'il le comprenne.

Soudain, un plan germa dans son esprit. Un plan un peu tordu. Lui qui était plutôt du genre impulsif allait devoir soigneusement réfléchir, pour une fois.

C'était l'idée la plus grotesque qui soit. Ou un véritable trait de génie.

Il n'eut qu'à remuer légèrement sur sa selle pour que Reb comprenne que c'était le moment de rentrer au ranch. Le cheval fit souplement volte-face, et Harley bondit sur ses talons pour le suivre ventre à terre.

Tous deux semblaient avoir compris de quoi il retournait : ils étaient en mission.

8

Distraite, Melody répondit au téléphone sans regarder le nom de l'appelant.

— Melody, comment allez-vous ce matin ? lança une énergique voix féminine.

Alerte ! Importante cliente excentrique au bout du fil !

— Très bien, madame Arbuckle. Et vous-même ?

— Bien, bien. Où en est mon collier ?

Cet appel n'était pas une surprise. Bien qu'elle n'ait pas fixé de date pour la livraison du collier, elle s'y attendait, car le travail lui prenait plus de temps que prévu — à cause du mariage et d'un chef de la police perturbant.

— A un ou deux détails près, le graphisme est terminé, dit-elle. Je l'adore et j'espère que vous l'adorerez aussi. Maintenant, il n'y a plus qu'à le fignoler.

— Parfait ! Mais c'est pour autre chose que je vous appelle.

— Ah ? lança-t-elle, méfiante.

Elle connaissait Mme Arbuckle depuis toujours, du moins c'était son impression, pour la bonne raison qu'à Mustang Creek, et par extension dans tout le Wyoming, cette femme était une célébrité. Son approche directe de la vie la rendait quelque peu intimidante, car, quand elle n'aimait pas quelqu'un ou quelque chose, elle le faisait savoir haut et fort. C'est pourquoi, quand elle lui avait annoncé qu'elle lui commandait un collier, c'est avec des sentiments mitigés qu'elle avait accepté — de la joie à cause du défi et de la beauté des pierres fournies par sa cliente, mais aussi une grande appréhension à l'idée de ne pas être à la hauteur de la tâche.

— J'ai besoin d'un autre bijou et je veux que vous me le torchiez en vitesse, ordonna Mme Arbuckle. Le collier peut attendre.

Melody se crispa. Il n'était pas question de *torcher* le dessin et l'exécution d'un bijou, mais ce n'était pas elle qui allait le lui faire remarquer.

Lettie Arbuckle n'était pas seulement à la tête de la société d'histoire du comté de Bliss, c'était également un des plus importants mécènes de l'Etat en matière d'art. Grâce aux diverses activités minières de sa famille, elle avait hérité d'une fortune et connaissait une foule de gens influents. Influents et richissimes. Pour la carrière d'une petite créatrice de bijoux, cette femme était une mine d'or.

De plus, sous ses dehors dominateurs, Lettie Arbuckle était indéniablement généreuse. Non seulement elle venait de financer la nouvelle aile de l'hôpital régional, mais elle subventionnait également d'innombrables œuvres de charité. En raison de quoi, la bibliothèque du lycée portait son nom.

— J'en serais ravie, répondit Melody, qui, stylo en main, attendait les instructions. A quoi pensez-vous ?

— A la bague de fiancée idéale.

— Vous allez vous marier ? s'exclama-t-elle, au comble de la surprise.

Cette question bien trop personnelle venait de lui échapper, mais jamais elle n'aurait osé la poser si elle n'avait été prise de court. Il faut dire que son excentrique et richissime cliente avait soixante-dix printemps bien sonnés. Non qu'il soit impossible à cet âge de trouver l'amour — il suffisait de penser à Jim et Pauline Galloway pour s'en convaincre —, mais elle avait du mal à se figurer l'homme capable de supporter l'écrasante personnalité de Mme Arbuckle. Néanmoins, d'après ce qu'elle savait, celle-ci avait été mariée, au moins une fois, à un M. Arbuckle. La rumeur prétendait que celui-ci s'était tout simplement évaporé un beau jour, et que Lettie voyait davantage son époux maintenant en allant sur sa tombe que du temps de leur mariage.

— Pas moi, et tenez un peu votre langue, jeune fille, répliqua Mme Arbuckle. Si je pouvais trouver un homme qui me comprenne et soit capable de m'aimer aussi inconditionnellement que mon cher Roscoe, je pourrais l'envisager. Sinon, c'est hors de question.

Le Roscoe en question était le petit roquet que Mme Arbuckle traînait partout avec elle, même au restaurant — ce qui obligeait les serveurs à regarder ailleurs, pour la simple raison qu'elle était qui elle était.

— C'est pour mon neveu, un cow-boy, reprit la vieille dame. Vous savez comme ces garçons sont romantiques, alors il m'a demandé de me charger de la bague.

D'après l'expérience de Melody, les cow-boys n'avaient rien de sentimental ou de romantique. Certes, ils pouvaient être farouches et diablement sexy, mais *romantiques*… Cela lui semblait un peu tiré par les cheveux. Si c'était le cas, vu qu'elle avait passé l'essentiel de sa vie à Mustang Creek, elle l'aurait su, non ? Tiens !

— Très bien, répondit-elle. Expliquez-moi ce que veut votre neveu.

— Non.

— Pardon ?

— Ma chère, je veux que vous dessiniez la bague que *vous* seriez ravie de recevoir si votre grand amour se mettait à genoux pour vous jurer une dévotion éternelle.

— Mais je n'ai aucune idée des goûts de votre neveu. Est-ce qu'il aime les diamants, les émeraudes, les rubis ?

— A vous de choisir. Aucune directive. Je lui ai conseillé de vous faire confiance. D'autant que ses goûts doivent se limiter aux selles neuves et aux bottes sur mesure. Comment voulez-vous qu'il sache ce que désire sa fiancée ? C'est pour ça que c'est *vous* que j'appelle.

Désespérée, Melody tenta de grappiller des bribes d'informations.

— Combien veut-il dépenser ?

— A mon avis, il s'en moque, pourvu que le résultat soit parfait. Vous n'aurez qu'à m'envoyer la note. Ce sera mon cadeau de mariage.

Aucune pression. Seul critère : la perfection. Un défi simple comme bonjour.

— Quand veut-il l'avoir ? Y a-t-il une date butoir ?

— N'ai-je pas dit que cela pressait, mon petit ? répliqua Mme Arbuckle, avant de raccrocher, selon sa bonne vieille habitude.

Dès qu'elle avait fini de dire ce qu'elle avait à dire, elle vous raccrochait au nez. Il suffisait de le savoir.

Toujours pas habituée à ce procédé, Melody fixa l'écran de son portable, avant de se tourner vers ses chats.

— Je l'aime bien, n'empêche qu'elle est un peu foldingue.

Indifférent, Emerson se mit à bâiller. Visiblement, l'info n'avait rien d'un scoop.

Quoi qu'il en soit, cette nouvelle commande tombait à pic. Non seulement l'argent serait le bienvenu, mais le travail lui procurerait un répit salutaire en l'empêchant de penser à Spence Hogan.

A cet instant, Hadleigh et Tripp devaient être en train d'atterrir à l'aéroport de Cheyenne dans leur avion privé, songea-t-elle soudain. La mariée rougissante et le séduisant marié en adoration. Si ces deux-là n'étaient pas un motif d'inspiration, qu'est-ce qui l'était ?

Donc, elle avait carte blanche pour créer la bague de fiançailles idéale. Une perspective aussi excitante qu'angoissante.

D'un geste décidé, elle tourna une nouvelle page de son carnet de croquis. Tout artiste aurait été stimulé par un pareil défi et, pour couronner le tout, Mme Arbuckle payait, et bien... Bon, elle était capable de dessiner une bague, cela allait sans dire, mais, habituellement, elle disposait de directives précises. Trop précises, bien souvent.

Cette mariée-là ne voulait pas de marquise en diamants mais une composition géométrique. Cette mariée-là détestait les saphirs et exigeait de l'or blanc. Cette autre estimait que plus grosse était la bague mieux c'était. La liste de desiderata s'allongeait sans cesse.

Les goûts personnels étaient… on ne peut plus personnels. Conclusion : la tâche que venait de lui confier Lettie Arbuckle, c'est-à-dire deviner les goûts d'un inconnu, frisait l'impossible.

Songeuse, elle resta figée, le crayon en l'air. En fait, à part elle, tout le monde se mariait. Il n'y avait que Bex, embarquée dans le même canoë qu'elle, à pagayer à contre-courant vers nulle part. Ce n'était pas le mariage en soi qui faisait l'attrait de leur pacte de mariage, mais le fait d'épouser la bonne personne. Pour tenter de se consoler, elle se remémora qu'avec son trio de félins, sa jolie maisonnette, son travail et tous ses amis, elle menait une vie satisfaisante.

N'empêche… qu'elle n'avait pas de mari, pas d'enfants jouant dans la cour et que, pour la plupart, ses copines du lycée avaient déjà la bague au doigt.

Quelle horreur ! Parti comme c'était parti, elle finirait dans la peau de la vieille cinglée aux chats. A quoi bon acheter des chemisiers de soie ? Elle aurait pu faire l'impasse et s'acheter une robe d'intérieur défraîchie dans une boutique de fripes.

— Pour l'amour du ciel, pas de séance d'autoapitoiement ! s'ordonna-t-elle. Dis-toi que tu es heureuse pour cette jeune fille qui va épouser l'oiseau rare : un cow-boy romantique.

Et elle se réjouissait pour elle. Franchement. Seulement… Seulement elle aurait voulu la même chose.

Fait curieux, sa mère lui manquait, soudain. Alors que d'ordinaire, elle se contentait très bien de leurs visites occasionnelles et de leurs fréquents coups de téléphone, épisodiquement, il arrivait qu'elle ressente le besoin d'un câlin maternel, même à distance.

Comme en ce moment.

Elle appela donc sa mère qui, à son habitude, devait être en train de boire un thé.

— C'est moi.

— Je vois ça, ma chérie, répondit sa mère en riant. Je suis si contente de t'entendre. Nous avons discuté dimanche, mais tu n'as pas rappelé de la semaine, sûrement pour une bonne raison. Comment vont Hadleigh et Tripp ? Sont-ils déjà rentrés de voyage de noces ?

— Ça ne saurait tarder. A leur retour, ils vont donner une soirée. J'ai proposé à Hadleigh de fabriquer ces lampions qu'elle aime tant.

— Tu as eu raison. Il n'y a que toi qui puisses le faire. Je suis sûre qu'ils seront fabuleux.

— Merci maman. Mais tu n'es pas objective.

Elle se tut, ne sachant plus trop quoi ajouter. L'annonce qu'elle envisageait *peut-être* de ressortir avec Spence Hogan risquait de ne pas recevoir un accueil enthousiaste de la part de sa mère. La dernière fois qu'elle avait commis cette folie, elle avait versé un océan de larmes sur l'épaule maternelle. Elle doutait que sa mère ait pardonné à Spence. Quant à sa réaction en apprenant que sa fille avait recouché avec lui…

Autant s'abstenir donc de prononcer son nom.

Elle opta pour les nouvelles récentes.

— Mme Arbuckle m'a commandé un nouveau bijou. Je viens juste de l'avoir au téléphone.

— Eh bien, je vois que tu côtoies du beau linge. Félicitations. Je parie que Lettie t'a raccroché au nez, comme d'habitude.

— Gagné ! Et toi, comment ça va ?

Après avoir pris des nouvelles de sa mère et éludé la traditionnelle question : « Quand viens-tu me voir ? », elle mit fin à la conversation et retourna à son projet de bague, laissant courir son crayon sur le papier au fil de ses idées.

Mme Arbuckle lui avait dit de s'inspirer de la bague qu'elle aimerait recevoir. Mais à quoi celle-ci pouvait-elle bien ressembler ?

Etant, dans l'âme, une fille vieux jeu, ce serait certainement une bague en diamant. Elle n'aimait pas le clinquant et avait des doigts fins, ce qui impliquait un solitaire de taille modeste, mais serti dans une composition originale. Encadré de deux pierres fines, peut-être ? Des aigues-marines assorties à ses yeux ?

Pendant un moment, elle joua avec le concept en exécutant divers croquis. Dommage qu'elle n'ait pas pensé à demander le numéro du futur fiancé pour aller à la pêche aux infos. Mais connaissant Mme Arbuckle, celle-ci aurait refusé de le lui donner. Cette femme était plus immuable qu'un rocher à demi englouti sous un glacier, depuis des millions d'années. Elle ne faisait que ce qui lui plaisait.

Si vous arriviez à la faire changer d'avis, bravo !

Résignée, elle se remit au travail. La bague de ses rêves pouvait au moins lui servir de ticket de sortie pour s'évader du pays de Spence, et elle avait besoin d'emprunter la voie rapide.

Le Bad Billy's Burger était bondé. Il faut dire qu'une caravane de motards était en route vers Yellowstone et que ses participants semblaient s'être donné le mot pour s'arrêter tous en même temps manger un cheeseburger. Le parking était envahi de motos de tous modèles et de tous gabarits.

C'était bien sa chance ! S'il était là, c'était parce que deux types s'étaient bousculés et que, chacun se sentant insulté, l'algarade avait dégénéré en bagarre.

Il se trouvait donc en mission de maintien de la paix. Mais quand il entra dans l'établissement, l'ambiance était la même qu'à l'ordinaire. Dans l'air flottaient des odeurs de viande grillée et de frites, mêlées à une légère odeur de ketchup.

Il aimait bien les motards. Mais si c'étaient généralement de braves types, dotés d'un solide bon sens, ils pouvaient se révéler d'un tempérament assez explosif. Si vous les cherchiez, vous ne tardiez pas à les trouver.

Il s'accouda au comptoir éraflé par les milliers d'assiettes que l'on avait fait glisser à sa surface et demanda à Billy, le propriétaire :

— Les types se sont calmés ?

— Tu peux le croire, ça ? Ils sont assis à la même table et discutent comme de vieux copains. Par hasard, ils ont découvert qu'ils sont tous deux originaires d'Indiana. En conséquence de quoi, ça ferait d'eux des frères de sang ou un truc de ce genre. Je suis stupéfait qu'ils aient réussi à échanger cette information entre deux coups de poing. Désolé de t'avoir dérangé pour rien.

— Pas de problème, je préfère que les conflits se résolvent à l'amiable, répliqua Spence en souriant. Je commanderais bien quelque chose, mais tu as l'air débordé.

— Dans deux minutes, je peux te servir une portion du pâté de viande du chef.

Le pâté de viande de Billy était une tuerie.

— Prépare-m'en deux, répondit-il. Je rapporterai son déjeuner à Junie. Ça va la requinquer. Elle a été malade et est encore toute pâlichonne.

Billy s'affaira avec efficacité derrière son comptoir. Après avoir rédigé un bon de commande, il le fixa à l'anneau métallique reliant la salle à la cuisine et expédia le tout avec la dextérité d'un homme familier de l'exercice.

— J'en ai entendu parler, dit-il. Pauvre chérie.

Spence retint un sourire. A Mustang Creek, ce n'était un secret pour personne que Billy avait un gros béguin pour Junie.

— Maintenant, elle est remise, assura-t-il.

— Ravi de l'entendre, répondit Billy, qui s'essuya les mains à son tablier tout en lui jetant un regard perçant. Tiens, au fait, comment va Melody Nolan ?

Spence, qui s'apprêtait à demander un thé glacé pour accompagner son pâté, en oublia sa commande.

— Pardon ?

— J'étais à la Moose Jaw Tavern, le soir du mariage, dit simplement Billy.

— Oh.

Et lui qui espérait n'avoir pas eu de témoins ! D'autant plus que, jusqu'ici, personne n'avait évoqué l'incident.

— Je t'ai vu cueillir Melody comme si elle était tienne et la porter jusqu'à ton camion, précisa Billy avec un petit rire.

« Comme si elle était tienne. » La phrase avait un charme tout particulier.

— Elle avait mal aux pieds, expliqua-t-il.

Ce qui n'était que la stricte vérité. Même Melody n'aurait pu le contredire sur ce point.

Tout en essuyant son comptoir avec un chiffon, Billy reprit avec un regard pétillant de malice :

— Spence, ce n'est pas à un vieux singe qu'on apprend à faire la grimace. Je jurerais t'avoir vu rougir, là. C'est un beau brin de fille, et vous avez déjà fricoté ensemble, autrefois. Si tu l'avais transportée dans tes bras uniquement pour épargner ses tendres petits pieds, je n'en aurais pas parlé, mais tu sais que j'appelle toujours les choses par leur nom. Fils, il y avait dans tes épaules une détermination que je n'ai vue qu'une fois dans ma vie. Au premier mariage de Hadleigh Stevens. Celui qui n'a pas eu lieu, quand Tripp Galloway l'a extraite à la dernière minute de ce guêpier. Tant mieux, d'ailleurs ! Parce que je n'ai jamais aimé ce bon à rien de Smyth. Interrompre la cérémonie était la meilleure chose que Tripp puisse faire.

En effet, son ami était sagement intervenu, au moment où Hadleigh s'apprêtait à commettre la plus grosse erreur de sa vie, reconnut Spence.

— Ce n'était pas tout à fait la même situation, fit-il remarquer sur un ton banal. Je peux avoir du maïs avec mon pâté ? Quant à Junie, je parie qu'elle voudra des haricots verts.

— Moi aussi, répondit Billy en terminant la commande.

Spence sortit un billet de vingt, le posa sur le comptoir puis, quelques minutes plus tard, s'empara du sac qu'on lui tendait. Après avoir laissé sa monnaie sur place en guise de pourboire, il remonta dans son pick-up.

Quand il arriva au poste de police, Junie lui exprima pathétiquement sa gratitude.

— Oh ! Merci. Je n'avais pas le courage de cuisiner. En fait, je n'ai le courage de rien. Est-ce que c'est Billy qui l'envoie ?

— Avec tout son amour, lança ironiquement Spence en se dirigeant vers son bureau. Tu sais, il est prêt à t'épouser sur-le-champ. S'il m'a fait payer ma part, pour la tienne c'est lui qui régale. Je crois qu'il savait que je te le dirais et que c'est sa manière de te faire la cour. Il doit espérer gagner ton cœur avec son pâté de viande. Sur le coup, je ne me suis pas rendu compte qu'il ne m'avait pas fait payer ton repas, alors il lui est resté un sacré pourboire.

— Il est adorable.

— Adorable ? Ce n'est pas le mot que j'aurais employé. Comment te dire ? Pour moi, c'est le couillon type, prêt à se faire pigeonner par la première garce en minijupe qui passe.

— Chef, tu as le chic pour choisir tes mots, répliqua Junie sur un ton non dénué de sarcasme. Avec toi, une femme se sent tout de suite mieux dans sa peau.

— Je fais ce que je peux.

Il ferma la porte de son bureau et, après s'être laissé tomber dans son fauteuil, dévora son déjeuner tout en allumant son ordinateur. Tripp lui avait envoyé un mail.

Rentré à Mustang Creek. C'est super d'être à la maison.

Il répondit :

C'est super que vous soyez là.

Ça t'ennuie de passer pour discuter de la soirée ?

Tu viens de rentrer. Tu es sûr que tu en as envie ?

Melody sera là aussi.

Pas de doute, c'était un cas avéré de corruption. Un officier de police ne pouvait que mépriser une manœuvre aussi éhontée pour l'allécher.

Malheureusement, ce n'était pas son cas.

Si, quand il s'agissait de crime, il se montrait incorruptible, dès lors qu'il s'agissait de Melody, il était loin d'être aussi intègre. Il répondit donc :

Je n'ai rien de prévu. Et c'est très tentant.

Hadleigh en a marre de manger dehors. Elle a simplement envie de grillades au barbecue, pour avoir vraiment l'impression d'être rentrée dans le Wyoming. Ah. Et amène Harley avec toi.

A eux trois, Muggles, la chienne de Hadleigh, Harley et Ridley, le chien de Tripp, formaient un trio aussi sympa à regarder qu'un spectacle pyrotechnique.

OK. Et qu'est-ce que j'apporte d'autre ?

Toi-même et peut-être une bouteille du vin qu'aiment les filles.

Comme il restait perplexe, Tripp, qui semblait lire dans ses pensées, précisa :

Renseigne-toi auprès de Mel ou de Bex. Moi je n'en sais rien non plus.

Manifestement, cela faisait trop longtemps qu'ils étaient amis.

D'accord, c'est ce que je vais faire.

Il était peut-être borné, mais il n'était pas question qu'il téléphone à Melody. Surtout après avoir proclamé haut et fort que c'était son tour de l'appeler. Il envoya donc un texto à Bex. Pendant qu'il attendait l'info, il répondit à plusieurs messages du tribunal du comté de Bliss et parcourut son courrier.

Une heure après, Bex lui transmit le nom du vin recherché en terminant sournoisement son texto par :

Nous ferons boire Mel dans un verre extra-large afin qu'elle fonde plus facilement.

C'était sympa d'avoir des amis dans son camp. Avec un sourire ironique, il répondit :

Alors j'achète *deux* bouteilles.

9

Le ranch semblait prospère, et il l'était. Après son retour au pays, Tripp avait dépensé une somme considérable pour restaurer le domaine de Jim, son beau-père — mais qu'il avait toujours considéré comme son père. Egal à lui-même, il avait fait les choses en grand.

Melody, qui roulait le long d'une prairie où paissait du bétail, fit la grimace. Toute cette poussière allait salir sa voiture adorée.

Nettement plus positif, un regard dans le rétroviseur l'informa que son rouge à lèvres, d'un rose subtil, avait bien tenu et surtout que, de toute évidence, le pick-up derrière elle était celui de Spence.

Rien d'étonnant, car elle savait qu'il aidait aussi Tripp et Hadleigh à organiser la fête. Néanmoins, elle pesta contre elle-même en sentant son cœur s'emballer.

Après s'être garé à ses côtés, Spence sauta souplement de son véhicule. Aussitôt, Harley bondit à terre et fonça avec son exubérance habituelle sur elle. Surprise, elle claqua sa portière sur sa jupe. Elle aurait laissé tomber la cocotte qu'elle portait si Spence ne s'était précipité à son secours. Il rattrapa le plat au vol et lança un ordre au chien, qui s'assit docilement.

— Ce cabot est amoureux, expliqua-t-il. Que veux-tu ? Il a succombé à ton charme. Je ne peux que te demander pardon pour son inqualifiable manque de galanterie.

Le visage en feu, elle marmonna un vague « merci » et libéra sa jupe de la portière, aidée par Harley qui lui léchait les chevilles avec dévotion. Ce n'était pas une arrivée en fanfare, mais pas loin.

— J'ai toujours eu des problèmes de coordination, expliqua-t-elle, gênée, en croisant le regard de Spence.

— Cela aurait été injuste pour les autres femmes de la planète si tu avais été belle, intelligente *et* parfaitement coordonnée, répliqua-t-il galamment, mais avec un petit sourire en coin. Je vais porter ce plat jusqu'à la cuisine et garder mon chien sous contrôle.

Comment se débrouillait-il pour tenir la cocotte en parfait équilibre dans la paume d'une seule main, alors qu'elle s'était montrée d'une maladresse crasse ? Elle l'aurait étranglé avec plaisir.

— Merci, répondit-elle de mauvaise grâce.

— A ton service.

Avec sa chemise en denim, son jean et ses bottes, il était aussi époustouflant qu'à l'ordinaire. La couleur de sa chemise était idéalement assortie à ses yeux, mais ce n'était certainement pas prémédité. Ce maudit Spence pouvait enfiler n'importe quelles hardes au réveil et avoir l'air canon.

A l'évidence, elle s'acharnait à trouver des raisons d'être furieuse contre lui. Eh bien, celle-ci était aussi bonne qu'une autre : ce type était trop beau et elle lui en voulait à mort.

— J'espère que c'est ta super recette de pommes de terre, le truc plein de fromage, dit-il en s'arrêtant au bas des marches du perron pour la laisser passer. J'avoue que ce gratin était mon péché mignon.

En effet, et elle s'en souvenait très bien, ce qui ne l'empêcha pas de traverser la véranda en lançant :

— C'est possible.

— Je crois que c'est à cause de lui si je suis tombé amoureux de toi au début.

Tout en posant la main sur la poignée de la porte-moustiquaire, elle lui jeta un coup d'œil perçant. Son visage n'exprimait rien, mais ce n'était qu'innocence feinte, forcément.

Elle n'était pas d'humeur à supporter ses petits jeux et il fallait qu'il le sache.

— Spence, mettons les choses au point. Le lendemain du mariage a bien eu lieu. Je l'accepte. J'endosse ma part de responsabilité dans ce qui est arrivé, mais tu dois m'imiter. Je vais tâcher d'être aussi claire que possible. Ces relations sans lendemain qui ont fait ta réputation ne m'intéressent pas. Comme *tu* l'as si gentiment fait remarquer, je n'ai plus vingt ans.

Nullement démonté, Spence ne broncha pas.

— C'est vrai, Mel. Tu n'es plus la gamine qui trouvait que ce serait merveilleux de s'enfuir ensemble. Tu es une adulte. Alors pourrait-on s'asseoir et discuter raisonnablement ?

— De quoi ?

— De nous.

Fort heureusement, Hadleigh apparut et sauta au cou de Melody. Elle était joliment bronzée et ses yeux mordorés étincelaient.

— Mel ! Tu m'as manqué.

— Toi aussi, tu m'as manqué, répondit Melody en l'étreignant à son tour. Tu es splendide.

— Et moi ? Je suis quantité négligeable ? protesta Spence.

Il eut aussitôt droit à son câlin de bienvenue, qui ne lui fit pas lâcher la cocotte.

Ce qui était particulièrement irritant.

Même la tête sur le billot, Melody n'aurait jamais avoué qu'elle avait préparé ce gratin exprès pour lui, parce qu'elle savait qu'il serait là. Spence était incapable de résister à un plat de pommes de terre, et c'était sans vergogne qu'elle avait exploité cette faiblesse, allant jusqu'à rajouter une dose supplémentaire de fromage.

Mais… *nous* ?

Est-ce qu'il était sérieux ? Sérieux à quel point ?

— Suivez-moi dans la cuisine, leur proposa Hadleigh.

Il porta le gratin sur la table et ressortit aussitôt.

Melody regarda autour d'elle. C'était la cuisine typique d'un ranch. A son retour dans le Wyoming, Tripp l'avait totalement réaménagée, mais les placards en pin, l'îlot de bois massif, les comptoirs en marbre blanc et l'évier en pierre s'adaptaient parfaitement bien à son style. Comme tout l'attirail moderne était recouvert d'un placage de bois, l'ambiance rustique était préservée. Sur un des murs de l'espace salle à manger était suspendu un plaid magnifique, et l'effet était stupéfiant.

— Cette cuisine est superbe, Hadleigh !

— Mon homme accorde plus d'attention à sa grange décrépite qu'aux pièces les plus importantes de la maison. Alors en guise de cadeau de mariage, il m'a offert la rénovation de la cuisine.

— Bon choix.

— Je crois que c'est parce qu'il rêve que je cuisine pour lui.

— Vraiment ? Si je me souviens bien, tu préparais *d'excellentes* pizzas surgelées, quand on était à la fac.

— Et tes macaronis en boîte n'étaient pas mal non plus, riposta Hadleigh avec un grand sourire. Ah, au fait, Bex vient d'appeler. Elle arrive.

La porte s'ouvrit sur Spence, dont l'entrée déclencha un chaos indicible. Et ce fut avec une grande satisfaction que Melody le vit trébucher. En effet, la porte avait beau être large, elle ne pouvait laisser passer trois gros chiens farouchement déterminés à entrer tous en même temps.

Il réussit à sortir indemne de la mêlée et alla déposer le sac qu'il portait sur le comptoir. N'empêche qu'il avait failli le laisser tomber.

« Quoi qu'il arrive par la suite, je n'aurai pas perdu ma journée », songea Melody, qui buvait du petit-lait.

Muggles, Ridley et Harley, indifférents au chaos qu'ils avaient déclenché, se saluaient joyeusement et bruyamment. Le délire d'amour canin finit par atteindre de telles proportions que Tripp, qui venait d'entrer par la porte de service, mit fin au vacarme d'un mot. Sa chevelure blonde tout ébouriffée par le vent du Wyoming sentait bon la fumée de barbecue et l'air frais.

— Bex est en train de se garer, annonça-t-il, avant de pointer le doigt vers les chiens. Dehors, espèce de voyous ! Ce n'est pas un cirque ici, c'est une maison. Allez, ouste ! Allez jouer dehors !

Sa voix, empreinte d'une mâle autorité, fit merveille. Docilement, les trois chiens sortirent en trottinant, nullement traumatisés.

— Bonjour tout le monde ! lança Bex en entrant. C'est animé chez vous, dites-moi.

— Ce sont les chiens, répondit Hadleigh. Ils n'ont que de très vagues notions de bonnes manières. Oh ! je t'en prie, dis-moi que c'est une salade de fruits que tu portes !

— Bien sûr, répondit Bex en posant son saladier sur la table. N'empêche que j'attends avec impatience que l'une de vous me mette au défi de préparer autre chose. Je *sais* cuisiner. Je vous le jure.

Après s'être consultées du regard, Melody et Hadleigh répondirent en chœur :

— Ne compte pas là-dessus !

Spence déposa deux bouteilles de leur vin favori sur le comptoir.

— Mesdames, régalez-vous, dit-il. Ce vin est pour vous. Moi, je ressors aider Tripp.

— A quoi faire ? répliqua Melody. A boire de la bière ?

— A entretenir le barbecue, à contrôler les chiens, que sais-je ? répondit-il en leur adressant un sourire au charme si palpable que chacune en resta troublée jusqu'à ce qu'il disparaisse.

Spence maniait son satané sourire comme une arme fatale.

— Dépêchez-vous de faire sauter le bouchon, je crois que j'ai besoin d'un petit verre, ordonna Melody.

Ses amies la regardèrent, puis éclatèrent de rire. Néanmoins, Hadleigh accéda à sa requête. Après avoir pris des verres anciens dans un placard — des verres magnifiques, un héritage de la mère de Tripp —, elle utilisa le tire-bouchon avec un savoir-faire impressionnant.

— Je pourrais avoir un gobelet en plastique, demanda Melody. Boire dans ces verres me terrifie. J'ai trop peur d'en casser un.

— Pas question, c'est une occasion spéciale, répondit Hadleigh en remplissant trois verres. Et puis Tripp prétend que sa mère insistait toujours pour que l'on utilise sa belle vaisselle. Comme ça, elle est un peu parmi nous.

— Oyez, oyez ! lança Bex. A la mère de Tripp. Et au pacte de mariage.

Les verres tintèrent. Puis le silence retomba pendant que chacune avalait une longue gorgée.

— En parlant de mariage, reprit Bex avec un sourire moqueur, tu te souviens du tien, n'est-ce pas ? Et peut-être aussi de nous, attifées dans ces robes… ces robes… Tiens ! Je n'ai pas de nom ! On devra te le faire payer, un jour.

— C'est l'été, et elles avaient un air… estival, protesta Hadleigh, s'efforçant de camoufler son amusement. Oh ! Et puis vengez-vous si ça vous chante. Moi, je les trouvais jolies, même si j'avoue que leur couleur n'était pas des plus seyantes.

Juchées sur les tabourets du bar, Melody et Bex la considérèrent, bouche bée, avant de s'exclamer :

— Tu l'as fait exprès !

— Je crois que l'on peut voir les choses comme ça, reconnut Hadleigh, avec une sincérité désarmante. En fait, j'étais persuadée que vous refuseriez ce jaune. C'est pour ça que je les ai choisies. Mais comme vous n'avez pas bronché et accepté cette horrible couleur sans une plainte, c'était si amusant que je n'ai pu résister à l'envie d'aller jusqu'au bout et de vous voir les porter.

Il y eut un instant de silence, puis toutes trois éclatèrent de rire.

Ce fut le moment que choisirent Tripp et Spence pour rentrer dans la cuisine, bousculés par les chiens toujours aussi excités. Un nouveau bouchon se forma donc à la porte. Et cela redoubla l'hilarité des trois amies.

— Qu'est-ce qui vous fait rire ? s'enquit Tripp avec méfiance. S'il vous plaît, ne me dites pas que vous vous payez notre tête.

Melody étant trop occupée à essuyer ses larmes de rire pour répondre, ce fut Bex qui expliqua, entre deux hoquets :

— Ce n'est pas vous, c'est nous. Relax, c'est juste une blague entre filles. Quand doit-on mettre les pommes de terre au four ?

— Les braises seront bientôt prêtes, alors quand vous voulez, répondit Tripp.

— Mon plat a simplement besoin d'être réchauffé, précisa Melody en faisant glisser la cocotte sur la grille du four avec un luxe de précautions.

— Dis-moi que c'est le truc aux pommes de terre gratinées au fromage, dit Tripp en se tournant vers Spence.

Ce dernier, qui sortait l'assiette de steaks du frigo avec l'aisance d'un familier des lieux, sourit.

— C'est ce que l'on m'a laissé entendre, répondit-il.

— Un must, déclara Tripp, visiblement aux anges.

— Tu peux le dire, renchérit Spence.

Sa réponse laconique fit rougir Melody. D'autant plus qu'il l'avait regardée en disant cela. Malgré ses efforts, elle sentit la chaleur se répandre sur son front et ses joues. C'était malin ! A présent, Bex et Hadleigh la dévisageaient aussi. Même les chiens devaient la fixer !

Enfin, Hadleigh la tira d'embarras en lançant :

— Pendant que vous vous occuperez de la viande, messieurs, nous, nous allons porter le vin sur la terrasse.

— Bonne idée, répondit Spence. Toi, tu t'assieds et tu ne bouges plus, jusqu'à ce que ces dames soient sorties, ordonna-t-il à Harley. Si elles renversent une goutte de vin à cause de toi, tu resteras en disgrâce jusqu'à la fin de la soirée.

Les trois chiens s'assirent en agitant la queue, et toutes trois purent quitter la cuisine en toute sécurité.

A proximité du barbecue, elles trouvèrent une jolie table en fer et de confortables fauteuils assortis. Mais, bien sûr, le clou du spectacle c'était la vue, avec ses sommets déchiquetés, ses pâturages sillonnés parfois de ruisseaux, où paissaient les troupeaux, et l'herbe qui ondulait doucement au vent.

Elles venaient juste de s'installer quand une voiture s'arrêta en faisant crisser le gravier. Après avoir siroté une gorgée de vin, Hadleigh annonça :

— Ce doit être Tate Calder. Ses fils ont entendu dire que les trois chiens seraient là, et comme nous avions des steaks en trop, nous les avons invités. J'espère que cela ne vous gêne pas. Tate arrive de Kirkland, dans l'Etat de Washington. Il vient de s'installer ici. Ses gamins adorent les animaux. Quant à sa femme, elle est morte il y a quelques années et... Bref, il est vraiment sympa.

Et ce qui ne gâtait rien, absolument craquant, avec ses cheveux châtains ondulés, ses yeux sombres et son sourire de commandant de bord, nota Melody en savourant son vin. L'homme devait avoir la petite trentaine, ce qui était jeune pour un veuf.

Hadleigh leur fit un rapide descriptif. Ancien pilote d'avion, Tate était un ancien collègue de Tripp. Il avait décidé de tout laisser tomber, car il ne pouvait être continuellement absent de la maison avec deux garçons de six et huit ans à élever. Il envisageait de monter un élevage et avait déjà acheté des terres, même si pour le moment il louait un logement en ville, le temps de réfléchir à ce qu'il allait faire. Tripp lui ayant vanté Mustang Creek comme la quintessence de la petite ville traditionnelle, il avait quitté la région de Seattle pour s'établir dans un endroit abordable et où il connaissait au moins un visage ami.

Peut-être bientôt deux, car on sentait qu'une entremetteuse s'agitait en coulisse..., comprit très vite Melody, en notant que Hadleigh regardait bien trop souvent Bex en parlant.

Pas à son intention, donc, Dieu merci. Spence était déjà suffisamment difficile à gérer sans y ajouter un séduisant rival. Vu que le monde entier semblait être au courant de son invitation à dîner, il était impossible que Hadleigh essaie de la caser avec quelqu'un d'autre.

En revanche, Bex avait intérêt à se méfier.

Deux garçonnets bruyants, trois chiens exubérants, un coucher de soleil d'anthologie et, Spence en aurait mis sa main au feu, trois jolies femmes en train de comploter contre les hommes sous la véranda de la cuisine.

Appelez cela de l'intuition.

Tate Calder n'était encore qu'un pauvre innocent en ce

qui concernait les femmes de Mustang Creek, mais qu'on ne compte pas sur lui pour le mettre au parfum. Le devoir de chaque homme étant de sauver sa peau en priorité.

Le dîner avait été délicieux. On pouvait dire que Tripp savait griller un steak comme personne, sans parler des rondelles d'oignons, des champignons et des courgettes. Quant à Melody, elle s'était surpassée avec son gratin. Et la salade de fruits de Bex était légendaire. On avait beau prétendre que pour rien au monde elle ne livrerait la recette de son sirop, il pariait qu'un jour ou l'autre, ses copines la lui arracheraient.

Les trois amies étaient assises à l'arrière de la maison pour profiter de la douceur de la soirée. Comme d'habitude, hommes et femmes formaient des groupes distincts. Normal. Aucun des hommes ne s'y connaissait en patchwork, salle de gym ou design de bijoux, sujets de prédilection de ces dames. L'élevage était la seule chose qui les intéressait.

Spence prit son verre de thé glacé et se tourna vers Tripp.

— Comment se porte ton nouveau poulain ?

— C'est une beauté, répondit ce dernier en fourrageant dans ses cheveux. Ça valait le coup de passer la moitié de la nuit à assister Starburst, quand elle l'a mis au monde. Il est dans l'écurie. Tu devrais aller le voir.

— J'adorerais. Je vais demander à Melody de m'accompagner.

Tripp le fixa en haussant un sourcil mais ne fit aucun commentaire.

— Je suis sûr que mes fils adoreraient le voir aussi, si je réussis à les rassembler, intervint Tate. Est-ce que l'on avait autant d'énergie à leur âge ? J'ai du mal à le croire.

Spence rit, mais soudain le souvenir de Will lui serra le cœur.

— La grand-mère de Hadleigh nous appelait « les tornades », Will et moi, dit-il. J'en déduis donc que la réponse est « oui ». Cette nuit, vos gamins vont bien dormir. Et Harley aussi. Regardez-le. Il est sur les rotules. Je parie qu'après les prochains lancers de balle, il va arrêter ses pitreries et aller piquer un roupillon.

Comme s'il l'avait entendu, Harley attrapa la balle, mais cette fois, au lieu de la rapporter au galop aux deux enfants pour prolonger le jeu, il disparut avec derrière la maison.

Cela faisait longtemps que Muggles avait déclaré forfait et ronflait aux pieds de sa maîtresse, mais Ridley et les fils de Tate parurent fort déçus. Pas pour longtemps, car Ridley relança la partie en dénichant un bâton.

Le problème était résolu.

Spence, Tate et Tripp éclatèrent de rire.

— Laissez-moi deviner, vous venez d'échanger une blague salace ? s'enquit Melody qui s'approchait d'eux, un verre vide à la main. Quelqu'un a-t-il besoin de quelque chose ? Je rentre déposer ça.

Spence, qui voyait là une occasion à ne pas manquer, sauta sur ses pieds.

— Je viens t'aider.

— Je n'ai pas besoin d'aide pour mettre un verre au lave-vaisselle, rétorqua-t-elle.

— Je m'en doute. Mais je me demandais à l'instant si tu m'accompagnerais à l'écurie voir le poulain qui est né cette nuit.

Elle lui décocha le même regard suspicieux que le matin ayant suivi le mariage, au moment où il s'apprêtait à l'embrasser.

Juste avant qu'il ne l'entraîne dans son lit.

Si le bruit qu'il venait d'entendre, pendant que Melody faisait une pause pour réfléchir, était le rire étouffé de Tripp, celui-ci ne perdait rien pour attendre. Il le lui ferait ravaler à coups de poing.

Il fourra nonchalamment les mains dans les poches de son jean et décocha à Melody un sourire qu'elle interpréterait, espérons-le, comme une invitation innocente.

Sauf qu'elle était tout sauf innocente.

Etait-ce l'influence du vin ou de la beauté de la nuit ? Quoi qu'il en soit, Melody finit par acquiescer.

— Pourquoi pas ? Une promenade me fera du bien. Ma part de gratin devait contenir à elle seule ma ration journalière de calories.

S'ils n'avaient pas été pris sous les feux de la rampe,

il lui aurait répondu que son corps lui semblait parfait. Malheureusement, tout le monde, à l'exception des garçons et des chiens, semblait captivé par leur échange.

Bex, qui passait par là, prit le verre des mains de Melody en lançant :

— Je m'en occupe ! J'ai besoin d'aller au petit coin. Toi, va te promener.

« Mille mercis, Bex ! » faillit-il s'exclamer.

— On y va ? lança-t-il en désignant l'écurie.

S'il ne fit pas l'erreur de lui offrir son bras, car son attitude froide et distante présageait une rebuffade immédiate, il avait été tenté de le faire. A l'évidence, il avait dû voir trop de westerns. Une manie qu'il ferait mieux de corriger.

Ils descendaient tous deux les marches du perron quand il reprit :

— J'aime ce moment de la nuit, où le ciel tourne à l'indigo et où les étoiles apparaissent. Pour moi, rien n'est plus beau.

— Je sais, murmura-t-elle en levant les yeux sur lui.

L'air sentait bon l'été et les cheveux de Melody flottaient dans la brise. Ils auraient été soyeux sous ses doigts... Il dut lutter contre l'envie pressante d'en saisir une mèche.

L'écurie, un bâtiment blanchi par le temps et les intempéries, était bien entretenue. Il y régnait une odeur prégnante et familière, où dominait le parfum terreux du crottin. Odeur qui lui rappela brusquement tout ce pour quoi il aimait tant vivre dans le Wyoming. Elle lui rappela aussi que c'était ici, dans le comté de Bliss, qu'il voulait élever une famille avec la jolie femme qui était à ses côtés.

Restait à savoir comment il allait parvenir à ses fins en douceur.

Le poulain nouveau-né, maladroit et chancelant sur ses jambes démesurées, se trouvait dans la seconde stalle en compagnie de sa mère, la jument de concours de Tripp. Une beauté noire comme du charbon, nommée Starburst à cause de la tache blanche au milieu de son front. A leur approche, elle hennit faiblement. Après lui avoir caressé les nasaux, Spence admira son petit bonhomme, une minuscule réplique de son géniteur, un étalon prêté par un de leurs amis et qui, après avoir remporté de nombreux prix à la foire de l'Etat, dispersait à présent généreusement ses gènes à travers tout le comté.

Il prit une voix douce pour s'adresser à la jument.

— Bravo, ma vieille, tu as bien travaillé.

— En effet, renchérit Melody en regardant dans le box. Ce poulain est un amour.

Bien qu'intérieurement Spence doutât qu'aucun mâle d'aucune espèce appréciât d'être qualifié d'« amour », il préféra garder sa réflexion pour lui. Pour une fois qu'ils ne se disputaient pas, inutile de gâcher l'ambiance.

La trêve ne dura pas longtemps.

Et ce fut lui qui mit les pieds dans le plat avec une plaisanterie douteuse.

— Au fait, qu'est-ce que tu as fait de tes navets ?

Pendant une fraction de seconde, les yeux de Melody s'étrécirent, puis elle répliqua sèchement :

— Je les ai mangés, tiens ! Il se trouve que j'aime beaucoup ces légumes et qu'ils étaient délicieux.

Alors débuta ce qu'il aurait pu qualifier piteusement de « grande querelle des navets ».

— Allons donc ! Tu tentais de te cacher de moi, répliqua-t-il, goguenard. Pourquoi ? Tu avais peur d'être incapable de résister à mon charme dévastateur ?

Même s'il avait trouvé l'incident divertissant, c'était un peu vexant que Melody ait été prête à plonger sous un étal de légumes, juste pour l'éviter.

Quand il vit son regard se durcir, il regretta ses paroles. Il cherchait simplement à la taquiner, mais elle ne l'entendit pas du tout de cette oreille. Elle se campa mains sur les hanches et redressa le menton.

— Tu sais, Spencer Hogan, tu n'es qu'un vantard imbu de toi-même. C'est sûrement pour ça que tu gardes des préservatifs dans ta table de chevet. Au cas où.

Ah bon ? C'était *ça* qui la turlupinait ?

Très raisonnablement, du moins à son avis, il répondit :

— Oui, c'est exact. Et puis, c'est plutôt pratique de les avoir là, non ?

Vu l'air furibond qu'elle arborait, il aurait dû donner un séminaire intitulé : « Comment ne pas faire la cour à une femme : toutes les choses à dire au plus mauvais moment. »

— Et combien de fois as-tu trouvé ça *pratique* ? rétorqua-t-elle.

La question était aussi dangereuse qu'un serpent à sonnette en train d'agiter frénétiquement la queue.

— Je ne tiens pas de comptabilité, répondit-il.

D'accord, il était en train de s'enfoncer dans un trou noir, mais c'était elle qui l'avait mis sur la défensive. Son cas ne fit que s'aggraver quand il tenta de s'extraire de la mélasse en précisant :

— Je ne peux pas donner de chiffre.

Idiot ! Imbécile ! Débile !

— Probablement parce que tu ne sais pas compter aussi loin, répliqua-t-elle, la voix vibrante de colère.

— Trente-six.

10

Qu'est-ce qu'il avait dit ?

Melody fit volte-face et jeta un coup d'œil à la fourche appuyée contre le mur. La réaction paraissant légèrement drastique, elle empoigna une grosse poignée de paille et la lui jeta à la figure.

— Pardon ! Je me suis mal exprimé, avoua-t-il, penaud, en secouant la tête pour faire tomber les brins de paille. Je n'essayais pas de te mettre en colère, je le jure.

Elle se pencha pour ramasser une nouvelle poignée de paille en sifflant entre ses dents serrées :

— Pourtant, tu sembles y parvenir sans effort. Je n'y crois pas ! Tu as couché avec *trente-six* femmes ? !

Spence se courba pour éviter ce nouveau tir, mais elle visait juste — sans doute aidée par sa fureur.

— Mel ! Arrête ! s'exclama-t-il en riant. Je n'ai pas voulu insinuer que c'était pratique de garder des préservatifs dans sa table de nuit. Ce que je voulais dire c'est qu'à *trente-six ans,* je suis suffisamment responsable pour refuser de faire l'amour sans protection, avec toi ou n'importe quelle autre.

« Ou n'importe quelle autre » ? Cette précision malvenue ne faisait qu'aggraver son cas ! Il méritait de remanger de la paille, et une bonne cargaison encore ! Et elle lui en jeta autant que le pouvaient ses deux mains animées d'une belle détermination.

Force était d'admettre qu'elle était jalouse des femmes qui avaient traversé la vie de Spence. Oui, même de Junie, quoi que Bex puisse penser de la rumeur. Elle était aussi — et surtout — terrorisée à l'idée de retomber amoureuse de lui.

Ou de l'être déjà.

— Ça va ! s'exclama Spence en repoussant un nouveau mitraillage de foin. Tu es furieuse contre moi, j'ai compris, même si j'avoue que j'ignore pourquoi.

Puis il fonça sur elle, si vite qu'elle n'eut pas le temps de s'écarter. L'attrapant par le bras, il la fit basculer et l'entraîna avec lui sur une botte de foin odorante. Puis, la dominant de son corps puissant, sa bouche à quelques centimètres de la sienne, il lança d'une voix rauque :

— Voilà qui est mieux. Beaucoup mieux… Maintenant, on peut discuter.

— Lâche-moi, espèce de brute ! ordonna-t-elle en lui tapant sur l'épaule.

Mais autant taper sur une montagne. Il était inébranlable. Pire, un grand sourire illuminait son visage.

Puis il l'embrassa.

Oh ! Elle le vit venir, car il fit tout ce qu'il fallait pour cela. Il baissa la tête lentement, très lentement pour qu'elle sente bien son souffle sur ses lèvres, avant de fondre sur sa bouche. Persuasives et chaudes, ses lèvres se collèrent aux siennes… et elle sentit son corps se liquéfier à mesure que le baiser s'intensifiait.

Et peu à peu, les mains qu'elle pressait sur ses larges épaules dans un futile geste de protestation, lâchèrent prise, et elle noua les bras autour de son cou.

« Non, il n'est pas irrésistible, se répéta-t-elle. Plutôt comme un virus dont je n'arriverais pas à me débarrasser. »

Quand elle rouvrit les yeux, le grand corps élancé de Spence était étendu de tout son long sur le sien. Intrigués, quelques-uns des chevaux avaient pointé la tête hors de leur box, observant les bizarres singeries de leurs camarades humains avec amusement — du moins, elle eut cette impression.

Spence soutint son regard, puis se remit à l'embrasser, cette fois moins tendrement, mais avec une ardeur si incandescente qu'elle fut étonnée de ne pas voir la paille se mettre à fumer.

— Papa, il est où le poulain ? Dis, il est où ?

Elle entendit à peine la voix d'enfant tout excitée qui venait de traverser son brouillard de volupté, mais un quart de seconde plus tard, Spence interrompit leur baiser en marmonnant des mots inintelligibles. Sur ce, trois chiens et deux garçonnets déboulèrent dans l'écurie en se bousculant, suivis de près par Tate Calder. Quand ce dernier les découvrit étendus dans la paille, Melody vit son expression changer. Encore heureux que Spence et elle soient totalement habillés et n'aient encore rien fait !

— Oh ! Désolé, s'excusa Tate. J'ai l'impression que l'on tombe comme des cheveux sur la soupe. On va s'en aller tout de suite. Loin de moi l'idée de, euh… d'interrompre quoi que ce soit. Les enfants verront le poulain un autre jour.

Spence, qui s'était ressaisi avec une facilité déconcertante, la hissa d'un seul mouvement sur ses pieds, puis, comme si de rien n'était, secoua négligemment la tête pour déloger les brins de paille accrochés dans ses cheveux.

— Pas de problème, dit-il. Vous voulez voir le poulain, les garçons ? Venez. Il est par là.

Melody en fut réduite à ôter elle-même la paille de sa chevelure. Rouge comme une pivoine, elle toussa pour dissimuler son embarras et surprit une lueur amusée dans l'œil de Tate.

— Euh, Spence et moi… évoquions un peu le passé, avoua-t-elle, sans même chercher à inventer une excuse.

— Si vous pensez que je n'avais pas deviné qu'il y avait quelque chose entre vous, c'est que vous me sous-estimez, répliqua-t-il sur un ton d'une exquise courtoisie. Rassurez-vous, mes lèvres seront scellées.

Elle se demanda soudain si Hadleigh ne cherchait pas à jeter cet homme dans les bras de Bex. Cette dernière, fédératrice dans l'âme, avait une influence stabilisante sur tout son entourage. Tate, qui semblait tout aussi diplomate, pouvait constituer un bon parti pour elle. La vie affective de Bex était partie en vrille, après la mort de Will en opération à l'étranger et, depuis, elle sublimait son chagrin en se dévouant corps et âme au développement de son entreprise.

Mais peut-être que Tate Calder et elle se ressemblaient trop. Pour Spence et elle, l'affaire était entendue, ils se ressemblaient *beaucoup trop*. « De vraies têtes de cochon », aurait dit sa grand-mère.

Entendant Spence discuter avec les garçons, elle l'observa du coin de l'œil et vit qu'il les soulevait, chacun leur tour, afin qu'ils voient mieux le poulain. Il savait y faire avec les enfants. Tout comme avec la jument. A l'évidence, cette dernière avait confiance en lui, car elle laissa les deux garçons lui tapoter la tête et même tirer sur sa crinière sans regimber.

Il n'y avait pas meilleure indication sur le caractère d'une personne que la réaction qu'elle provoquait chez les animaux. Le triumvirat avait toléré la présence de Spence, or la bande de félins était aussi exigeante qu'excellent juge en matière de caractère. De plus, Spence inspirait la même confiance aux habitants de Mustang Creek.

— D'après Tripp, Hogan est un type bien, et je dois me fier à son jugement, sinon il ne toucherait pas à mes fils, fit brusquement remarquer Tate. Maintenant, je comprends mieux pourquoi ils sont meilleurs amis.

— N'oubliez pas que Spence est chef de la police, c'est un homme de confiance, dit-elle, la gorge nouée. Vos enfants sont en de bonnes mains.

— Je vois ça, oui. Dites, cela vous ennuierait de ramener ces petits voyous au ranch ? Je voudrais remercier Hadleigh et Tripp, et charger le camion. Les garçons adorent m'aider, mais ça prend deux fois plus de temps.

— Avec plaisir.

Bex allait avoir du mal à résister, se dit-elle en le regardant s'éloigner. Non seulement ce type était beau à regarder, mais il était tout à fait le genre de sa copine. Pour ne rien gâter, il portait très bien le Stetson, crânement incliné sur le côté.

Quant à elle…

Voir Spence s'occuper de ces deux petits garçons… lui retournait le cœur.

Est-ce qu'un jour il s'occuperait de leurs enfants de cette manière ?

Mais pourquoi pensait-elle à ça ? Vraiment, elle était désespérante ! Ou, pire, pleine d'espoir...

Toute la troupe repartit vers la maison dans l'air parfumé par les douces senteurs de l'été. Chacun tenait la main d'un des garçonnets, les chiens gambadant gaiement sur leurs talons.

Hadleigh, Bex et Tripp, qui devaient peaufiner les détails de la fête, étaient toujours sur la terrasse.

— Alors, comment trouvez-vous la nouvelle recrue du ranch ? lança Tripp, comme ils montaient les marches.

— Super-cool ! répondit l'aîné des garçons. Ils s'embrassaient, ajouta-t-il.

Pour la deuxième fois de la soirée, Melody piqua un fard digne d'une collégienne. Elle aurait voulu disparaître sous le plancher. Le plus humiliant fut que, en dépit du brusque coq-à-l'âne entre le poulain super-cool et ces « ils » qui s'embrassaient, aucun des adultes présents n'eut besoin d'éclaircissement.

— C'est normal, mon grand. Spence et Melody s'aiment bien, expliqua Hadleigh.

— Oui, il leur arrive de l'oublier, mais ils s'aiment vraiment beaucoup, renchérit Bex en jetant à Melody un regard acéré.

Tripp, visiblement désireux de faire diversion, sauta sur ses pieds et lança :

— Spence, tu veux venir voir l'endroit où on va installer le feu d'artifice ?

Quoi ? Ces lâches comptaient l'abandonner à la merci de Bex et Hadleigh ? Pas question !

— Je dois finir les lampions, enchaîna-t-elle. Et j'ai une nouvelle commande à terminer, alors le temps m'est compté. Tate va revenir chercher ses fils dans quelques minutes. Merci. Le dîner était très bon. On se voit demain soir.

Alors qu'elle battait prestement en retraite, elle entendit Hadleigh lui crier :

— Espèce de froussarde ! Tu ne perds rien pour attendre. Tôt ou tard, tu devras t'expliquer à propos de ce baiser.

*
* *

L'énergie avec laquelle Spence abattait sa hache devait être le signe d'une pulsion sexuelle inassouvie. Si les gamins et les chiens n'avaient pas débarqué à l'improviste, qui sait comment les choses auraient tourné ? Lui, il pariait pour une belle roulade dans le foin. La bûche se fendit avec un craquement réconfortant.

Tripp ramassa les morceaux, puis le jaugea avant de demander :

— Alors, tu as un plan ?

Spence déboutonna sa chemise et la jeta sur le côté. La nuit avait beau être chaude, s'il transpirait, ce n'était ni à cause de l'effort ni à cause de la température.

— Un plan pour quoi ? répliqua-t-il.

— Pour persuader Mel que tu es l'homme de sa vie.

— Qu'est-ce qui te fait croire que..., commença-t-il, avant de secouer la tête. Laisse tomber, je sais ce que tu penses, et tu n'as pas tort. Autrefois, j'ai blessé Melody et elle ne me fait plus confiance. Et ce ne sont pas les ragots qui courent sur mon compte qui vont arranger les choses. Pourtant, ma réputation de séducteur invétéré est tout à fait exagérée.

Il posa brièvement sa hache pour étudier son ami un instant.

— Tripp, tu me connais. Je ne suis pas un saint. J'ai couché avec quelques demoiselles charmantes, pourtant aucune n'a vraiment compté. A mes yeux, Melody a toujours été différente. Exceptionnelle. Et pourtant, tu peux le croire ? Nous nous sommes disputés à propos du nombre de mes conquêtes. Tout ça parce que j'étais tellement perturbé que, quand elle m'a posé la question, j'ai répondu un truc idiot : trente-six. J'ai essayé de lui expliquer que je parlais de mon âge, et c'était vrai. J'employais un moyen détourné pour essayer de lui faire comprendre que j'étais suffisamment mature pour me conduire de manière responsable avec les femmes que je fréquentais. Or, si tu veux savoir, la liste n'est pas si longue. Et je ne grave pas une entaille sur ma tête de lit chaque fois.

Tripp prit une nouvelle bûche et la posa devant lui.

— Je le sais. Je te connais, dit-il. Mais revenons à ma question. Comment tout ça va tourner ? Je vais être franc et t'expliquer le point de vue de ma femme. Il y a neuf ans, tu es sorti quelques mois avec Melody, puis tu l'as larguée et, maintenant, tu voudrais remettre ça. Pourquoi voudrait-elle t'offrir une seconde chance ?

Spence reprit sa hache et défendit sa position en répliquant simplement :

— Ce n'était *pas* une passade.

La hache retomba, projetant une volée d'éclats de bois.

— J'avais compris, répliqua Tripp. N'empêche qu'il t'a fallu neuf ans pour l'admettre.

— C'est faux, protesta-t-il en s'attaquant à la bûche que son ami venait de poser devant lui. Je ne l'ai jamais nié. Ecoute, nous avons déjà eu cette discussion. Et plus d'une fois, encore.

— Tu vas lui demander de t'épouser ?

C'était plutôt abrupt, comme question, même de la part de Tripp. Spence s'interrompit pour reprendre son souffle.

— Je te répondrai si tu me jures de ne rien dire à Hadleigh.

— Non.

— Alors fin de la conversation.

Sa réponse irrita visiblement Tripp, mais ils étaient amis depuis si longtemps qu'il accepta, de mauvaise grâce, d'abandonner la partie.

— Très bien, grommela-t-il. N'empêche qu'un homme ne peut embrasser une femme dans une écurie et agir comme si de rien n'était. Question d'honneur.

— Demain, tu veux que j'apporte les chaises entreposées dans ma grange ? demanda Spence, soucieux de changer de sujet.

— Bonne idée.

— Et tu sais à peu près combien d'invités vous aurez ?

— Pas précisément.

— Moe Radner m'a dit qu'il pouvait te prêter des meubles d'extérieur.

— Ce n'est pas de refus.

— Tiens, en parlant de Moe, il voudrait que la police et le service des rangers offrent une balade à cheval aux gamins du coin. Il a plein de copains qui travaillent dans les parcs nationaux. Il m'a avoué qu'ado, il filait un mauvais coton, jusqu'à ce qu'il se découvre une passion pour le camping et l'équitation. Il désire aider des gosses dans la même situation. J'ai accepté.

— Je suis prêt à contribuer financièrement à cette bonne cause, et même à prêter un cheval ou deux, répondit Tripp.

— Eh bien, ça doit être mon jour de chance ! Il n'y a rien de mieux que deux cow-boys torse nu pour faire battre le cœur d'une femme.

La voix amusée de Hadleigh interrompit leur conversation.

— Tu as intérêt à n'être troublée que par *mon* torse nu, répliqua Tripp, la foudroyant du regard avec une colère feinte. Si je comprends bien, tout le monde est parti ?

— Oui, répondit-elle, une lueur malicieuse pétillant dans ses yeux dorés. Melody a prétendu qu'elle avait du boulot par-dessus la tête ; Tate, deux gamins à mettre au lit ; et Bex, une réunion d'entreprise, à la première heure demain.

Vu les regards torrides qu'échangeaient Tripp et Hadleigh, Spence comprit qu'il était temps de donner son congé et de quitter la scène. Il s'éclaircit la gorge et reposa la hache.

— Je vais récupérer Harley et m'en aller à mon tour. On se voit demain, à la fête ? Et merci pour le dîner.

Il enfila sa chemise, siffla son chien et, quelques minutes plus tard, prit le chemin de la grand-route au volant de son pick-up.

Pendant une fraction de seconde, il fut tenté d'appeler Melody. Mais sachant qu'il se ferait rabrouer, il y renonça et rentra directement chez lui, Harley, exténué, roulé en boule sur le siège passager.

Son chien allait bien dormir.

Ce qui ne risquait pas d'être son cas à lui…

11

Parfois, il arrivait que tout tourne bien.

Le prix du diamant était un peu haut, mais qu'à cela ne tienne.

Ce diamant-là était parfait. Or, Mme Arbuckle n'avait-elle pas exigé la perfection ?

— Qu'est-ce que vous savez sur cette pierre, monsieur Keith ? demanda Melody.

Ronald Keith était l'antiquaire le plus rusé du comté de Bliss et il connaissait tout le monde. Elle pourrait donc connaître la provenance du joyau. Vêtu en dépit de la chaleur estivale de son éternelle chemise de flanelle à carreaux, Ronald posa ses coudes osseux sur le présentoir, se pencha vers elle avec une mine de conspirateur et chuchota :

— Eh bien, il paraîtrait que c'est le diamant que Rochester Pierce a offert à sa femme le jour où il l'a demandée en mariage.

— Le sénateur ? murmura-t-elle, entrant dans son jeu.

— Exactement, répondit Ronald en se redressant. Cette bague doit avoir un bon karma, car sa femme et lui ont été heureux en ménage pendant plus d'un demi-siècle. En revanche, la vente aux enchères a été plutôt brutale. Plusieurs de leurs enfants étant décédés, les petits-enfants se sont tellement chamaillés sur l'héritage que l'ensemble a fini à l'encan.

Melody hocha machinalement la tête, mais ces détails ne l'intéressaient pas. Elle était totalement subjuguée par le diamant. Pesant au moins un carat et demi, il était d'une qualité rare. Certes, il était un peu plus voyant que prévu, mais elle pourrait modifier la monture ou la conserver pour un autre bijou.

Pourvu que Mme Arbuckle n'ait pas menti quand elle avait affirmé que le prix n'entrait pas en ligne de compte !

Quoi qu'il en soit, elle aurait acheté cette pierre, de toute façon, convaincue qu'elle n'aurait aucun problème pour la remonter sur un bijou qu'elle pourrait revendre une petite fortune.

Elle faisait souvent affaire avec Ronald et savait que c'était un honnête homme. Et aussi, qu'il lui faisait une fleur. A l'évidence, le prix du joyau était sous-estimé — et ce n'était pas parce que l'antiquaire en ignorait la valeur.

— Je le prends, annonça-t-elle.

— Bien, répondit-il, ravi. C'est pour ça que je vous ai appelée. Personne ne pouvait mieux que vous l'apprécier et le mettre en valeur.

— Flagorneur !

Ils flirtaient toujours un peu. Cela faisait partie du jeu.

— Qu'est-ce que j'y peux si j'apprécie les jolies jeunes filles ? répliqua le vieil homme, sans chercher à cacher son sourire.

Bien qu'il soit assez âgé pour être son père, Ronald était charmant, à sa manière.

— Il y a longtemps que je ne suis plus une jeune fille, mais merci pour le compliment, dit-elle en lui rendant son sourire. Alors, l'arrangement habituel ?

Il hocha la tête. Quand il lui procurait le genre de pièces qu'elle recherchait, elle lui offrait un pourcentage sur sa commission.

Tous deux faisaient souvent affaire, car il n'était pas rare que Ronald déniche des merveilles comme ce diamant — certainement la plus remarquable jusqu'ici.

— Très bien, vous avez d'autres trésors cachés à me montrer ? demanda-t-elle en posant avec précaution la bague près de la caisse.

Après quelques minutes de marchandage — elle détestait les discussions de marchands de tapis, mais Ronald y prenant grand plaisir, elle ne pouvait le décevoir —, elle se retrouva en possession d'un collier qu'elle pourrait facilement démonter pour fabriquer plusieurs pièces. Plus deux bracelets dépourvus de leurs décorations, mais en argent massif, qui valaient donc le coup d'être restaurés.

Elle connaissait Cassandra Downing, l'assistante de Ronald, depuis le lycée. Cette dernière avait fait « un bon mariage », comme on disait, pour divorcer, il y a quelques années. Son ex-mari se trouvait être l'avocat de la ville.

— Bons choix, Mel, lui fit-elle remarquer en emballant avec soin ses achats.

— Si je travaillais ici, je crois que je dépenserais mon salaire à mesure que je le gagnerais.

— En effet, c'est tentant, répondit Cassandra, avant de lui tendre son paquet en souriant.

Melody quitta la boutique, très contente d'elle, et s'empressa d'appeler Mme Arbuckle. Mais elle dut se contenter de lui laisser un message sur son répondeur.

— J'ai trouvé un solitaire pour la bague. Il est… extraordinaire. Comme il a en plus une valeur historique, je suis sûre qu'il va vous plaire.

De son côté, elle était ravie, mais elle n'avait pas le temps de s'attarder là-dessus. Elle avait promis des lampions pour la fête de Tripp et Hadleigh, et ils étaient loin d'être terminés. Son enthousiasme retomba d'un cran. Après la soirée d'hier, cette fête lui inspirait des sentiments mitigés.

A son retour, Ralph, Waldo et Emerson faisaient la sieste sur le canapé, étendus dans une pose identique qui leur donnait l'air de nageurs synchronisés. Ils l'ignorèrent superbement, tout comme son joli butin, quand elle le sortit pour l'admirer à loisir.

— Regardez, les gars ! lança-t-elle en brandissant triomphalement un des bracelets. Aujourd'hui, j'ai fait de belles affaires.

Pas une paupière ne cilla. Que fallait-il donc faire pour les impressionner ?

Qu'importe ! Que les chats l'aiment ou pas, elle était folle de ce diamant. Le mettant à la lumière, elle admira son éclat un instant, et la bague de fiançailles du cow-boy romantique commença à prendre forme dans son esprit.

Elle s'assit à sa table à dessin et travailla d'abord sur sa commande de collier, cherchant un moyen d'assembler les pierres pour qu'il soit aussi agréable à porter que décoratif — le design de bijoux ne prenant pas uniquement en compte l'aspect esthétique, loin de là ! Totalement absorbée par ses croquis, ce ne fut que quand son estomac se mit à gargouiller qu'elle découvrit qu'elle avait sauté le déjeuner. D'après l'horloge murale, il était 14 h 45. Ses colocataires à quatre pattes la fixaient d'un œil accusateur, insinuant clairement qu'elle manquait à tous ses devoirs en ignorant leurs besoins essentiels.

Et pour la faire émerger définitivement de la transe qui l'enchaînait à sa table de travail, une voiture s'arrêta dans son allée.

C'était Bex, un sac en papier à la main et un sourire amical, mais circonspect, aux lèvres. Considérant qu'elles avaient déjeuné plusieurs fois ensemble cette semaine, son apparition n'était pas une grosse surprise.

— Je me suis dit que, ce soir, on serait tellement occupées à aider que l'on n'aurait pas le temps de manger, expliqua son amie. Et ces lampions, ça avance ?

— Je les ai terminés dans la nuit.

Les lampions étaient dispersés dans tout l'atelier, prêts à être transportés à destination.

— Je suis ravie de ne pas être l'artiste de la bande, observa Bex, après avoir examiné ses créations qui encombraient la majorité de l'espace. La nuit, moi je dors. Ça a dû être un sacré boulot. Pas étonnant que tu te sois esquivée en vitesse, hier soir.

Melody la scruta avec méfiance, s'attendant à une allusion à Spence, qui, heureusement, n'arriva pas.

— Il est presque 15 heures, lança-t-elle, comme son estomac émettait un bruit embarrassant. Il faut que je nourrisse les chats.

D'un bond, Ralph, Waldo et Emerson sautèrent à terre et s'élancèrent avec empressement vers la cuisine.

Tandis qu'elle préparait leur pâtée, Bex sortit du sac deux sandwichs au poulet grillé, à la laitue et à la tomate, assaisonnés d'une sauce divine, création de la boulangère locale. La femme refusant de livrer la recette de son vivant, Melody avait tenté à plusieurs reprises de la reproduire chez elle, pour finir par se résigner à l'idée qu'elle ne pourrait jamais trouver le mystérieux ingrédient qui en faisait l'originalité. Depuis, elle assouvissait sa fringale en achetant directement ses sandwichs à la boulangerie Chez Myra.

Elle remplit deux verres de limonade et s'installa à table.

— Comment s'est passée ta réunion ? demanda-t-elle, en déballant son sandwich.

— Très professionnelle, du moins c'est ce que prétend Nuff, répliqua Bex avec une grimace. Je sais que les graphiques et les diagrammes sont un mal nécessaire, mais je préférerais que la comptabilité se contente de me dire que tout va bien et basta ! Franchiser son enseigne change énormément la donne, s'exclama-t-elle théâtralement en étirant les bras au-dessus de sa tête.

— Ça te manque, de ne plus tout diriger ? demanda Melody, intéressée.

Elle avait songé plusieurs fois à ouvrir une boutique, ce qui impliquait non seulement de louer un local adapté, mais aussi d'engager et de diriger du personnel — un véritable casse-tête, à son avis. Jusqu'ici, créer des bijoux sur commande s'était révélé suffisamment lucratif pour lui procurer une grande liberté et un salaire tout à fait correct. Elle était connue grâce au bouche à oreille, et les commerçants du coin vendaient ses créations. Et comme Mustang Creek voyait défiler des touristes neuf mois sur douze, elle ne manquait pas de travail. Bien sûr, on notait une baisse de fréquentation en automne, mais c'était agréable de bénéficier d'un répit, de temps en temps. D'ailleurs, elle adorait cette saison où les trembles se couvraient d'or et de pourpre et où le froid devenait mordant.

Bex, qui s'était elle aussi jetée sur son sandwich, attendit d'avoir avalé sa bouchée pour répondre :

— Je suis encore en phase d'adaptation. Depuis que la société est entrée sur le marché, j'ai perdu le contrôle total, mais je possède toujours 51 % des parts. Je garde donc le pouvoir. Mais parlons d'autre chose... Tu veux parier que Hadleigh est déjà enceinte ? Hier soir, elle n'a bu qu'une petite gorgée de vin, alors que c'était son préféré.

A bien y réfléchir, c'était vrai. Melody reposa son sandwich, songeuse.

— Maintenant que tu le dis, je l'ai remarqué aussi, mais j'ai pensé qu'elle était trop absorbée par son rôle d'hôtesse... Eh bien, dis donc ! Nos tourtereaux n'ont pas perdu de temps. La lune de miel a dû être torride.

— Et ça t'étonne ? Il n'y a qu'à les voir. Et puis, nous savons toutes les deux qu'ils avaient décidé de s'y mettre sans tarder.

— Il faut que je lui fabrique un nouveau gri-gri ! s'exclama Melody. Qu'est-ce que tu dirais d'une cigogne ? Non, c'est trop convenu. Et une jument avec son poulain ?

— Ce serait parfait, mais ne t'emballe pas, nous n'en savons encore rien, répliqua Bex, amusée.

En effet. Et puis elle avait déjà à finir un collier et une bague de fiançailles. Après avoir avalé son dernier bout de sandwich, elle se lécha les doigts.

— Cela t'ennuierait de m'aider à transporter les lampions jusqu'à la voiture et à les accrocher chez Hadleigh ? demanda-t-elle.

— A quoi servent les amies ? répliqua posément Bex.

L'épidémie de cambriolages continuait.

Cela commençait à devenir un véritable problème, surtout dans une ville comme Mustang Creek. Les sourcils froncés, Spence fixa le dernier rapport qui avait atterri sur son bureau en se demandant s'il devait appeler la police fédérale à la rescousse.

Six rapports en *six* semaines ! Dans une juridiction comme la sienne, c'était énorme. Aucun endroit n'était totalement épargné par la délinquance, mais, dans le comté de Bliss, on voyait rarement une telle avalanche de délits.

A l'évidence, les malfaiteurs opéraient avec méthode, ce qui lui donnait à penser qu'ils planifiaient soigneusement leurs opérations. On n'avait jusqu'ici déploré aucun blessé, mais il avait suffisamment d'expérience pour savoir que cela pouvait changer d'un moment à l'autre. Les voleurs s'attaquaient uniquement à des résidences privées, jamais à des commerces. Ils dérobaient uniquement des petits objets faciles à transporter — principalement du matériel électronique —, comme s'il eût été déshonorant de s'abaisser à voler des effets personnels, genre vestes en cuir.

Le moulinet électrique du bateau de pêche de Ross Hayden venait d'être dérobé dans son garage, ainsi qu'une boîte à outils ancienne contenant un attirail de menuisier.

En s'appuyant sur les détails de ces vols, Spence avait l'impression que les cambrioleurs connaissaient leurs victimes, mais c'était juste une intuition, pas une conviction basée sur des faits précis.

Cela le rendait fou de penser qu'il souriait peut-être dans la rue à l'auteur de ces cambriolages. Pas uniquement parce que cette personne se fichait de lui, mais parce qu'elle trahissait une ville confiante et sûre. Le *Mustang Banner*, qui paraissait le vendredi, avait fini par faire le lien entre toutes ces affaires. Chaque semaine, il publiait un article sur les divers cambriolages et Spence en avait plus qu'assez de se retrouver en première page.

L'esprit préoccupé, il ne se montra pas aussi sympathique qu'il l'aurait dû quand Moe Radner pénétra dans son bureau.

— Quoi ? lança-t-il sèchement.

Interloqué et mal à l'aise, le jeune homme le fixa en se balançant sur ses pieds.

— Quelque chose ne va pas, chef ?

— Non. Ou plutôt, si. Ces vols commencent à m'énerver sérieusement. Qu'est-ce que tu veux ?

— Vous annoncer que la randonnée à cheval a fait le plein.

— Déjà ? Ça n'a pas été long. L'annonce ne date que d'hier.

La nouvelle lui remonta le moral. Tant qu'à faire, quitte à se démener, autant que leur projet rencontre un accueil enthousiaste.

— Oui, je trouve aussi, renchérit son adjoint. Mais, on a… un petit problème.

— Petit comment ?

D'après son expérience, quand on qualifiait un problème de « petit », c'est là qu'il fallait s'attendre au pire.

Penaud, Moe frictionna ses cheveux en brosse, avant d'expliquer :

— Je n'y avais pas pensé avant, mais certains parents ont mal pris que l'excursion soit réservée aux garçons. Deux filles se sont même inscrites d'office, et j'ai dû téléphoner aux parents pour leur dire que c'était impossible. Je me suis efforcé de leur faire comprendre que sans chaperons de sexe féminin, les hommes refuseraient de superviser une randonnée sous la tente avec des gamines. A fortiori mêlées à une bande de garçons. Ce serait rechercher les problèmes. Et puis nous manquons de chevaux. En tout cas, je voulais que vous sachiez que certains parents ne sont pas contents.

Il fallait s'en douter, car de nos jours, tout ce qui pouvait laisser soupçonner la moindre discrimination sexuelle faisait scandale. Il réfléchit en faisant virevolter son stylo entre ses doigts.

— Et si on organisait une deuxième randonnée à l'intention des filles ? suggéra-t-il. Il faudrait trouver des femmes pour la diriger, même si j'ignore à qui m'adresser. De toute façon, l'un ou l'autre d'entre nous devrait les accompagner pour veiller à leur sécurité.

— La seule ranger femme de ma connaissance, qui s'embarquerait volontiers dans l'aventure, est en congé maternité. Je ne peux donc pas lui proposer. J'en connaîtrais bien deux autres, susceptibles d'être intéressées, mais elles remplacent la première durant son absence.

Peut-être que Hadleigh pourrait les aider. Elle possédait un cheval, une belle petite jument que Tripp lui avait achetée l'automne dernier. Ce serait encore mieux si elle entraînait Bex et Melody avec elle... Spence était incapable de situer leur niveau d'équitation sur une échelle de 1 à 10, mais on parlait d'une randonnée, pas du derby du Kentucky.

Il pourrait lancer l'idée ce soir, durant la fête, après avoir mis Tripp au courant, pour disposer d'un renfort. De toute façon, l'affaire ne pouvait marcher que si Tripp consentait à lâcher sa chère et tendre pendant quelques jours. Parce que Hadleigh accepterait volontiers de partir en randonnée, aucun doute là-dessus.

— Je crois avoir trouvé un arrangement, annonça-t-il. Au fait, tu as rentré les dossiers des cambriolages dans la banque de données fédérale ? J'espérais trouver des analogies.

Il recherchait toute similitude éventuelle avec les délits commis dans le comté de Bliss.

Moe secoua la tête.

— Si vous voulez mon avis, chef, ce sont sûrement des gars du coin. Ces types vivent à Mustang Creek et volent à Mustang Creek. Ils ne s'attaquent pas à d'autres villes.

La poisse ! C'était ce qu'il pensait depuis le début.

— Leurs méthodes sont trop sophistiquées pour que ce soit une bande de gamins, fit-il remarquer. On devrait étudier de plus près les victimes pour découvrir d'éventuels points communs. Est-ce qu'elles fréquentent la même paroisse ? Où travaillent-elles ? Quels sont leurs voisins ? Trouver ce qui pourrait les relier, afin de comprendre pourquoi on les a prises pour cible.

— Entendu, répondit Moe. Je m'y mets tout de suite.

12

Ces lampions étaient fabuleux, se dit Melody, pleine d'une fierté légitime. Leur douce lumière dorée teintée de rouge flamboyant reflétait l'explosion de couleurs du soleil couchant sur les crêtes montagneuses.

Non seulement Hadleigh avait bien fait les choses, comme prévu, mais mère nature se montrait coopérative.

Elle surveilla la réaction de tous les arrivants qui découvraient l'éclairage et ressentit une vive satisfaction devant leur émerveillement. C'était exactement l'effet recherché.

L'orchestre était en train de s'accorder. Derrière la maison, on avait dressé une piste de danse, ainsi qu'une vaste tente abritant des tables et des chaises. Le buffet proposait les traditionnelles grillades de bœuf au barbecue accompagnées de haricots et de salade de choux, et un assortiment de desserts, incluant un cheese-cake au citron vert et les fameux brownies de Billy. C'était la seule pâtisserie qu'il préparait, et certains faisaient une heure de route pour venir en acheter. Comment Hadleigh avait-elle réussi à persuader Billy d'en livrer une fournée pour sa fête ? Mystère. Il refusait pourtant de travailler comme traiteur. Cependant, il aimait beaucoup Hadleigh et Tripp. Il avait beau avoir une bonne cinquantaine d'années, toutes les filles le connaissaient, car il avait été leur entraîneur dans l'équipe de basket du collège.

Sauf qu'elles n'étaient plus ces gamines qui avaient grandi ensemble, songea Melody, soudain mélancolique. Leurs vies ne consistaient plus en soirées pyjama, gloussements excités et commérages. Elles étaient des femmes qui frisaient la trentaine. Et ce n'était pas uniquement leur horloge biologique qui tournait, mais aussi l'horloge du bonheur.

Melody n'avait pas besoin d'un homme pour être heureuse. Ce qu'elle voulait, c'était ce que Hadleigh avait trouvé avec Tripp. Et elle ne se contenterait pas de moins.

A l'instar de la réception de mariage, la soirée en l'honneur des jeunes mariés était un véritable événement. Elle aurait été ravie de pouvoir aider davantage qu'en confectionnant ces lampions, mais tout semblait sous contrôle. Elle se contenta donc de siroter un verre de bière en savourant la brise qui descendait des montagnes.

— Puis-je réserver ta première danse ?

La voix caressante de Spence la fit sursauter, même si elle n'avait pas manqué de remarquer son arrivée, tout à l'heure.

Semblable à lui-même, il était éblouissant dans son jean, sa chemise blanche, sa cravate marine et ses bottes étincelantes. Elle le considéra d'un œil indifférent, du moins elle l'espérait, car son cœur battait la chamade — ce qui était fort contrariant —, et rétorqua :

— L'orchestre n'a pas commencé à jouer.

— Je préfère prendre les devants, avant que ton carnet de bal soit plein. Tu es la plus belle femme de l'assemblée.

Son sourire décontracté ne lui rappelait que trop bien leur baiser torride de la veille… L'ambiance envoûtante de la soirée ne faisant qu'ajouter à son trouble, elle tenta de se persuader que Spence ne voulait vraiment *que* danser.

La bière devait avoir un effet lénifiant, car elle laissa échapper un long soupir.

— Je n'ai rien contre le flirt, mais nous savons tous les deux que tu n'as pas besoin de me baratiner pour arriver à tes fins.

— Je n'ai dit que la vérité, se récria Spence. Juré.

Il baissa nonchalamment les yeux sur son chemisier rose pour examiner les rondeurs de sa poitrine, avant de les relever. Mais une lueur malicieuse brillait au fond de ses prunelles.

— J'aime beaucoup cette couleur, elle est très jolie, dit-il avec une politesse un peu trop exagérée à son goût.

— Hum.

Ils se fixèrent sans rien dire, jusqu'à ce qu'il se souvienne de sa question initiale.

— Alors, tu me l'accordes, cette première danse ?

Peut-être avait-il soudoyé quelqu'un, car à cet instant précis l'orchestre se mit à jouer. Elle jeta un coup d'œil vers la scène et constata que Hadleigh et Tripp s'enlaçaient déjà sur la piste. En tant que demoiselle et garçon d'honneur, Spence et elle étaient censés danser avec eux.

— Bon d'accord, faisons ça, marmonna-t-elle en soupirant.

— Quelle douce musique à mes oreilles, dit-il en lui ôtant le verre des mains pour le poser sur la table la plus proche. J'adorerais le faire…

— Je ne parlais pas de *ça*, protesta-t-elle, alors qu'il la prenait par le coude et l'entraînait vers la piste de danse.

— Dommage. Pour l'instant, contente-toi de danser avec moi, ordonna-t-il en l'attirant contre lui.

Son épaule musclée était dure sous sa paume et ses longs doigts emprisonnaient sa main. Il aurait été préférable qu'il ne la serre pas de si près, surtout en présence de nombreux témoins. Et elle aurait aussi préféré qu'il ne sente pas si bon. Pourvu que son trouble ne soit pas trop visible ! Malheureusement, il ne fallait pas trop y compter.

Comme on pouvait s'y attendre, c'était une chanson d'amour. Elle n'osa donc pas le regarder dans les yeux. Ils évoluaient sans échanger un mot, ce qui semblait parfaitement satisfaire Spence. Son corps chaloupait sensuellement contre le sien, réminiscence d'une autre danse tout aussi sensuelle. Hier soir, ils avaient failli mettre le feu à la grange, et cela risquait de se reproduire d'une seconde à l'autre.

De plus, elle sentait de nombreux regards posés sur eux, et elle entendait presque les gens tirer les bonnes — ou mauvaises ? — conclusions sur ce qui se passait entre Spence Hogan et elle.

Si seulement elle avait pu connaître la prochaine étape.

Mais vu que l'histoire avait tendance à bégayer — en particulier *la leur* —, elle pariait qu'après l'avoir fait chanceler sur ses bases, il allait trouver le moyen de la mettre en colère.

Pourquoi fallait-il qu'il soit si compliqué à gérer ? Mystère.

C'était peut-être un des secrets de l'alchimie.

Par certains côtés, Spence était parfaitement prévisible. Intelligent, doté d'un grand sens moral et d'un sympathique sens de l'humour, il pouvait se montrer, au besoin, dur comme l'acier. En effet, ses opinions étaient aussi inébranlables que son sens de l'éthique, ce qui n'augurait rien de bon pour ceux qui transgressaient la loi.

Certes, cette intransigeance inflexible était une qualité appréciable chez un officier de police, mais chez un mari ? Peut-être bien, s'il décidait, un jour, de se fixer. Parce que, jusqu'ici, il n'avait jamais rien suggéré de tel. Oh bien sûr, il aurait été ravi de foncer vers la chambre la plus proche avec elle, mais l'église la plus proche ? C'était moins certain. Jamais il n'avait laissé échapper la moindre indication à ce sujet.

Et c'était un de leurs plus gros problèmes.

— J'aime le parfum de tes cheveux, ils sentent les fleurs, murmura-t-il.

— Ça s'appelle du shampoing et arrête de les renifler devant tout le monde, répliqua-t-elle sèchement, ce qui déclencha son hilarité. Arrête. On nous regarde.

— Oui, et alors ? Personne ne t'a jamais dit que parfois, tu étais aussi hérissée qu'un cactus ?

— Si, *toi*, et plus d'une fois. Il n'empêche que nous sommes un peu trop collés pour danser en public.

— Et voilà ! Nous ne sommes pas d'accord, une fois de plus, répliqua-t-il avec un sourire narquois. Moi je trouve que l'on ne danse pas d'assez près.

Il resserra son bras autour de sa taille et effleura délicatement sa tempe avec ses lèvres.

Tant qu'il y était, pourquoi ne pas brandir une pancarte proclamant : « Je caresse l'espoir de m'envoyer en l'air avec Melody Nolan, plus tard dans la soirée » ?

La chanson se termina enfin. Soulagée, elle se recula hâtivement.

— Il faut que j'aille dans la cuisine, voir si Bex a besoin d'un coup de main, décréta-t-elle. Elle aide l'équipe du traiteur.

Spence la laissa partir sans discuter, ce qui, absurdement, la désappointa.

Alors qu'elle s'empressait de rejoindre la maison brillamment éclairée, une de ses détaillantes favorites, une femme entre deux âges, propriétaire d'une des boutiques qui vendaient ses bijoux, la retint au passage. Tout en s'éventant de la main, elle lui lança avec un clin d'œil :

— Ouah ! L'ambiance paraît torride, ce soir. Ça va, chérie ? Vous semblez un peu congestionnée. Je me demande pourquoi.

Cette réflexion déclencha en elle une folle envie d'étrangler un certain chef de la police. Elle connaissait Mustang Creek. Les ragots s'y répandaient plus vite qu'un feu de broussailles en été.

— Euh… en effet, madame Perkins, il fait un peu chaud, mais la nuit est si belle avec toutes ces étoiles, répondit-elle aimablement, avant de s'engouffrer à l'intérieur de la maison.

Bex était en train de dresser du poulet grillé dans un plat. Elle attrapa son amie par le bras et l'attira dans un coin.

— Tu peux me rendre un service ?

Bex la scruta d'un œil interrogateur.

— Je te répondrai « Bien sûr », à mon habitude, dit-elle. Mais peut-être auras-tu la gentillesse de me dire *à quoi* je m'engage.

— Je voudrais que tu t'interposes entre Spence et moi.

— *M'interposer ?* On dirait que tu parles d'un match de foot ou…

Enervée, Melody tira brutalement sur son tablier pour l'interrompre.

— Bex, je ne plaisante pas. J'ai besoin d'espace.

— Oui, j'ai entendu parler de votre slow plutôt… chaud.

— Déjà ? marmonna-t-elle. Ce n'est pas croyable. On vient à peine d'arrêter de danser et je suis venue ici directement.

— « La rumeur vole plus vite que la lumière », ma belle. Cela ne te dit rien ? répliqua Bex. Deux invités se sont glissés dans la cuisine pour piquer des brownies de Billy, car le bruit a *aussi* couru qu'il y en avait, et ils ont dit quelque chose sur Spence et toi.

Melody s'abstint de demander quoi exactement. Elle n'avait pas envie de le savoir.

— Alors, tu es prête à m'aider ? insista-t-elle.

— Comme je t'ai dit : bien sûr.

A l'évidence, Spence était victime d'un coup monté et il ne savait pas s'il devait s'en amuser ou s'en irriter.

Tandis que Melody avait choisi de s'asseoir le plus loin possible de lui pour le dîner, Bex et Hadleigh s'étaient installées d'office à côté de lui et lui avaient cassé les oreilles pendant une heure avec leurs bavardages. A présent, la soirée battait son plein et tous les invités dansaient avec entrain. Mais l'orchestre commençait à montrer des signes de fatigue. Jugeant qu'il était temps de lancer le feu d'artifice, il partit à la recherche de Tripp.

— J'aurais juré que Bex et ta femme m'aimaient bien, mais je dois être idiot de m'être imaginé ça pendant toutes ces années, lança-t-il sur un ton léger, quand il finit par le trouver.

— Il t'arrive d'être idiot, c'est indéniable, Hogan, mais pourrais-tu préciser ta pensée ? demanda Tripp, qui, vu son humeur guillerette, devait passer un bon moment.

Spence enfourcha une chaise et croisa les bras sur le dossier.

— Les filles s'évertuent à m'empêcher d'approcher Melody à moins de trois mètres.

— Oui, j'ai remarqué. On aurait dit des chiens de cow-boy cherchant à isoler un veau du reste du troupeau. J'en conclus que tu as poussé le bouchon trop loin durant ta danse avec Melody tout à l'heure.

La comparaison était si incongrue que Spence ne put s'empêcher de rire.

— Veuillez noter, monsieur Galloway que l'on ne compare pas son épouse et sa meilleure amie à des chiens.

Penaud, Tripp se figea, sa bouteille de bière à hauteur de ses lèvres.

— En effet, c'était maladroit de ma part, avoua-t-il. Mais gare à toi si tu me dénonces, ou je te botterai les fesses. Ce que je voulais dire c'était, pour user d'une autre métaphore animalière, que l'on aurait dit des loups traquant un daim. Hum ! A la réflexion, cette comparaison ne paraît guère plus flatteuse. Bref, elles te tenaient à l'œil et agissaient en meute. Melody danse avec tous les hommes, sauf toi, et si j'étais joueur, je parierais qu'elle a demandé à ses amies de t'écarter.

— Pour la protéger de *moi* ?

— Je ferai l'impasse sur cette question, répondit Tripp en se frottant le menton. Bon, assez bavardé sur le sujet ! Hadleigh m'a parlé d'une randonnée à cheval organisée pour des gamines. Je ne peux pas abandonner mon ranch pendant trois jours, mais je peux déléguer Jim, pour que vous ne soyez pas en sous-effectif.

Bonne idée ! Jim Galloway, le beau-père de Tripp, récemment remarié, s'était installé en ville, mais il avait toujours été éleveur, et il connaissait le secteur comme sa poche. En plus, c'était un vrai grand-papa gâteau, armé d'une patience sans limite.

— Parle-lui-en, répondit Spence, qui aurait certainement continué à discuter du projet, si son portable n'avait pas vibré au fond de sa poche.

C'était le poste qui appelait. Il se rembrunit. Junie savait très bien qu'il était à la fête. Si elle le contactait, ce n'était pas sans raison valable.

— Que se passe-t-il ? lança-t-il.

— Tu ne vas pas le croire. Il y a eu un nouveau cambriolage. Bien que tu ne sois pas en service, j'ai pensé que tu voudrais être au courant.

Il observa les lampions et jura intérieurement.

— Vas-y. Explique-moi les faits.

— Un type qui sortait son chien a entendu un bris de glace, et il s'est rendu compte que ça provenait d'une maison voisine, dit Junie, après un bref moment d'hésitation. Curtis, c'est son nom, a un berger allemand, alors il a décidé d'aller voir. Le chien était si excité qu'il l'a traîné jusqu'au milieu du jardin. C'est là qu'il a constaté que la fenêtre de la cuisine était cassée. Il n'avait pas son portable, alors il a dû retourner chez lui pour nous appeler. Le temps de faire l'aller et retour, les types s'étaient envolés.

Il y eut un silence, puis elle ajouta :

— Tu vas sûrement reconnaître l'adresse.

Spence eut l'impression qu'une boule en plomb lui tombait dans l'estomac. Il avait déjà compris.

— Laisse-moi deviner. La maison de Melody ?

— En plein dans le mille, chef.

Rien d'étonnant. Le logement de Melody, petit et plein d'objets de valeur, était une cible idéale.

— Je vais le lui annoncer, dit-il. On arrive tout de suite.

— D'après ce qu'ont dit les gars, ces types n'ont pas ménagé sa maison. Mais ils n'ont rien détruit, à proprement parler. Ils l'ont simplement retournée de fond en comble.

— Les chats vont bien ?

Ce serait la première préoccupation de Melody. Il le savait, car, si sa propre maison avait été cambriolée, il aurait d'emblée paniqué pour Harley. Ce dernier aurait sûrement planté ses crocs dans les fesses du voleur, mais devant un homme armé, un chien n'avait aucune chance.

— Les gars n'ont pas mentionné de chats, répondit Junie.

— Téléphone-leur et dis à celui qui te répondra qu'il devrait y avoir trois chats dans la maison. Qu'ils bloquent immédiatement la fenêtre cassée, avec du carton ou n'importe quoi. Et qu'ils s'assurent que le dispositif tienne. Dis-leur également de ne toucher *à rien*. Il nous faut absolument des empreintes.

— Compris !

Il n'était pas question qu'il gâche la réception. Aussi, après avoir raccroché, il réfléchit au problème le plus calmement possible.

S'il annonçait la nouvelle à Melody, elle allait paniquer, car il ne pouvait lui assurer que ses chats étaient sains et saufs. Elle voudrait rentrer chez elle pour se mettre à leur recherche. Or il avait besoin d'elle sur place pour évaluer les dégâts et identifier les objets volés. Donc il fallait qu'il trouve le moyen de lui faire quitter la soirée sans que personne ne soupçonne la véritable raison de leur départ inopiné. Et comme elle l'évitait…

Sa décision prise, il se dirigea vers la piste, où Melody dansait avec grâce un quadrille. Il se planta devant elle, croisa son regard interloqué et, sans l'ombre d'une hésitation, la souleva et la jeta sur son épaule.

— Géniale la soirée ! lança-t-il en la maintenant fermement.

Une salve de rires éclata. Après tout, cette première danse n'était peut-être pas une erreur.

Melody laissa échapper un son inarticulé et tenta, sans succès, de lui décocher des coups de pied.

Il n'y avait pas à dire : en cas de coup bas, rien ne valait l'effet de surprise.

Posant sa main libre sur les fesses de Melody, il quitta la piste, siffla Harley et se dirigea vers son camion. Alors qu'ils traversaient l'aire de stationnement destinée aux invités, Melody lui martela énergiquement le bas du dos.

— Non mais ça ne va pas ! Tu es fou ? Enfin, Spence, qu'est-ce qui te prend ?

— Je travaille pour Tripp, répondit-il, laconique.

— Je n'ai absolument aucune envie de me marier avec toi !

— Ravi d'apprendre que l'idée t'a effleuré l'esprit. Tu veux bien te calmer ? J'ai mes raisons pour agir de la sorte. Je te les dirai en cours de route. Je ne voulais pas qu'une mauvaise nouvelle ruine les festivités.

Elle avait beau bouillir de rage, sa déclaration la doucha sérieusement.

— Quelle mauvaise nouvelle ? demanda-t-elle.

— Accorde-moi une minute.

Vu que c'était le plus docile, il fit monter son chien en premier, puis déposa Melody sur le siège passager. Au risque d'écoper d'un coup de poing, il prit la liberté de boucler sa ceinture, puis ordonna sèchement à Harley de rester à l'arrière et fit le tour de son véhicule pour se mettre au volant.

Si les étoiles du Wyoming brillaient, lui se sentait d'humeur sombre.

Bien ! Autant en finir tout de suite.

— Je viens de recevoir un appel de Junie, dit-il. Quelqu'un a pénétré chez toi en brisant la vitre de la cuisine. La maison a été cambriolée. Il faut que tu gardes ton calme et que tu te focalises sur tous les détails qui te reviennent. J'ai des gars sur place, mais je leur ai dit de ne rien toucher. Désolé pour cette sortie en fanfare. J'ai pensé que cela amuserait les gens si je t'évacuais de la piste de cette manière… un peu théâtrale, et qu'ainsi tous les efforts pour la réussite de cette soirée ne seraient pas gâchés. Aucun d'entre eux ne pouvait rien faire pour aider, alors, autant qu'ils rient un bon coup.

Melody restait sans voix, et jamais il n'avait vu cela. Du moins, pas souvent. Figée, elle regardait droit devant elle.

— On a cambriolé ma maison ?

— J'en ai peur.

Il s'ensuivit la panique attendue…

— Mes chats ! Ils ont horreur des étrangers. Accélère !

— Je n'enfreindrai pas la loi en allant plus vite que la vitesse autorisée. Nous allons respecter le code et rouler en toute sécurité. D'autant plus qu'il y a des chances pour que tes chats aient enfermé le voleur dans un placard.

— Peut-être bien, répliqua-t-elle en s'efforçant de rire, sans y parvenir. Je t'en prie, Spence, je suis inquiète pour eux, bredouilla-t-elle dans un murmure presque inaudible.

Il vit briller des larmes dans ses yeux. Cela suffit à le convaincre d'accélérer. Après tout, il répondait à un appel d'urgence.

Ils atteignirent rapidement la grand-route et arrivèrent en ville dans un délai raisonnable.

Une voiture de service était garée devant la maison de Melody, tous ses feux allumés, manifestation de force aussi voyante qu'inutile. Sauf qu'après un septième cambriolage, c'était peut-être une manière de prouver au public que la police était sur le coup.

Voyant que Melody s'apprêtait à bondir hors du véhicule, il la rattrapa par le bras.

— Rends-moi service, ne touche à rien. Une effraction

procure toujours un sentiment de viol, mais je préférerais que tu nous laisses faire notre boulot. Récupère tes chats. Ensuite, je t'emmènerai où tu voudras, d'accord ? Si tu notes des objets manquants, dis-le-nous, sinon, ne fais rien.

— Je ne suis pas débile, rétorqua-t-elle en descendant du camion. Seulement quand il s'agit de toi !

Puis elle s'élança en courant dans l'allée.

L'heure qui suivit fut plutôt pénible.

A son crédit, Melody ne piqua pas de crise d'hystérie en découvrant les tiroirs renversés, les coussins éventrés et son studio mis à sac. En revanche, elle pleura en silence la disparition de ses chats. De grosses larmes coulaient sur ses joues, au grand dam de Spence, obligé d'admettre qu'il ne pouvait le supporter.

Pendant que les adjoints présents photographiaient les lieux et relevaient les empreintes sur toutes les surfaces visibles, il l'aida à fouiller sous les lits, le canapé, et à explorer tous les coins et recoins de la maison. Bientôt, ils durent se rendre à l'évidence : les chats n'étaient pas dans la maison.

— Pendant que je continue les recherches dehors, restez avec Melody et prenez sa déposition, comme si c'était n'importe qui, ordonna-t-il à ses hommes, dont l'un était Moe et l'autre un vétéran du comté. Et gardez Harley avec vous. Il est plein de bonne volonté, mais il va m'encombrer.

— D'accord, acquiesça Moe.

Si Spence était habitué aux chiens, les chats restaient pour lui une énigme. Il s'efforça de penser comme un félin, mais abandonna aussitôt la partie, et se mit à sillonner la cour avec sa torche électrique en se demandant quelle cachette il choisirait, s'il était un petit animal apeuré.

Soudain, à l'extrémité la plus éloignée de la cour, sous un massif géant de lilas qui avait envahi tout le coin, il aperçut trois paires d'yeux fluorescents, parfaitement alignées, qui le fixaient sans ciller.

Submergé par une vague de soulagement, il ne put s'empêcher de sourire. Bien sûr, il aurait préféré sauver Melody d'un incendie ou d'une avalanche, mais elle lui serait bien plus reconnaissante d'avoir retrouvé ses chats.

A présent, le problème était de convaincre les trois énergumènes de réintégrer la maison. Et s'il arrivait à les amadouer, ce qui n'était pas gagné, comment transporter trois chats dans ses bras ? Il s'accroupit à proximité du trio pour réfléchir à la question.

Finalement, il fit ce que tout héroïque policier aurait fait. Il envoya un texto.

Les ai trouvés. Ai besoin de toi.

Melody déboula instantanément de la maison et se rua vers eux en courant. Il fut un peu surpris que les chats ne s'égaillent pas dans toutes les directions, mais ils devaient être habitués à la nature impétueuse de leur maîtresse, car ils ne bougèrent pas d'un poil quand celle-ci se laissa tomber à genoux à côté de lui.

— Merci mon Dieu ! murmura-t-elle en l'embrassant sur la joue.

C'était juste un petit bisou de gratitude, mais bon ! Un baiser était un baiser. Elle s'employa ensuite à persuader ses précieux colocataires de quitter leur cachette.

Mais ceux-ci restèrent sourds à toutes ses cajoleries.

Spence reçut l'ordre de retourner à la maison chercher un sac de friandises. Au retour, muni du petit sac bariolé, il passa devant l'un de ses adjoints et crut déceler une grimace ironique. Quant à Moe, il lança, hilare :

— On ferait n'importe quoi pour une jolie fille, n'est-ce pas, chef ?

D'un regard meurtrier, Spence lui fit ravaler son sourire.

Pas de doute, Melody en connaissait un rayon sur les chats, car les friandises eurent un effet magique.

Il suffit à Spence de secouer le sachet. Aussitôt, trois formes émergèrent prudemment du massif de lilas et le suivirent jusqu'à la maison en balançant la queue, comme s'il était le joueur de flûte de Hamelin.

Melody distribua les friandises. Après les avoir dévorées

avec délicatesse, le trio bondit sur le manteau de la cheminée, afin d'inspecter le chaos qui régnait dans le studio — non sans avoir, au passage, décoché un regard dédaigneux à Harley. Rassurée sur le sort de ses chats, Melody l'informa que toutes les pièces d'orfèvrerie sur lesquelles elle travaillait avaient disparu, ainsi que ses outils.

Elle semblait… dévastée.

Il fallait absolument qu'il arrange cela.

— J'ai un coffre-fort, malheureusement je ne l'utilise pas souvent, parce que après tout, on est à Mustang Creek, avoua-t-elle, les larmes aux yeux. Heureusement, j'y ai entreposé les pierres que Mme Arbuckle voulait que je monte sur son collier. En revanche, je venais d'acheter un somptueux diamant pour la bague de fiançailles qu'elle m'a commandée. Il était sur ma table de travail, afin que je puisse l'étudier tout en concevant le modèle. J'ai beau être assurée, cette pierre est absolument irremplaçable.

— Nous avons besoin d'un inventaire complet des pièces manquantes, accompagné de photographies. Les services fédéraux ont monté une unité spéciale qui recherche les objets volés sur Internet. Avec de la chance, tes bijoux feront partie du lot. S'ils disposent d'informations précises, ils pourront repérer chacun d'entre eux.

— Mon ordinateur s'est envolé aussi, dit-elle amèrement. Mais j'avais pris les bijoux en photo avec mon portable, avant d'enregistrer les fichiers. Heureusement, je l'avais avec moi ce soir.

— C'est une bonne nouvelle. Bien sûr, je ne me réjouis pas de ce qui est arrivé, cependant c'est peut-être l'élément dont nous avons besoin pour avancer. Si on dérobe un moulinet de bateau, tout le monde s'en fiche, mais un bijou de Melody Nolan, c'est une autre histoire.

Avec ce cambriolage, le montant des objets volés avait grimpé d'un coup, n'empêche que le mode opératoire était resté le même : la vitre cassée, la maison sens dessus dessous. Tous ces cambriolages étaient liés, il n'y avait aucun doute là-dessus.

— Ravie de pouvoir aider, répondit-elle d'un air sinistre.

— Les gars, je m'occupe du reste, dit-il en se tournant vers ses adjoints. Vous pouvez y aller.

Qu'il soit damné s'il ne vit pas un nouveau petit sourire ironique s'afficher sur leur visage. Manifestement, ce n'était un secret pour personne qu'il s'intéressait de près à Melody Nolan. Une fois que le bruit se serait répandu qu'il l'avait jetée sur son épaule pour partir de chez les Galloway, il allait en entendre de belles.

Qu'importe ! L'opération valait le coup.

Il jeta un coup d'œil au trio de félins.

— Je suggérerais bien que l'on aille chez moi, mais je doute que cette idée remporte l'approbation de toute la maisonnée, dit-il. Harley et moi allons donc dormir ici. Demain matin, j'appellerai Gary, à la quincaillerie, pour qu'il vienne changer la vitre.

— Comme c'est subtil ! répliqua Melody sur un ton chargé de sarcasme.

— Je dormirai sur le canapé. Tu as vraiment envie de rester seule, cette nuit ?

Là, Spence l'avait mouchée.

Dormir seule ici après ce qu'il venait de se passer ? Non merci ! Et d'ailleurs, la proposition de Spence ne semblait pas perturber le triumvirat. Ce, en dépit de la présence du chien, qui appartenait, à leurs yeux, à une espèce inférieure.

Elle devait reconnaître que Spence avait dit vrai. Le fait que des gens soient entrés chez elle, qu'ils aient pris tout ce qui leur plaisait et terrorisé ses chats bien-aimés, lui faisait l'effet d'un viol. Du même coup, ils avaient détruit tout sentiment de sécurité. En fait, c'était très généreux de sa part d'avoir proposé de rester. Une fois de plus, il avait raison, même si elle refusait de l'admettre. Avoir un homme et un chien à résidence lui permettrait peut-être de dormir. Et puis, les bons jours, il fallait déployer des trésors de persuasion pour convaincre les chats de monter dans une voiture, et c'était loin d'être un bon jour. Alors emmener tout son petit monde chez Spence… Et après ce qui s'était passé, il était hors de question de les laisser seuls à la maison.

Elle alla chercher un oreiller, le posa sur le canapé, puis, impuissante, examina le chaos qui régnait. Les livres étaient jetés par terre, les dessins éparpillés partout. Même sa collection de DVD.

— Je ne sais pas par où commencer, avoua-t-elle, accablée.

Spence vint se poster derrière elle, posa les mains sur ses épaules et se mit à doucement la masser.

— A part la vitre cassée, le seul endroit auquel ces salauds n'ont pas touché, c'est la cuisine, dit-il. Une tasse de thé te ferait du bien. Demain matin, on respirera un grand coup et on commencera à ranger.

Oh… Cet homme avait des mains en or, songea-t-elle, se détendant à mesure qu'il dénouait ses muscles crispés.

— Ce n'est pas un mauvais plan, répondit-elle.

— Crois-le ou pas, mais il m'arrive d'avoir de bonnes idées.

Elle se retourna et parvint à sourire.

— Je n'ai jamais mis en doute ton intelligence ou ton intégrité, Spence, seulement tes motivations. Mais ce soir, je suis trop bouleversée pour en discuter.

Il sembla la comprendre et lui caressa furtivement la joue.

— Je suis sincèrement désolé pour ce désastre, ma belle.

Alors que l'on pouvait difficilement le tenir pour responsable, elle eut l'impression qu'il se sentait coupable.

— Je crois que je me passerai de thé, dit-elle. Je vais me coucher.

Harley, visiblement intéressé par son projet, la suivit dans sa chambre, sauta sur le lit et, comme si c'était depuis toujours sa place réservée, s'installa au bout. Après avoir tapoté avec sa queue l'épais dessus-de-lit que Hadleigh avait confectionné pour elle, il posa la tête sur ses pattes de devant et ferma les paupières.

— Comme chien de garde, tu te poses là ! lança-t-elle, avec un rire étouffé, en ôtant ses chaussures.

Le chien agita de nouveau la queue, mais garda les yeux clos. Le message était clair. Il était parti pour la nuit.

Elle se rendit à la salle de bains, qu'heureusement les voleurs n'avaient pas vandalisée, et enfila un short et un T-shirt usé.

Une tenue des plus sexy.

Elle retourna pieds nus dans son atelier-salon. Spence, qui avait ôté ses bottes, était déjà étendu sur le canapé, les bras croisés sous la tête.

— Viens dormir avec moi dans le lit, lui proposa-t-elle. Je ne suis pas d'humeur à faire des galipettes, j'ai simplement envie de dormir, mais… je serais plus rassurée si tu étais là.

— Tu es sûre ?

Il semblait si grand, si solide, si sécurisant. Alors, vu la tournure des événements, elle en était plus que certaine.

— Oui. D'ailleurs ton chien est déjà installé sur mon lit. Plus on est de fous plus on rit, non ?

— Je vais refaire le tour de la maison pour m'assurer qu'il n'y a pas de danger, dit-il en se levant.

— Merci.

Elle se glissa dans son lit, consciente d'être encore à cran.

Sa ronde terminée, Spence la rejoignit et se déshabilla tranquillement, ne gardant que son boxer-short. Dès qu'il se coucha, elle se colla à lui et, rassurée par la chaleur de son corps et le doux ronflement de Harley, finit par se relaxer.

— Je suis là, murmura-t-il en nouant son bras autour de sa taille.

Si elle n'avait été si secouée et vulnérable, elle n'aurait peut-être pas chuchoté :

— Je ne veux pas retomber amoureuse de toi.

— Si c'est le cas, cela se passera bien, je te le promets, affirma-t-il en resserrant légèrement son étreinte, comme pour appuyer sa promesse.

Alors qu'elle sombrait dans un sommeil de plomb, elle crut entendre :

— Quel qu'en soit le prix.

13

Le jour suivant donna l'impression qu'un tsunami avait ravagé les côtes du Wyoming, et ce, même si l'Etat ne bordait pas la mer.

Moe n'avait pas plaisanté à propos des parents irrités et de leurs doléances sur l'organisation de la randonnée. La boîte mail de Spence était saturée de plaintes.

Et ce n'était pas le moment, car le dernier cambriolage l'avait mis dans une rage folle. Cambrioler Melody, c'était l'attaquer, lui. Cependant, il fallait reconnaître que trouver, à son réveil, Melody blottie contre lui, son joli petit derrière pressé sur son entrejambe, avait été un véritable délice — malgré tout l'inconfort de cette situation.

Impossible de juguler cette érection qui l'avait tenu éveillé la moitié de la nuit, aussi la frustration physique n'améliorait-elle pas son humeur. A la lumière du jour, les dommages causés à la maison paraissaient encore pires, même si, à part la fenêtre, rien n'était cassé. Il avait fait de son mieux pour aider Melody à ranger, avant d'aller travailler. Surveillée de près par le trio de chats, elle l'avait remercié très gentiment en piquant un chaste baiser sur sa joue. Mais il était parti avec l'impression d'être un déserteur, car le chaos régnait encore dans la maison.

Après avoir déposé Harley chez lui, pris une douche express et enfilé des vêtements propres, il s'était démené pour que la fenêtre soit réparée au plus vite.

A la suite de quoi, sa matinée était allée de mal en pis.

Il s'était produit un carambolage dans la rue principale, et le maire était impliqué.

On ne sait comment, un lot de bétail en route pour la vente avait réussi à défoncer la porte du camion qui le transportait... et les vaches étaient allées se promener en ville, causant l'accident. Il fallait donc d'urgence récupérer le troupeau. Heureusement, Spence savait comment regrouper des vaches, même sans l'aide d'un cheval, et les cow-boys ne manquaient pas dans le coin pour donner un coup de main. Grâce à l'aide des citoyens de bonne volonté qui étaient intervenus, le bétail finit par réintégrer son camion, mais l'opération prit un bon moment. Toutefois, une vache rebelle ayant découvert les joies du massif d'hortensias d'un jardin voisin refusait obstinément de bouger. Au grand amusement des badauds, Spence dut l'attraper au lasso pour l'éloigner du buffet végétal. Les propriétaires du jardin étant absents, il dut laisser un mot pour leur expliquer l'incident. Ces gens n'allaient pas être contents quand ils découvriraient les ravages occasionnés à leurs plates-bandes.

Ensuite, une bagarre avait éclaté entre deux élèves du lycée, au cours d'un entraînement de football. Le vieil entraîneur — le même que celui qu'il avait eu à l'époque où il jouait — étant dépassé, un des parents assistant à l'entraînement avait appelé la police. Quand ils étaient arrivés sur les lieux, l'algarade était terminée et les belligérants s'étaient déjà réconciliés. Puisqu'il n'y avait pas eu de blessé, Spence avait discuté avec le proviseur pour le dissuader de suspendre les élèves en cause.

Vivement que cette journée se termine ! Grâce au ciel, tous ces incidents n'avaient rien à voir avec des meurtres ou des émeutes, mais, additionnés, ils provoquaient de terribles migraines.

Dès qu'il eut fini son travail, il rentra directement chez lui retrouver son chien et son cheval. Il avait grand besoin de décompresser, et pour cela rien de mieux qu'une longue balade.

Il sella Reb, lui fit traverser la vaste prairie jusqu'à la rivière, puis le fit galoper le long de la berge en le laissant aller à sa guise. Le cheval comprenant qu'il pouvait courir aussi vite qu'il le voulait, bientôt ils filaient à fond de train, rênes lâchées. Spence le laissa faire, heureux de sentir le vent siffler à ses oreilles, puis le fit ralentir.

— Tout beau, partenaire ! Tu avais bien besoin de te défouler, on dirait, et moi aussi, mais tâchons de nous calmer un peu et rentrons.

Après cela… il aurait bien voulu repasser la nuit avec Melody, mais cette fois, pas en jouant au gentleman.

Tandis qu'il faisait patauger Reb dans le ruisseau, dont le fond recouvert de galets reflétait la lumière mourante, il se mit à réfléchir aux vols. Melody jurait qu'elle n'avait parlé à personne de ce diamant. Cela orientait automatiquement les soupçons vers la boutique où elle l'avait acheté une somme rondelette. Pourtant, il savait que l'antiquaire était un homme honnête et digne de confiance. Cette piste semblait donc peu prometteuse. En fait, le vol pouvait tout aussi bien être le fruit du hasard : les malfaiteurs étaient entrés, avaient trouvé le diamant sur la table à dessin et s'en étaient emparés.

— Ce monde est incertain, plein de gens imparfaits susceptibles de mal se conduire, dit-il tout haut à l'intention de Reb. Et c'est moi qui suis censé les conserver dans le droit chemin. Si tu étais moi, sous quel angle examinerais-tu ce cas ?

En réponse, Reb baissa la tête et but bruyamment l'eau du ruisseau avec un enthousiasme chevalin.

— Merci ! s'exclama Spence en riant. On peut dire que tu m'aides beaucoup.

Mais alors qu'il patientait sur sa selle — l'endroit où il réfléchissait le mieux —, il décréta qu'être obligé de s'arrêter cinq minutes, le temps que Reb boive tout son soûl n'avait pas été inutile. En fait, les chevaux, comme les gens, allaient là où ils savaient trouver ce qu'ils cherchaient. Plus il y pensait, plus il avait la certitude que la maison de Melody n'avait pas été choisie au hasard.

Se diriger du point A au point B était la méthode de travail habituelle des policiers, mais l'instinct pouvait également vous guider dans la bonne direction. Ayant fini de s'abreuver, Reb secoua la tête. Distraitement, Spence reprit les rênes, tandis que son cheval pataugeait en serpentant à travers le cours d'eau pour rejoindre le talus.

Les voleurs planifiaient parfaitement leurs coups. Chaque fois, les maisons étaient désertes et, malgré l'énorme capharnaüm chez Melody, aucune dégradation sérieuse n'était à déplorer.

Pas de doute, il s'agissait de la même bande.

A son retour chez lui, il trouva Tripp assis sous la véranda en compagnie de Ridley et Harley. Les bottes posées sur la rambarde, son ami tenait une bouteille de bière à la main. Il attendit qu'il saute à terre pour lancer, moqueur :

— Mon vieux, tu nous as fait une belle sortie, hier soir. Et maintenant, je sais pourquoi, parce que j'ai entendu parler du cambriolage. Quand je t'aurai remercié de ne pas avoir gâché la soirée en faisant fuir à toutes jambes mes invités, tu voudras bien me raconter ? Mais d'abord, comment va Melody ?

Quoi qu'il arrive, un bon cavalier ne laissait jamais un cheval patienter la robe humide.

— Bien trop jolie pour ma tranquillité d'esprit, répondit-il. Mais accorde-moi une minute. Je vais bouchonner Reb et je reviens. J'espère que tu as apporté des provisions, parce que je boirais bien une bière.

— Va t'occuper de Reb. Hadleigh tient compagnie à Mel, alors je suis libre comme l'air. Je garde les chiens avec moi.

Les deux paresseux semblaient bien plus séduits par l'idée de ronfler côte à côte que par la perspective de visiter l'écurie.

Spence rentra son cheval et le brossa énergiquement. Ensuite, pour se faire pardonner de ne pas l'avoir fait courir la veille, il lui offrit une ration d'avoine en complément de son foin et lui ouvrit la barrière de la pâture. A son retour sous la véranda, Tripp lui tendit une bouteille prise dans la glacière qu'il avait apportée.

— Je croyais avoir la plus belle vue de notre grand Etat, mais je dois reconnaître que la tienne vaut le détour. Bien sûr, ce n'est pas la première fois que je pose mon derrière sur cette chaise. C'est que, ce soir, la nuit est particulièrement magnifique. Alors, qu'est-ce qui s'est passé, pour Melody ?

Spence ôta son chapeau et but une longue gorgée de bière, avant de se laisser tomber dans un fauteuil.

— Quelqu'un s'est introduit dans sa maison, l'a retournée de fond en comble, a volé ses bijoux, effrayé ses chats, ce qui est un exploit, car moi, ils me terrorisent, avant de repartir sans être vu par âme qui vive.

— Tu as des soupçons ?

Non, et pourtant, ce n'était pas faute d'avoir pensé à l'incident durant toute la journée — et une bonne partie de la nuit, car il avait à peine dormi.

— C'est justement la question que j'ai posée à Reb, répliqua-t-il en riant. Même si je manque d'indices, je crois que l'on a affaire à une bande organisée. Ces types ne sont pas des amateurs. J'en suis sûr. Ils pénètrent dans ces maisons, avec un but précis, parce qu'ils savent ce qui s'y trouve. Tu aurais une idée ?

— Ravi que mon opinion importe autant que celle de Reb.

— Il se trouve qu'il était le seul que j'avais sous la main. Parfois c'est utile de penser à haute voix. Mais pour l'instant, je ne suis arrivé à aucune conclusion satisfaisante.

— J'étais furieux pour Mel, quand j'ai appris l'effraction. Et je ne te parle pas des sentiments de Hadleigh. Quand on touche à ses copines, elle bondit, toutes griffes dehors. Si j'étais le voleur, je surveillerais mes arrières, parce qu'il risque de passer un mauvais quart d'heure, quand elle découvrira son identité.

Spence porta la bouteille à sa bouche, sirota une gorgée de bière en contemplant les montagnes et reprit :

— Je suis d'accord avec Moe. C'est une bande locale. Ces types sont manifestement au courant des allées et venues de ceux qu'ils prennent pour cible. Et je t'avoue que l'idée que l'on puisse surveiller les faits et gestes de Melody me fiche une trouille bleue.

— Demande-lui de s'installer chez toi.

Il se tourna lentement, fixa Tripp dans les yeux et soupira profondément.

— Ce n'est pas vraiment la réponse que j'attendais. Mais à vrai dire, je n'ai pas encore trouvé le bon moment ni la manière de le faire.

— Ha ! C'est ce que je pensais, je crois que j'ai gagné mon pari avec ma femme ! s'exclama Tripp, ravi.

— Je déteste que l'on parie sur ma vie sentimentale, grommela Spence.

— Là, je suis sérieux. Après le cambriolage de sa maison, tu crois que Melody est en sécurité ?

— Je ferai tout pour. Cette histoire me met d'autant plus en colère que je me décarcasse pour maintenir la paix dans cette ville et que, en général, Mustang Creek est un endroit agréable à vivre.

— Indéniablement, c'est un coin tranquille, où on se sent en sécurité, confirma Tripp. Sauf quand des inconnus forcent votre porte pour voler vos objets de valeur. Et si Mel avait débarqué en plein cambriolage ? C'est une femme et elle vit seule. Il aurait pu arriver n'importe quoi.

Spence aurait préféré que son ami ne soulève pas ce lièvre. Et pourtant, il avait raison.

— Puisque tu te crois si malin, je te repose la question : où chercherais-tu, alors que nous n'avons aucun témoin et que les auteurs des crimes semblent bien connaître les victimes et leurs habitudes ?

Sourcils froncés, Tripp réfléchit intensément, avant de répondre :

— Je ne suis pas policier, mais je suis d'accord avec toi, ce sont certainement des gens du coin. C'est l'hypothèse la plus plausible. Tout le monde savait que l'on donnait une fête. Hadleigh et Mel sont très proches. Notre voleur, ou nos voleurs savaient qu'elle serait au ranch.

— Jusqu'à présent, tu obtiens un C à ton examen d'inspecteur.

— Hé ! Essaie donc de piloter un avion et on en reparlera !

riposta Tripp. Je me contente de penser tout haut, comme tu me l'as demandé.

— L'avion, très peu pour moi, répliqua Spence en fixant sans la voir l'étiquette de sa bouteille. Je préfère garder mes pieds sur le plancher des vaches. Je n'ai pas encore réussi à relier les crimes entre eux, et c'est particulièrement frustrant. Je sais qu'ils sont connectés, sans arriver à poser le doigt sur le point commun. Je le trouverai, mais en attendant…

— Peut-être que tu devrais en parler à Jim.

— Ton père ? Pourquoi ?

— Il est à la retraite, il vit en ville et connaît absolument tout le monde. Il aura peut-être une ou deux idées à te suggérer. Jim est un taiseux. Il ne parle jamais à la légère, mais chacun de ses mots vaut de l'or. Et puis c'est un malin, qui voit clair dans les gens. Quand j'étais gosse, quels que soient mes efforts pour le lui cacher, il savait toujours quand j'avais dépassé la ligne. Tu en profiteras pour lui demander s'il a envie de cornaquer une troupe d'adolescentes gloussantes en randonnée. Je n'ai pas encore eu l'occasion de lui en parler.

La suggestion n'était pas mauvaise.

— Oui, je pourrais faire ça, murmura Spence en hochant la tête.

— Tu sais aussi ce que tu pourrais faire ?

— Je me demande pourquoi je prendrais la peine de demander, puisque tu me le diras de toute façon. Mais à quoi bon chercher à repousser l'inévitable ? Qu'est-ce que je devrais faire ?

— Acheter un cheval à Melody. Pour moi, ça a marché du feu de Dieu. Avec Hadleigh, quand il faisait ce temps-là, on se baladait tous les soirs pour se détendre et bavarder, tout en profitant de notre magnifique paysage. Tu pourrais garder le cheval chez toi. Tu as plein d'espace et Reb apprécierait probablement d'avoir un compagnon. En guise de cadeau de mariage, ce serait pas mal.

Même si Spence refusait de l'admettre, car Tripp aurait jubilé, c'était une excellente idée.

— D'accord, merci, dit-il après avoir fini sa bouteille d'un trait. Je vais me mettre à chercher.

— Inutile. Je crois que je peux te dépanner.

Hadleigh prépara une tasse de thé pour Melody. Comme elle le lui avait expliqué dans le passé, sa grand-mère lui avait appris à servir le thé « selon les règles », c'est-à-dire dans une tasse et une soucoupe en porcelaine.

Reconnaissante, Melody prit la tasse à deux mains et en avala une gorgée.

— Merci de m'avoir aidée à ranger.

— Tu veux rire ? C'est naturel ! s'exclama son amie en s'affalant à côté d'elle sur le canapé. Maintenant que chaque chose a repris sa place, la maison a retrouvé un air presque normal. N'empêche que j'ai du mal à imaginer ce que tu ressens.

— Je suis folle de rage, répliqua-t-elle sans hésiter. Spence m'avait prévenue que je me sentirais violée, et c'est bien le cas, mais c'est la colère qui domine. En plus du diamant et du collier sur lequel je travaillais, ils m'ont volé tous mes outils. Je ne peux plus rien faire. Et tout ce chambardement ! C'est odieux de leur part ! Ces types ont éparpillé mes CD dans la pièce, sans en voler aucun. Ils ne doivent pas apprécier mes goûts musicaux.

— Je suis désolée, dit Hadleigh en lui pressant tendrement l'épaule. Et je ne peux m'empêcher de me sentir responsable. Si tu n'étais pas venue au ranch…

— Ne m'oblige pas à renverser ce thé sur ta tête. *Toi*, responsable ? Allons donc ! Si je n'avais pas été chez toi, j'aurais pu être ici, et cela aurait été bien pire. C'était déjà assez pénible de débarquer après la bataille.

— Au moins, Spence était avec toi, reprit Hadleigh en affectant de ne pas y toucher. On raconte qu'il est resté ici toute la nuit. Les gens jasent, tu sais. D'autant plus que ce matin, son pick-up était toujours garé dans ton allée…

Melody soupira. Le cambriolage était une chose. Spence,

une autre. Et les deux l'angoissaient. Elle jeta un coup d'œil vers ses chats. Ils n'avaient pas bougé du manteau de la cheminée de toute la journée, sauf pour aller manger et arroser leur litière. A l'évidence, ils étaient aussi perturbés qu'elle par le cambriolage. Melody leur transmit un silencieux message d'excuse. Bien sûr, elle n'était pas plus responsable que Hadleigh du cambriolage, mais, étant leur gardienne humaine, en un sens, la faute retombait sur elle…

Les félins reçurent le message et clignèrent des paupières à l'unisson. Etait-ce une façon de lui signifier leur pardon ? Elle choisit de le croire.

— Je vois que tu tiens à parler de ça, marmonna-t-elle, résignée. De la présence de Spence, cette nuit. Faut-il que je mette une annonce dans le journal pour proclamer qu'il ne s'est rien passé ? J'étais fatiguée, bouleversée et ma fenêtre de cuisine était cassée. Spence s'est montré très gentil.

— Normal, il est amoureux de toi.

Entendre quelqu'un, en particulier une des personnes les plus proches d'elle, énoncer crûment ce fait la tétanisa.

— Oui, comme il était censé être amoureux de moi la première fois, répliqua-t-elle sèchement.

— Bon sang, ce que tu peux être entêtée ! lança Hadleigh en posant sa tasse si fort qu'elle cliqueta contre sa soucoupe. Spence était *vraiment* amoureux de toi autrefois et il l'est toujours aujourd'hui. Le monde entier peut le voir, alors pourquoi pas toi ? Qu'est-ce qui te rend si aveugle ?

— Il aime *coucher* avec moi, riposta-t-elle, et bien que la formule soit assez triviale, elle ne corrigea pas. Tout le reste est suspendu en l'air.

— Y compris un endroit précis de son anatomie ? s'exclama Hadleigh en riant. Eh bien, c'est exactement mon propos !

Melody ne put s'empêcher d'éclater de rire.

— Tu es affreuse ! répliqua-t-elle, heureuse toutefois de se sentir plus légère.

— Je sais. Tripp serait le premier à être d'accord avec toi.

Une fois qu'elles eurent recouvré leur sérieux, Melody posa ses pieds sur la table basse. « A circonstances exceptionnelles, transgressions exceptionnelles », songea-t-elle en notant la surprise de ses chats. Interdiction de poser une patte sur la table basse, c'était la règle à la maison.

— J'essaie encore de démêler mes sentiments, dit-elle.

— Oh oui ! Je me souviens de ce processus torturant d'introspection.

— Spence n'est pas du tout facile à comprendre. A moins, peut-être, de prendre le Prince Charmant et de le combiner avec Billy the Kid.

— Je ne te contredirai pas sur ce point, répondit Hadleigh, amusée. Au moins, cette fois, c'est toi qui as été trimballée comme un sac de grains.

— En effet, et tu te souviens de l'effet que ça fait, rétorqua-t-elle.

— Comment aurais-je pu l'oublier ? L'intervention de Tripp a été la meilleure chose qui me soit jamais arrivée. Si on exclut le jour où je l'ai épousé. Tu devrais garder ça à l'esprit.

Le problème, c'est qu'elle n'avait pas souvenance que Spence l'ait demandée en mariage.

— S'il est sérieux, je crois que l'on pourrait apprendre à mieux nous connaître, reconnut-elle.

A voir le regard effaré de Hadleigh, on aurait pu croire qu'elle venait de se jeter d'une falaise la tête la première.

— Enfin, tu connais Spence depuis que tu as six ans, s'indigna Hadleigh. Vérifie le calendrier, ma fille, et tu constateras que cela ne date pas d'hier.

— Merci, répliqua-t-elle sèchement. J'ai regardé la météo. Je sais que le statut de vieille fille, pardonne-moi pour cette expression désuète, plane sur mon horizon comme un gros nuage menaçant. Mais quand je dis que l'été d'il y a neuf ans s'est mal terminé, je pèse mes mots. Tu te souviens de notre pacte ? Je suis décidée à me marier une seule et unique fois. Or, à l'époque, je me suis totalement trompée sur son niveau d'engagement et il n'est pas question de répéter la même erreur. Comme dit le dicton : « Trompe-moi une fois, honte à toi. Trompe-moi deux fois, honte à moi. »

Hadleigh réfléchit à la question, avant de hocher la tête.

— Oui, je comprends ton point de vue, murmura-t-elle. Alors, quel est ton plan ?

Le problème c'est qu'elle n'en avait aucun. Et que Spence était un genre d'électron libre.

— J'ai décidé que s'il m'invitait à dîner, j'accepterais, répondit-elle finalement. Qu'est-ce que tu en dis ? Ça me paraît un bon début. Je crois qu'il faudrait dissocier désir sexuel et amitié pour accéder à une meilleure compréhension réciproque. Tu es d'accord ?

Elle se passa les doigts dans les cheveux et ferma brièvement les yeux, avant de reprendre :

— Je ne veux pas être la fille qui utilise le sexe comme moyen de pression pour obtenir ce qu'elle veut. Bien sûr, c'est flatteur que Spence soit autant attiré physiquement, mais cela ne me suffit pas. Il n'a jamais dit ce qu'il ressentait à propos du mariage. En fait, il n'a jamais dit ce qu'il *ressentait* du tout !

— Il n'a pas vécu une enfance des plus faciles, fit remarquer Hadleigh en repliant ses jambes sous elle.

— Je sais. Mais toi non plus. Ni moi. Je me souviens encore du jour où j'ai appris que mon père était malade.

— Oui, mais lui ne t'a jamais rejetée. Il a lutté contre le cancer pour demeurer le plus longtemps possible avec toi. Et puis nous sommes des femmes. Nous avons tendance à analyser nos problèmes et à en discuter entre nous. Alors que la majorité des hommes se contentent tout bonnement de les ignorer.

On n'avait jamais parlé plus vrai. Pourtant, elle ne put se retenir d'argumenter :

— Je ne peux pas vivre une relation uniquement basée sur l'attirance physique.

— Peut-être que tu devrais le lui dire.

Incapable de rester en place, elle sauta sur ses pieds.

— Et lui forcer la main d'une manière ou d'une autre ? Je sais que Spence tient à moi. C'est peut-être une notion stupidement sentimentale, mais j'ai besoin de savoir qu'il m'aime *vraiment*. Si, demain, il me demandait de l'épouser sans que je sois convaincue à cent pour cent de son amour, je refuserais.

— Alors, dîne avec lui, bon sang de bonsoir ! Fais *quelque chose* ! Attends, j'y pense ! La randonnée ! Ce serait l'occasion idéale.

— Quelle randonnée ?

— Spence veut que nous soyons les chaperons d'une bande d'adolescentes durant une randonnée à cheval. L'occasion rêvée de passer du bon temps ensemble, trois jours pour être précise, sans même être obligées de partager un sac de couchage. De toute façon, je comptais vous demander, à Bex et toi, de m'accompagner.

Trois jours sur un cheval ? Elle n'était pas vraiment une néophyte, mais…

— Cela fait une éternité que je ne suis pas montée, avoua-t-elle.

— Je doute que toutes ces filles soient des cavalières émérites, rétorqua Hadleigh. Et quand il m'a demandé d'y participer, Spence a promis un rythme pépère, l'important étant de respirer le grand air en profitant du paysage. Notre seule tâche sera de faire la popote sur un feu de camp, car il a juré que ce seraient les hommes qui se chargeraient de nettoyer le terrain, monter les tentes, seller les chevaux et tout le toutim. Tripp ne peut pas venir, mais il va demander à Jim de participer.

Ma foi. C'était d'autant plus tentant qu'elle adorait Jim Galloway. Même si elle doutait que Spence et elle aient l'occasion de partager beaucoup de *bon temps* dans la nature, la proposition était alléchante.

— Se coltiner une femme fourbue et pleine de courbatures devrait permettre de tester sa dévotion, dit-elle, ne plaisantant qu'à demi. Et puis, tant que je n'ai pas remplacé mes outils, je ne peux pas travailler. Cela t'ennuie, si demain je viens chez toi monter Sunset pour m'entraîner un peu ?

— Bravo, ma belle ! s'exclama Hadleigh, ravie. Bien parlé !

14

Spence sortit la feuille de papier du tiroir de son bureau et la lissa avec soin. Il se sentait émotionnellement en conflit avec lui-même, ce qui était inhabituel. Il avait toujours été tourné vers l'action, c'est pourquoi son métier lui convenait si bien. S'il devait prendre une décision, il la prenait, sans se soucier des conséquences. Advienne que pourra ! Il réagirait en fonction, le moment venu.

Le portrait que Melody avait fait de lui était intéressant, songea-t-il en l'étudiant attentivement. Etait-ce une représentation fidèle ou une image subjective inspirée par l'émotion ?

Il ne pensait pas avoir l'air si renfermé, mais peut-être était-ce la perception que Melody avait de lui.

Sur le croquis, il était à cheval, et elle avait également très bien réussi Reb. Si l'on devinait un paysage montagneux en arrière-plan, le sujet principal c'était lui, dans sa tenue habituelle, fixant le lointain, le visage dans l'ombre de son Stetson et sans la moindre esquisse de sourire.

Non seulement il était gêné d'être la vedette du spectacle, mais il se sentait coupable de posséder ce dessin.

Car, pour tout dire, il l'avait volé.

Oui, lui, Spence Hogan, chef de la police, avait subtilisé ce dessin. Au cours du cambriolage, les voleurs avaient saccagé l'atelier et déchiré le carnet de croquis de Melody. Il était tombé par hasard sur le papier chiffonné dans un coin de la pièce. Dès qu'il s'était aperçu que c'était un portrait de lui, il avait fourré la boule de papier dans sa poche sans en parler à personne.

Il devrait probablement le lui rendre, sauf que cela serait embarrassant pour tous les deux. Elle saurait qu'il l'avait dérobé et qu'il savait qu'elle l'avait dessiné.

Quand avait-elle exécuté ce croquis ? Certainement récemment, vu que c'était le carnet qu'elle utilisait en ce moment.

— Toc, toc. Eh bien, fils, tu sembles à des millions de kilomètres.

La voix familière et amicale du père de Tripp le fit émerger de sa contemplation.

Jim Galloway, planté sur le seuil, le regardait en souriant. Bien qu'à présent il habite en ville, il portait sa tenue habituelle de rancher et avait simplement échangé son vieux chapeau cabossé contre un Stetson flambant neuf — sûrement sur l'insistance de sa femme.

Spence se leva pour l'accueillir.

— Je constate que vous avez trouvé mon message, mais j'aurais pu passer chez vous, dit-il.

— Comme j'étais de sortie, je suis venu voir si tu étais là, afin de t'éviter le dérangement. Nous, les retraités, avons pas mal de temps libre, même si je dois dire que la patronne me tient toujours occupé. Et puis j'avoue que j'étais curieux. Alors, que puis-je faire pour toi ?

— Asseyez-vous, lui proposa Spence en désignant la chaise en face de son bureau. J'ai deux faveurs à vous demander. Mais avant, Junie a préparé un excellent café, vous en voulez ?

— Les vieux cow-boys se nourrissent de café. Noir, sans sucre.

Spence se rendit dans la salle de repos exiguë et revint avec une tasse.

— Voilà. Je voudrais que vous réfléchissiez aux récents cambriolages, dit-il. C'est une suggestion de Tripp. Il vous tient en grande estime, soit dit en passant.

— C'est réciproque. Mais revenons au sujet. A cause de ces vols, j'ai pris la décision de verrouiller les portes, et ça me hérisse. J'ai même ordonné à Pauline de s'enfermer à double tour, quand elle est seule à la maison. Alors je me réjouis de pouvoir aider, dans la mesure de mes moyens.

Spence saisit une feuille imprimée sur son bureau et la lui tendit.

— Voici la liste des victimes. Il est possible qu'elles aient été choisies au hasard, mais j'en doute fort. Il existe des similitudes, et mon instinct me dit que les effractions ont été planifiées. Puisque vous connaissez tout le monde dans le coin, vous pourriez y jeter un coup d'œil et, après réflexion, me dire si vous voyez des liens entre ces sept personnes.

Jim prit une paire de lunettes dans sa poche poitrine et dit avec une petite grimace :

— Je ne peux plus lire sans ces satanées lunettes. Si tu veux connaître le fond de ma pensée, c'est mieux de vieillir que de mourir jeune, n'empêche que ça comporte quelques inconvénients.

Spence pensa à l'enveloppe, toujours intacte, cachée dans le tiroir de son bureau. Jusqu'à l'arrivée de cette carte, il ignorait si sa mère était encore vivante. Elle devait à présent approcher de la soixantaine, ce qui n'était pas vieux mais pas jeune non plus. D'autant plus qu'au jeu de la vie, certains se voyaient attribuer de mauvaises cartes.

Plus jeune, il s'était souvent demandé ce qu'elle était devenue, si elle s'était remariée et s'il avait des demi-frères ou sœurs dans la nature. Mais une fois arrivé à l'âge adulte, il avait tourné la page. On pouvait changer beaucoup de choses dans sa vie, mais pas le passé. Du jour où il s'était fait une raison, il avait cessé de penser à sa mère. Or, voilà que cette carte était arrivée…

Jim parcourut rapidement la liste.

— Faudrait que j'y réfléchisse à tête reposée, finit-il par dire. Qu'est-ce que la douce petite Melody Nolan peut avoir en commun avec ce dragon de Lily Rayburn ? Cette insupportable grenouille de bénitier a pu s'attirer l'inimitié d'un grand nombre de gens, mais pas Melody.

Spence sourit. Il doutait fort que Melody soit ravie de se

voir qualifier de « douce petite chose ». Et que Mme Rayburn apprécie son portrait.

— Parmi un assortiment d'objets, comprenant entre autres un lecteur DVD, une télévision et quelques robots ménagers, ils ont volé chez Mme Rayburn une précieuse collection de théières, dont une partie avait été achetée en Angleterre, précisa-t-il. Ça me paraît bizarre. Un voleur lambda ne saurait quoi faire d'un tel butin. Tout le reste, il peut le revendre facilement, mais des *théières* ? Comment transporter ces objets sans les briser ou les ébrécher et risquer de ruiner leur valeur ? A moins d'avoir prémédité le vol et d'avoir déjà les acheteurs.

Jim leva sa tasse en reniflant avec mépris.

— Des théières ! Moi, je ne bois que du café. N'empêche que je comprends où tu veux en venir.

Un autre élément chiffonnait Spence. Et pas qu'un peu.

— Pendant que vous méditerez sur l'affaire, Jim, gardez à l'esprit qu'au cours des six premiers cambriolages, la bande est entrée, a retourné la maison et s'est servie, avant de filer. Or, dans le cas de Melody, ils se sont acharnés sur son studio, qu'ils ont totalement ravagé.

Se remémorant le chaos, il croisa les bras et se pencha sur le bureau pour confier :

— Soit ils gagnent en audace, soit c'était une vengeance personnelle.

Le visage buriné de Jim semblait songeur.

— Peut-être que la petite devrait habiter chez toi, le temps que tu découvres ces salauds, fils.

Jim connaissait son histoire avec Melody. Son conseil, tout avisé qu'il soit, ne faisait que refléter l'opinion de Tripp.

— Je ne veux pas mettre la charrue avant les bœufs, si vous voyez ce que je veux dire, répondit-il sur un ton neutre. Mais vous avez peut-être raison.

— Pour moi, il y a belle lurette que le loup est sorti du bois, répliqua-t-il. Parce que si je suis vieux jeu, je vis depuis trop longtemps sur cette bonne vieille Terre pour être resté naïf. Ta deuxième faveur, c'est quoi ?

Au grand étonnement de Spence, qui s'attendait à avoir du mal à le convaincre de participer à l'excursion, Jim se montra d'emblée vivement intéressé.

— Si ça ne t'ennuie pas, je proposerais bien à Pauline de nous accompagner, suggéra-t-il. Je ne crois pas qu'elle ait pratiqué ce genre d'activité.

— Ce serait parfait, répliqua Spence, ravi qu'une femme plus âgée vienne renforcer la bande de chaperons. Est-ce qu'elle est déjà montée sur un cheval ? demanda-t-il, pris d'un doute soudain.

— Jamais, répondit Jim avec un sourire narquois. Ça n'en sera que plus amusant.

Melody descendit du cheval de Hadleigh avec un sentiment de bien-être, tout en sachant que les courbatures frappaient à retardement. Elle ne se faisait guère d'illusions. Les fantômes de ses muscles peu exercés surgiraient bien assez tôt. Heureusement, Sunset était une jument patiente et lui avait pardonné ses faiblesses de cavalière.

Tripp la rejoignit devant l'écurie et s'empara des rênes en lançant :

— Belle matinée. La balade s'est bien passée ?

— A merveille.

En effet, la matinée était agréable avec cette brise douce et fraîche, et la randonnée, qui se profilait à l'horizon, semblait correspondre exactement à ce dont elle avait besoin. Un moyen d'oublier ses déboires, tout en passant du bon temps avec Spence. Et Hadleigh et Bex, bien sûr. Bref, des sortes de mini-vacances tout à fait bienvenues.

— C'est un cheval extrêmement bien élevé, observa-t-elle en caressant l'encolure de Sunset.

— C'est vrai. A la seconde où je l'ai vue, j'ai su qu'elle conviendrait à Hadleigh.

A l'instar de Spence, Tripp était calme et détendu avec les animaux. Et ces derniers le lui rendaient bien. Quand il ôta sa bride à la jument, celle-ci le poussa du museau avec affection.

— On dirait que ça a été le coup de foudre, répliqua-t-elle, amusée.

— A propos, comment ça se passe avec Spence ? répliqua-t-il en esquivant un nouveau coup de tête amical de la jument.

Choquée par cette question abrupte, Melody eut l'impression de se retrouver sur la sellette, car, en dépit de leur amitié, Tripp faisait plus partie du clan de Spence que du sien.

— Je, euh… Je ne sais pas, réussit-elle à balbutier, gênée par le regard inquisiteur de Tripp. J'ignore s'il est sérieux, alors je m'en tiendrai à ma réponse : je ne sais pas, précisa-t-elle en se ressaisissant.

— Il finira bien par te le dire un jour ou l'autre, répliqua-t-il en commençant à desserrer la sangle. C'est sa manière d'agir. Spence n'avance ses pions que quand tout est parfaitement clair dans sa tête. C'est ce qui fait de lui un grand policier et un grand chef.

Pressée de changer de sujet, Melody hocha vaguement la tête et fit un pas en avant.

— Laisse-moi prendre la selle. Inutile de me dorloter.

— A ta guise, dit-il en la lui déposant dans les bras. C'est vrai que sur la route, tu devras te débrouiller avec ton barda et t'occuper de ton cheval. Tu crois pouvoir t'en sortir ?

Elle réussit à hisser la selle pour la poser sur son support.

— Ça fait un bail que je n'ai pas monté, reconnut-elle. J'espère que ça ne s'oublie pas, comme la bicyclette.

— C'est du pareil au même, à part le mal aux jambes et les accès d'humeur.

— Oui, les chevaux sont imprévisibles.

— Spence aussi ! répliqua-t-il en riant. Parce que c'est de lui que je parlais.

— Tu es aussi horrible que ta femme ! lui reprocha-t-elle, rouge comme une pivoine.

— Pire, précisa-t-il en lui décochant un clin d'œil.

Elle hocha la tête et, continuant à jouer le jeu, affecta d'être choquée.

— Je me demande comment Hadleigh peut te supporter.

— Je me le demande aussi. Dieu seul le sait.

Les yeux baissés, elle éparpilla un petit tas de foin du bout de sa botte.

— Hadleigh t'aime. C'est la seule explication.

— Et toi, tu n'aimes pas Spence ? demanda-t-il en accrochant la bride à un crochet.

Epineuse question.

— J'ai déjà essayé de l'aimer. Et ça s'est mal terminé.

— Essaie encore, Mel, lança-t-il en se retournant.

— Quoi que je te dise, tu le lui répéteras, alors je demande à exercer mon droit de réserve.

— On dirait que tu confonds notre petite conversation avec les amendements à la Constitution. Si je t'ai posé la question, c'est que Spence est comme un frère pour moi. Imagine la situation inverse. Si tu pensais que je faisais souffrir Hadleigh, tu m'attaquerais comme un glouton enragé sous stéroïdes, vrai ou faux ?

Vrai. Sauf qu'elle n'avait jamais vu de glouton, enragé ou pas.

Elle s'empressa de prendre congé, pas vraiment énervée, mais néanmoins sérieusement perturbée.

Ce qui ne fit qu'empirer quand, en arrivant chez elle, elle découvrit la rutilante Jaguar de Mme Arbuckle, tout chromes étincelants et phares immaculés, garée dans son allée, son chauffeur au volant.

En dépit de sa gêne, car elle empestait le cheval, elle descendit de sa petite BMW jaune en plaquant sur ses lèvres son plus beau sourire. Malheureusement, il était impossible de monter à cheval sans sentir l'écurie, et même le chien. Car Muggles et Ridley, certainement ses plus grands fans, saluaient son arrivée avec un enthousiasme débordant, dont ses vêtements faisaient inévitablement les frais.

— Madame Arbuckle, comment allez-vous ?

La dame émergea du véhicule et posa avec précaution ses luxueuses chaussures l'une à côté de l'autre. Ses cheveux gris étaient impeccablement coiffés, et son pantalon et son chemisier bien repassés. Naturellement, Roscoe, son terrier, bondit à ses côtés.

— Débordée ! s'exclama-t-elle, semblant considérer

comme un affront d'avoir dû l'attendre, alors qu'elle n'avait ni pris rendez-vous ni indiqué de quelque manière que ce soit qu'elle comptait passer. Mais je suppose que je ne dois m'en prendre qu'à moi-même, ajouta-t-elle pour adoucir sa réponse. J'ai appris ce qui était arrivé.

Le contraire aurait été étonnant !

Melody, résignée, se prépara pour une discussion qui n'allait peut-être pas lui plaire. Heureusement, Hadleigh et elle avaient passé un temps fou à récurer la maison, afin d'effacer toute trace de l'effraction. Celle-ci était donc plus propre qu'à l'ordinaire et elle s'en réjouissait.

Elle ouvrit la porte à sa visiteuse inattendue en annonçant :

— Les pierres de votre collier étaient dans le coffre et, d'après la police, les voleurs n'ont même pas tenté de l'ouvrir. Je vous en prie, entrez.

— Je m'inquiétais pour *vous*, répliqua dédaigneusement Mme Arbuckle en acceptant son offre. Viens, Roscoe.

Melody lui jeta un regard surpris. Jamais elle n'aurait pensé figurer aussi haut dans la liste de ses préoccupations.

— Merci, madame Arbuckle. Mais j'étais absente et ce sont mes biens qui ont subi le plus de dommages. Vous avez dû avoir mon message à propos du diamant. C'est ma faute. Je l'avais laissé sur ma table à dessin, car je travaillais sur la bague, et les voleurs l'ont pris. Je vais dès à présent en chercher un autre. Mon assurance remboursera les frais. Puis-je vous offrir une tasse de thé ou de café ?

— Je prendrai un verre de vin et non ces lavasses insipides, si vous voulez bien. J'aime les choses qui ont du corps et de la saveur, répondit Lettie Arbuckle en inspectant le canapé du regard.

Elle le jugea manifestement digne de son auguste fessier, car elle s'y assit. Aussitôt, Roscoe bondit à ses côtés et s'allongea, la tête sur les pattes, comme si c'était un droit acquis de toute éternité.

A vue de nez, il devait être midi passé. L'hypothèse qu'elle puisse avoir un vin décent à portée de main semblait audacieuse, mais, pour une fois, c'était le cas. Elle entra dans la cuisine et s'empara de la coûteuse bouteille de chardonnay, achetée quelques jours auparavant et pas encore ouverte. Le vin était bien frais. Elle en versa un verre à sa visiteuse, prit une bouteille d'eau pour elle et apporta le tout dans l'atelier-salon, notant au passage que ses chats avaient disparu. Pour eux, la présence d'une étrangère accompagnée d'un chien impliquait une fuite immédiate. Si seulement elle avait pu les imiter…

Si l'arrangement des lieux convenait parfaitement à son activité, il était nettement moins adapté aux visites de courtoisie, car sa table de travail manquait d'élégance. Bien sûr, elle aurait pu utiliser une des chambres comme atelier, mais elle aimait la lumière de cette pièce et avait besoin d'espacc. Toutefois, ce n'était pas la première fois que Mme Arbuckle venait la voir. Elle se retint donc de s'excuser pour ce décor insolite.

— Que dit Spencer Hogan sur l'enquête ? s'enquit Mme Arbuckle en sirotant son vin. Cette histoire tourne aux crimes en série. Un vrai scandale.

— Je suis sûre qu'il fait de son mieux, répondit Melody avec conviction. Il espère que certains des objets volés referont surface sur Internet et pourront le conduire aux voleurs.

Elle regrettait tout particulièrement la perte de son mobile. Elle l'avait fabriqué à partir d'un abat-jour de verre dépoli, accidentellement brisé par sa mère en faisant le ménage. Elle se souvenait encore du déluge de larmes qui s'était ensuivi. Bien qu'encore une enfant, à l'époque, elle avait soigneusement rassemblé les morceaux et les avait rangés dans une boîte. Ce n'est que bien plus tard, lorsqu'elle avait emménagé dans sa propre maison, qu'en tombant sur cette boîte, l'inspiration avait surgi. Voler son mobile, c'était la dépouiller d'une partie de sa vie, d'un héritage de sa mère. Heureusement, elle en avait confectionné deux : un pour sa mère, un pour elle. N'empêche que la perte était douloureuse.

— Ce n'est pas bête de sa part, car ce sont des pièces uniques, n'est-ce pas ? fit remarquer Mme Arbuckle.

— D'après ce que j'ai compris, un des services de la

police scientifique fédérale se consacre exclusivement à cette recherche.

Dommage qu'elle n'ait pas pris le temps de se verser un verre d'eau, car boire à la bouteille manquait singulièrement de grâce ! Mais puisqu'elle sentait le cheval, la poussière et le chien, à quoi bon s'en soucier ? La gorge rêche comme du papier de verre, elle but à grands traits en songeant qu'elle ferait mieux de penser à emporter beaucoup d'eau en randonnée, l'équitation étant une activité qui donnait soif.

— Heureusement, parce que j'imagine qu'ici, dans le comté de Bliss, ses ressources sont limitées, déclara Mme Arbuckle.

D'où venait cette impression que ce n'était pas uniquement pour discuter du cambriolage que Lettie Arbuckle s'était arrêtée chez elle ?

— Oui, certainement, se contenta-t-elle de répondre.

Et, dans toute sa gloire crasseuse, elle s'assit et attendit la suite.

— C'est un jeune homme très attirant, reprit Mme Arbuckle.

« En effet. Bien trop attirant même », songea-t-elle, ayant un mal fou à ne pas éclater de rire, devant le regard avide de sa visiteuse.

Est-ce que par hasard, la prestigieuse Lettie Arbuckle, reine de la haute société de Mustang Creek, aurait une âme d'entremetteuse ?

— Spence a du charme, confirma-t-elle sur un ton neutre. Mais s'il est beau à regarder, il n'est pas toujours facile à supporter.

La vieille dame balaya sa réflexion d'un revers de main.

— Tous les hommes sont exaspérants, affirma-t-elle. La seule chose qui compte, c'est l'équilibre entre leurs qualités et leurs défauts. Et leur sourire. J'avoue que la première chose que je remarque chez un homme, c'est sa manière de sourire. Celui du chef Hogan est sublime.

Melody la fixa, abasourdie. Venait-elle d'être téléportée sur une planète inconnue, où les riches matrones débarquaient chez vous à l'improviste pour prôner les vertus de l'homme qui, quelques jours plus tôt, vous avait enlevée en vous jetant, tel un barbare, sur son épaule, comme cela semblait son habitude.

— Je ne le nierai pas, reconnut-elle, avant de poser sa bouteille d'eau par terre en pestant intérieurement contre ce rappel du sourire sexy de Spence. Comme je vous l'ai dit, je vais me mettre tout de suite en quête d'une nouvelle pierre pour la bague. Je crains que l'on ne retrouve jamais le diamant original et j'imagine que vous voulez que j'avance.

— Oui, s'il vous plaît, et le plus vite possible, répondit Mme Arbuckle.

Puis elle finit son vin et, sans même un au revoir, se leva et sortit, Roscoe sur ses talons.

Melody, un instant sidérée, courut sur le perron et les regarda tous deux monter dans la Jaguar qui descendit l'allée en marche arrière.

Que s'était-il passé ?

Elle n'en avait pas la plus petite idée.

Spence poussa la porte du magasin d'antiquités de Ronald Keith. Cette histoire de théières lui trottait dans la tête.

Ronald était en train de déballer une caisse pleine de vaisselle ancienne en fredonnant. Dès qu'il leva les yeux, un franc sourire éclaira son visage.

— Bonjour, Spence. Il fait beau, hein ?

En effet, mais il n'était pas venu parler de la pluie et du beau temps.

— Oui, très. Je me demandais si vous pourriez m'aider.

— Si je peux, avec plaisir, répondit Ronald en se frottant les mains pour se débarrasser des copeaux d'emballage.

Spence jeta un regard rapide sur les étagères couvertes de plats anciens et de volumes moisis, puis polarisa son attention sur le présentoir de verre en face de lui. Il débordait de bijoux de tous styles et de toutes époques, les plus précieux enfermés à l'abri dans une section verrouillée. A la vue de cette masse hétéroclite de joyaux, parmi lesquels figurait un diadème, il comprit qu'il n'était pas de taille et avait besoin de l'avis d'un expert.

Instinctivement, il faillit s'accouder au comptoir, mais se ravisa à temps. La vitrine semblait aussi vieille que son contenu et il était loin d'être un gringalet.

— Voici ma question, dit-il. Si vous vouliez vendre un lot volé de théières anciennes ou une bague en diamant, comment vous y prendriez-vous ?

— Le vol du solitaire m'a rendu malade, murmura le vieil homme. Juste après l'avoir acheté, j'ai téléphoné à Melody parce que je savais qu'elle l'apprécierait. Mais pour répondre à votre question en ce qui concerne les théières, le marché est étroit. Moi-même je n'achèterais pas ce genre de collection, car, faute d'amateurs dans la région, elle ne ferait que s'empoussiérer sur mes étagères. Je peux vendre des plateaux et des saucières en argent, ce genre de choses, mais pas un assortiment de théières aussi rares qu'inestimables.

— Où les vendriez-vous, alors ?

— Probablement en salle des ventes. En fixant une enchère minimum. Il existe des collectionneurs fanatiques prêts à payer une fortune pour posséder ce genre d'objet.

— Et en ce qui concerne la bague, si j'ai bien compris, elle a bien moins de valeur si on ignore son histoire.

— Sa *provenance*, corrigea Ronald. Ce n'est pas faux, mais réfléchissez...

La sonnette tinta et un couple entra. C'étaient visiblement des touristes. Après les avoir salués de la tête, Ronald posa les mains sur la vitrine et reprit ses explications un ton plus bas :

— Quand vous obtenez gratuitement un bijou en cambriolant une maison, vous vous souciez peu de sa provenance, n'est-ce pas ? D'autant plus qu'une jolie pierre rapportera toujours une belle somme d'argent. C'est pareil au marché noir. Je fais très attention de ne pas acheter d'objets volés, mais je ne suis pas le seul antiquaire de la place. Si une bonne occasion se présentait sans que j'aie de raison d'avoir des soupçons, je sauterais dessus. Je connais Mme Rayburn, alors personne ne me proposera d'acheter ses théières. Et encore moins le diamant, à moins que le ou les voleurs soient de parfaits imbéciles. Puisque vous n'avez encore arrêté personne, j'en déduis que ce n'est pas le cas.

Son raisonnement se tenait.

— Merci, Ronald. Soyez tout de même aux aguets.

— Comptez sur moi.

Et, comme s'il n'avait pas assez de soucis comme ça en ce moment, lorsqu'il s'apprêta à sortir, il croisa une de ses anciennes conquêtes qui entrait dans la boutique. Dans une ville de cette taille, le phénomène n'avait rien de surprenant. Néanmoins, sa manière d'affecter de ne pas le voir n'améliora pas sa journée. Il lui tint galamment la porte sans récolter un merci ou un sourire.

Venait-elle faire affaire avec Ronald ou en tant que cliente ? Mystère.

La perspective d'une randonnée à cheval semblait de plus en plus alléchante !

Il se demandait quel fast-food choisir, quand son téléphone vibra.

C'était Melody.

Même juché au sommet de l'Everest, il aurait pris cet appel.

— Sir Edmund Hillary, j'écoute, lança-t-il.

Il y eut un long silence au bout du fil.

— Spence, je suis sûre d'avoir fait le bon numéro et je reconnais ta voix, mais j'avoue que la plaisanterie m'échappe.

— C'est l'homme qui a escaladé la plus haute montagne du monde en 1953.

— Merci, ça, je le sais, mais pourquoi as-tu…

— Que se passe-t-il ?

— Je me demandais si tu dînerais avec moi.

— Quoi ? Tu me proposes un *rancard* ?

— Pas vraiment. Juste un dîner, précisa-t-elle. Le repas que l'on prend le soir.

— Ma grand-mère appelait le repas du soir le« souper ».

— Bon, laisse tomber, marmonna-t-elle, découragée. Discuter avec toi est trop…

— Ça me plairait beaucoup ! Mais chez moi, si tu n'y

vois pas d'inconvénient. Il faut que je m'occupe de Reb, et puis j'ai aussi Harley. Je passerai te prendre.

Elle hésita un instant avant de répondre sur un ton posé mais ferme :

— D'accord pour chez toi, mais c'est moi qui cuisinerai. Et je viendrai par mes propres moyens. J'apporterai les provisions et je serai là vers 18 heures. Maintenant que la fenêtre est réparée, plus de problème pour laisser mes chats. Et vu qu'il n'y a plus rien à voler, personne ne viendra me cambrioler.

La désillusion qui perçait dans sa voix lui serra le cœur.

— D'accord pour 18 heures, dit-il. Si tu as besoin d'une poêle spéciale ou d'un ustensile particulier, il faudra l'apporter, parce que ma batterie de cuisine se réduit, en tout et pour tout, à deux poêlons. En revanche, je dois avoir suffisamment de vaisselle.

— Alors à tout à l'heure.

L'appel terminé, il rejoignit d'un pas décidé le poste de police. S'il gardait sa maison propre, il n'aurait pas juré que la vaisselle était faite. Et depuis combien de temps n'avait-il pas balayé le perron ? Sans doute bien trop longtemps.

Envahi par l'allégresse, il se sentait comme un lycéen ayant réussi à convaincre la fille de ses rêves de l'accompagner au bal de promotion.

Melody voulait cuisiner pour lui. Eh bien, c'était un progrès.

— Non mais quelle idiote ! s'exclama tout haut Melody, alors qu'elle remontait l'allée de chez Spence.

En dépit de sa détermination à considérer cette soirée comme une femme adulte et non une adolescente énamourée, son cœur, n'en faisant qu'à sa tête, avait décidé de s'emballer.

Bon. Ils avaient couché ensemble, et alors ?

En fait, si on comptait bien, ils l'avaient fait *deux fois*.

Elle aurait souhaité que cela ne se soit jamais produit. Pas la première fois, mais la dernière. Que Spence ne l'ait pas tenue toute la nuit dans ses bras, à un moment où elle se sentait seule, vulnérable et malheureuse. D'autant qu'il s'était montré d'une douceur exquise. Pas de gestes déplacés, pas de murmures enjôleurs, rien que son bras noué autour d'elle, au moment où elle en avait le plus besoin.

C'était difficile d'imaginer qu'un homme si viril puisse se montrer si doux, et pourtant c'était le cas. Bien sûr elle savait qu'il pouvait être gentil et prévenant, mais *doux* ? Cette découverte avait ébranlé les fondements même de sa résistance et laissé des fissures dans sa carapace.

Si elle voulait servir la cause des femmes du monde entier, elle devait ouvrir un blog. « Attention à la douceur ! Elle vous piégera comme une truite gobant un hameçon. »

Dès qu'elle se gara, Harley se précipita joyeusement vers elle en aboyant. Elle fut assez futée pour ne pas sortir son paquet de courses *avant* qu'ils aient fini de se saluer. C'était sympa d'être aimée, mais dans l'opération son jean avait récolté de jolies traces de pattes.

Spence n'était nulle part en vue. Elle en déduisit qu'il devait être encore à l'écurie.

Empoignant le sac contenant la julienne de légumes et le poulet mariné, qu'elle avait passé pas mal de temps à préparer, elle grimpa les marches du perron et entra dans la maison.

Et elle s'arrêta net, bouche bée.

Pas de doute, Spence s'était surpassé.

La table carrée de la petite salle à manger était dressée pour deux, avec de jolis sets bleu marine et des serviettes assorties, des couverts en argent, des assiettes blanches toutes simples et des verres à eau, mais ce n'est pas là que résidait la surprise. Spence avait pris le temps d'aller cueillir un bouquet de fleurs des champs pour décorer le centre de la table, et ce, exclusivement à son intention. Elle était presque certaine qu'il ne mangeait jamais avec un vase posé sur la table. C'était plutôt le genre dînette sur le canapé, avec assiette sur les genoux, télévision branchée sur la chaîne sportive et bottes boueuses échouées dans un coin.

En tant qu'artiste, elle devait reconnaître qu'il avait du goût.

Le bouquet, composé de toutes les variétés de fleurs sauvages de la saison, offrait au regard une débauche de mauve, de rouge, de jaune moutarde, agrémentée de quelques touches vertes de feuillage, le tout arrangé avec art. S'il décidait un jour de quitter la police, il pourrait toujours ouvrir une boutique de fleuriste.

Encore une manifestation de douceur, songea-t-elle. Elle était fichue, anéantie, une vraie cause perdue.

Elle envoya un texto à Bex et Hadleigh :

Spence m'a cueilli un bouquet de fleurs sauvages.

Elle fut forcée de rire en découvrant que toutes deux lui envoyaient la même réponse :

HO ! HO !

Quand Spence rentra, elle avait déjà sorti son wok, le riz commençait à bouillir et les raviolis chinois étaient au four.

— Comme tu peux le constater, j'ai fait comme chez moi, lança-t-elle par-dessus son épaule. La faute à Harley. C'est lui qui m'a invitée à entrer.

— Ça sent merveilleusement bon ici, répliqua-t-il en ôtant son chapeau pour l'accrocher près de la porte. Désolé, je suis resté plus longtemps que prévu à l'écurie.

S'il avait pris du retard, c'était probablement parce qu'il avait été lui cueillir des fleurs, avant d'effectuer les corvées obligatoires dans un ranch, qu'il soit grand ou petit.

Sa réaction confirmait un fait qu'elle soupçonnait depuis un moment : elle devenait gaga devant le moindre geste romantique venant de lui. Ce qui risquait encore de compliquer la situation.

— Ce n'est pas grave, le dîner n'est pas encore prêt, répondit-elle en versant de l'huile dans la poêle, avant d'y ajouter de l'ail.

Elle aimait la cuisine de Spence. Dénuée de fioritures, elle avait des lignes épurées, des placards en pin noueux, un enviable réfrigérateur en acier dernier cri et un plancher de bois massif. Sa conception était aussi efficace qu'économe — pas étonnant, quand on connaissait son propriétaire. Des boîtes en fer, probablement anciennes, étaient posées sur le bloc de boucher ; et la fenêtre, qui surplombait l'évier de ferme, ne donnait pas sur les montagnes, mais sur une prairie bordée par une rangée de grands pins qui se dressaient majestueusement, tels des guerriers en ordre de bataille. En revanche, on ne voyait pas de lave-vaisselle. Qu'importe ! Si on devait la faire à la main, la vue compensait la corvée. Elle était prête à récurer quelques casseroles sales pour le simple plaisir d'admirer le paysage.

— Je peux t'aider ? proposa Spence.

— Non.

— On a le temps pour une douche express ?

— Je ne coucherai pas avec toi ce soir, rétorqua-t-elle sèchement en se détournant de la poêle qui grésillait pour le regarder.

Ses cheveux ébouriffés et son sourire étaient aussi fascinants qu'à l'ordinaire.

— Ce n'était pas ce que je demandais, Mel. Il se trouve que je viens de pelleter du fumier et de brosser un cheval, alors je préférerais me laver, avant de déguster un plat qui sent si bon. J'ai cinq minutes ?

— Oh ! je... Oui, bien sûr, bredouilla-t-elle en rougissant.

« Idiote » était bien le qualificatif approprié.

Elle traversa la cuisine pour ouvrir le réfrigérateur et en sortit la boîte en plastique contenant le poulet mariné.

« Arrête de t'imaginer qu'il ne pense qu'au sexe. C'est un simple dîner. Non, un souper. Oh ! Et puis zut ! »

Les morceaux de poulet atterrirent dans l'huile avec un crépitement sympathique. Elle les fit rissoler, jeta dans le wok quelques fleurs de brocolis, posa un couvercle dessus et les fit cuire à l'étouffée un moment, avant de verser la sauce.

Spencer, les cheveux mouillés, revint dans la cuisine, vêtu d'un jean et d'une chemise en denim.

— Je vais reclasser ce plat et le faire passer de « délicieux » à « exceptionnel », conclut-il. Ça sent diablement bon. Qu'est-ce qu'il y a dedans ? Tu veux un verre de vin ?

— De l'ail, du poulet et des brocolis, et oui.

Boire du vin était peut-être téméraire, mais elle avait vu

une bouteille de vin dans le réfrigérateur. Puisqu'il s'était donné la peine de l'acheter, autant en boire un verre.

— J'ai fini mon service et, ayant passé toute la semaine à accomplir mon devoir, j'en prendrai volontiers un aussi, dit-il en sortant la bouteille, avant d'ouvrir un tiroir pour en extraire un tire-bouchon. Qu'est-ce qui cuit dans le four ?

Les cow-boys étaient connus pour leur inépuisable appétit et cela devait être la même chose pour les policiers.

— Des raviolis au crabe, répondit-elle.

— Quelle douce musique à mes oreilles !

Après avoir débouché la bouteille, il dut fouiller dans plusieurs placards, avant de dénicher deux verres à vin désassortis. Amusée, elle le regarda siroter une gorgée avec circonspection, ses longs doigts enroulés autour du verre.

Spence buvait peu et s'en tenait exclusivement aux bonnes vieilles marques de bière américaines.

— Pas si mal, conclut-il en s'asseyant sur un tabouret. Tu sembles avoir la situation sous contrôle, mais il n'y a vraiment rien que je puisse faire ?

« Non, à part rester assis là et te fondre dans le décor pour le plaisir des yeux. »

Elle garda cette réflexion pour elle, mais avec ce chaume de barbe qui lui donnait l'air canaille, il ressemblait à une couverture de magazine pour hommes. Pas de doute, les romans à l'eau de rose avaient encore frappé ! N'empêche que si un homme pouvait être qualifié de « canon », c'était bien lui.

— Non, tout va bien, répondit-elle en secouant la tête.

— J'aime te voir dans ma cuisine.

— Tu aimes que l'on cuisine pour toi, corrigea-t-elle en hachant des oignons.

— Inutile de se disputer. Les deux affirmations sont vraies.

— Pas de dispute ? Ce serait bien la première fois.

— Pour nous, certainement. En tout cas, je suis heureux que tu sois là. Est-ce que ça te fait plaisir aussi ?

Oui, au point que cela l'effrayait. Elle préféra donc changer de sujet.

— Je suppose que personne n'est venu courtoisement te rapporter mon diamant en s'exclamant : « Oh ! là, là ! monsieur l'agent, si vous saviez comme je m'en veux d'avoir volé cette gentille dame ! »

Il éclata de rire.

— Non. C'est rare que ça se passe ainsi.

— Je sais, murmura-t-elle en continuant à hacher vigoureusement ses oignons, une bonne thérapie pour évacuer la colère. J'espère que tu aimes le gingembre.

— Oui.

— Tu veux des enfants ?

Seigneur ! D'où sortait cette question ? Celle-là, elle ne l'avait pas vue venir. Est-ce que cette incongruité avait été provoquée par l'éventuelle grossesse de Hadleigh ou le choc du cambriolage ? Difficile à dire. Quoi qu'il en soit, c'était le signe qu'elle avait un besoin urgent de recentrer sa vie.

Le regard bleu de Spence s'abaissa sur son verre, avant de se fixer sur elle.

— Oui.

C'est tout. Ni digression ni pourquoi. Juste une simple confirmation. Demander combien il en voulait ayant été pousser le bouchon un peu loin, elle retourna donc à son poulet. Vu qu'elle ne le savait pas elle-même, autant repousser la discussion à plus tard.

C'est à ce moment-là, à ce moment exact, qu'elle décida d'épouser un officier de police à la tête dure, qui n'avait jamais montré la moindre velléité de la demander en mariage.

Jetant un regard rapide à la breloque de son bracelet, elle fit un vœu.

15

Pas de doute, ce repas était hors concours, songea Spence.

Le poulet était tendre, le riz moelleux, et la sauce asiatique épicée avait un goût si original qu'il lui en demanda la composition. Quand il cuisinait, c'était généralement steak-pommes de terre, accompagnés des inévitables légumes.

Melody lui décocha ce sourire si particulier qui avait toujours sur lui un effet intéressant, et promit de lui donner la recette. Elle portait un chemisier ajusté, rentré dans un jean qui la moulait à la perfection, et son habituel soupçon de maquillage. Quand une femme ressemblait à Melody, elle n'avait nul besoin de forcer sur le fard.

En réalité, il se fichait comme d'une guigne de cette recette. Ce dont il avait envie, c'était qu'elle la refasse pour lui. Uniquement pour lui.

Il fit de son mieux pour ne pas dévorer le poulet comme un dément affamé.

Un dément. La description lui correspondait bien, et à plus d'un titre, en particulier quand on se rappelait la question de Melody sur les enfants — et sa réponse.

Il avait répondu « oui ».

Et en plus, il était sincère.

Après avoir terminé sa deuxième assiette, jugeant que cela aurait été abuser d'en réclamer une troisième, il reposa sa fourchette.

— C'était un délice, Mel. Et le mot est faible.

— On dirait que ça t'a plu, répliqua-t-elle, amusée.

— Je pourrais manger de ce poulet tous les jours que Dieu fait.

— Spence, je me suis promis de ne pas coucher avec toi.

— N'empêche que tu es tentée ?

Il avait bien le droit d'espérer.

— Non.

Zut ! Il s'était fait moucher. Une fois de plus.

— Oui.

Une lueur vacilla au bout du tunnel.

— Oui *et* non ? demanda-t-il. Si tu cherches à m'embrouiller, c'est le bon moyen.

— J'en ai envie, c'est vrai, reconnut-elle.

Enfin une information valable.

— J'ai l'intuition qu'un « mais » ne va pas tarder à suivre, répliqua-t-il.

Elle pianota nerveusement sur son verre.

— *Mais*... je reconnais qu'une relation se compose d'un tas de choses différentes. Il y a la camaraderie et la romance, comme marcher au clair de lune sur la plage ou partager un hamac par un bel après-midi d'été. Et il y a le quotidien, avec ses réussites partagées et les échecs à affronter. Et, en plus, il y a le sexe. Bref, ce que je cherche à te dire, c'est que je refuse que notre relation soit *prioritairement* basée sur le sexe. Bien sûr, on passe pas mal de temps au lit, mais, sur une journée normale, en pourcentage, ça ne représente pas grand-chose.

— Je crois que je viens de me faire doublement insulter, protesta-t-il. Je trouverais aussi vexant d'être comparé à une vieille courgette trop cuite, mais est-ce que tu insinues que je suis trop rapide de la gâchette ?

— Tu n'es ni l'un ni l'autre, et tu le sais très bien, répondit-elle en riant. Je dis simplement que le sexe, même fantastique, n'est pas tout dans la vie.

— Ah, voilà qui est mieux, surtout l'adjectif « fantastique ». Excuse-moi, j'arrête de plaisanter, ajouta-t-il vivement comme elle lui jetait un regard d'avertissement. Je comprends très bien ce que tu veux dire. Et je suis même d'accord avec toi.

Laisse-moi t'aider à débarrasser, puis nous irons nous asseoir sous le porche.

Si Melody voulait du romantisme, rien de mieux qu'un lever de lune sur la crête des montagnes pour la satisfaire. De son côté, il aurait échangé sans hésiter la caresse d'une brise parfumée sur une plage tropicale contre un rocking-chair dans sa véranda, avec un cheval en arrière-plan. Car, s'il n'avait rien contre une vue sur l'océan, il était avant tout un gars du Wyoming.

Ils débarrassèrent tranquillement ensemble. Puis il essuya la vaisselle, au fur et à mesure que Melody la lavait et la rinçait. Une fois qu'ils eurent terminé, il prit le verre de Melody et le remplit — elle ne reprendrait pas sa voiture, ce soir. Puis il l'escorta vers le plus bel endroit de la planète.

Une fois qu'ils furent installés dans leurs fauteuils respectifs, il inspira à pleins poumons l'air frais et pur de la nuit, heureux.

— Je sais que ce n'est pas un panorama urbain de gratte-ciel brillamment éclairés, un spectacle appréciable au demeurant, mais moi, j'ai besoin de… calme, assura-t-il.

Juste à cet instant, une bande de coyotes se mit à hurler à la mort, ce qui déclencha l'hilarité de Melody.

— C'est vrai que les animaux sont tout sauf calmes, reconnut-il. A l'automne, le brame des élans me réveille au beau milieu de la nuit. Mais c'est agréable à entendre. Rien à voir avec le bruit du trafic sur une voie rapide.

Le doux profil de Melody qui fixait le paysage était nimbé de clarté lunaire. Un spectacle tout aussi réjouissant, à son avis.

— Je n'ai jamais désiré vivre ailleurs, avoua-t-elle. Il y a des gens qui ont la bougeotte. Ils sillonnent le globe, incapables de tenir en place. Moi, je n'ai pas hérité de ce gène. Oh ! J'ai adoré le semestre que j'ai passé à l'université Strathclyde de Glasgow, en dernière année de fac, et je suis aussi allée en Italie, où j'ai été éblouie par toute cette beauté, chargée d'histoire, mais mes racines sont ici.

Il savait qu'elle avait étudié à l'étranger. On était à Mustang Creek. Dans le coin, il était rare que quelqu'un passe six mois en Ecosse.

— Et encore ? demanda-t-il.

— A ton tour. Dis-moi quelque chose sur toi que j'ignore.

Il avait vécu toute sa vie dans cette ville, son existence était un livre ouvert, à l'exception d'une chose.

— L'autre jour, ma mère m'a envoyé une carte, confia-t-il avec peine. Comme ça, surgie du néant, après toutes ces années. Pourquoi ?

Rien que le fait de l'avoir confessé le surprit, car il n'évoquait jamais cette partie de sa vie. Bien sûr, Melody était au courant, pour sa mère. Tout Mustang Creek était au courant. Cela n'avait rien d'un scoop.

Et, évidemment…

— Qu'est-ce qu'elle disait, cette carte ? lui demanda Melody.

— Je ne sais pas.

Il observa les montagnes dans toute leur sérénité paisible, avec leur haute silhouette escarpée qui se découpait sur l'obscurité du ciel. Ces sombres parois abritaient des loups, des pumas, de nombreux ours et bien d'autres dangers, mais aucun homme.

— Tu ne sais pas ? demanda-t-elle, étonnée. Tu ne l'as pas ouverte ou tu l'as brûlée ?

— La brûler ? Ne sombrons pas dans le drame, même si j'avoue que j'ai failli la jeter à la poubelle, répondit-il en se redressant dans son fauteuil. Elle est dans le tiroir de mon bureau. Je n'ai pas encore pris de décision. En fait, j'ignore si j'ai envie d'entendre ce qu'elle a à me dire. Je pencherais plutôt pour la négative.

Elle n'insista pas et continua à siroter son vin en contemplant le somptueux paysage, Harley endormi à ses pieds.

— Si je comprends bien, tu aimerais avoir mon opinion, reprit-elle au bout d'un moment.

— A part toi, je n'en ai parlé à personne. Même pas à Tripp. Mais il ne faut pas te sentir obligée.

— Tu ne l'as pas dit à Junie ? demanda-t-elle en fixant sur lui un regard insondable.

— Oh ! Arrête avec Junie ! Nous travaillons ensemble et sommes amis depuis l'enfance. Rien de moins, rien de plus.

A son grand soulagement, elle sembla prendre sa déclaration pour argent comptant et s'installa plus confortablement dans son fauteuil.

— Honnêtement, je ne sais pas ce que je ferais à ta place, avoua-t-elle. Comme dit Atticus Finch, ou plutôt comme l'écrit Harper Lee dans *Ne tirez pas sur l'oiseau moqueur*, tant que l'on n'a pas vécu dans la peau d'un autre, il est impossible de savoir ce qu'il doit surmonter, les épreuves qu'il traverse. C'est une pensée très sage, à mon avis. Et puis j'ai beau essayer d'imaginer ce qui pourrait me pousser à abandonner mon enfant, je n'y arrive pas.

— Moi non plus, murmura-t-il. C'est pour ça que je n'arrive pas à décider si je dois perdre mon temps à la lire.

Après plusieurs minutes de silence, Melody sortit la chose la plus inattendue :

— Cela ne m'était jamais venu à l'esprit, mais en fait, les femmes sont un peu comme les chats.

Il tourna la tête vers elle et la regarda, perplexe.

— Précise ta pensée.

— Je veux dire que nous sommes aussi curieuses qu'eux, expliqua-t-elle avec un petit sourire. Les hommes sont différents. Ils ressemblent plus aux chiens. Ils prennent tout au premier degré, affrontent le problème bille en tête, puis tournent la page. Pas un chat au monde ne laisserait cette enveloppe cachetée dans un tiroir. Si la carte venait de ma mère, partie depuis mes neuf ans, je l'aurais ouverte sur-le-champ. Toutefois je comprends ton point de vue.

— Puisque je m'apparente aux chiens, je devrais l'apporter à ma tante et lui demander de la lire. C'est elle qui m'a élevé, donc elle sera de bon conseil.

— Ta tante est une femme formidable. Elle a beaucoup de mérite.

En effet, elle avait eu bien du mérite d'accueillir, sans hésiter, dans son foyer et dans sa vie, un gosse perturbé de neuf ans, songea Spence. D'autant plus qu'à l'époque du lycée, il lui avait donné du fil à retordre et qu'elle ne s'en était jamais formalisée.

— J'ignore si elle m'a écrit en vue de se faire pardonner, reprit-il. Vu la taille de l'enveloppe, il s'agit d'une carte, rien de plus. Après tout, mon anniversaire est en mars. Peut-être que sa carte de vœux s'est égarée dans le courrier.

— Combien t'en a-t-elle écrit ?

— Des cartes ? Ma mère ? Ce serait une première !

— Si je tenais cette femme, je lui ferais lécher la poussière de tout le Wyoming, marmonna-t-elle, furieuse.

Amusé, Spence manqua s'étrangler avec la gorgée du vin qu'il s'efforçait péniblement de boire. Un seul verre et il ne l'avait même pas terminé ! A l'évidence, il manquait de raffinement. Une bonne bouteille de bière glacée, ça, c'était plus son style.

— Je note ton intention, aussi louable qu'irréaliste, et je t'en remercie, dit-il. Mais je n'ai plus neuf ans. Si je ne comprends toujours pas les raisons qui ont poussé ma mère à m'abandonner, ce n'est plus un problème. Le jour où j'ai compris que ses motivations ne me concernaient pas, je me suis senti libéré. Ce n'est pas elle qui me définit, c'est moi.

Melody hocha lentement la tête.

— Saine réaction. Le ciel commence à s'assombrir, enchaîna-t-elle, visiblement désireuse de ne plus lui imposer ce sujet. J'ai entendu dire qu'il allait pleuvoir. Les éleveurs vont être contents.

— Parce que l'on va parler de la pluie et du beau temps ?

— On dirait bien.

— Tu ne devrais pas conduire pour rentrer chez toi.

— Ça fait un moment que je suis arrivée à la même conclusion, répliqua-t-elle avec un petit frisson. J'avoue que j'ai la frousse. Si tu veux voir quelqu'un sursauter plus haut que ces montagnes, tu n'as qu'à briser une vitre.

Songeant à la suggestion de Tripp — appuyée par Jim —, il s'efforça de prendre un ton détaché, comme si son offre était uniquement motivée par l'inquiétude à son sujet.

— Je me sentirais plus rassuré si tu envisageais de t'installer ici, dit-il. Tu pourrais amener tes chats. A l'arrière de la maison, il y a une véranda qui est vide et qui, l'hiver, se ferme avec des panneaux vitrés. Elle dispose aussi d'un poêle à bois. Tu pourrais l'utiliser comme atelier.

Prise au dépourvu, Melody le fixa, incrédule.

Est-ce qu'il lui demandait de *vivre* avec lui ?

— Harley serait fou de bonheur, insista-t-il. Il a un gros béguin pour toi.

Cet argument faillit la faire fléchir.

Comme par un fait exprès, Harley ronfla doucement en se pelotonnant contre elle. On aurait dit que Spence et son chien avaient parfaitement orchestré cet instant.

Méfiante, elle se pencha pour vérifier si Harley avait l'œil ouvert. Non, il semblait profondément endormi.

Eh bien, si Spence cherchait à la troubler, il avait réussi !

— Je… je ne sais pas quoi répondre, bredouilla-t-elle.

— J'aurais nettement préféré un « oui » franc et massif, mais je ne te demande pas de réponse immédiate, réfléchis-y, dit-il avant de bâiller. Je crois que je vais aller me coucher. Une longue journée suivie d'un bon dîner, ça vous assomme un homme.

Sûrement qu'elle avait pris un coup sur la tête ou qu'elle n'avait pas plus de volonté qu'une chiffe molle, car elle lança sans réfléchir :

— Tu as trop sommeil ?

Il la fixa, la brise nocturne faisant voleter négligemment une boucle sur son front.

— Trop sommeil pour quoi ?

— Spencer Hogan, ne me force pas à le dire tout haut, sinon tu peux laisser tomber.

Il répliqua en faisant ce qu'il savait faire le mieux. Il se leva, la souleva et la jeta sur son épaule en lançant à Harley :

— On rentre, le chien !

Il traversa la maison en direction de sa chambre, la déposa sur le matelas et la regarda dans les yeux.

— Allez savoir pourquoi je suis soudain moins fatigué.

— Tu prends bien trop plaisir à tout ça ! riposta-t-elle.

Il sourit et s'assit pour ôter ses bottes.

— Ça paraît bête, je sais, mais c'est comme un charme, expliqua-t-il.

Elle écarquilla les yeux.

Le pacte…

— Tu es exactement où je veux que tu sois, conclut-il en déboutonnant à moitié sa chemise.

Il la tira par-dessus sa tête et chassa Harley de la chambre.

— Dehors ! C'est une soirée privée. Va te coucher sur le canapé. Je sais que c'est là que tu dors, même si je n'ai jamais réussi à te prendre en flagrant délit.

Savourant le spectacle de son torse musclé, elle le regarda refermer la porte.

— Inutile de préciser que ton chien est bien plus futé que toi.

— J'aimerais avoir un bon argument à t'opposer, malheureusement, je n'en trouve pas. La seule chose que je peux dire, c'est que je suis sacrément heureux que tu aies changé d'avis, murmura-t-il en revenant vers elle.

Il déboutonna lentement son chemisier, laissant ses doigts effleurer doucement sa peau…

Une chose en entraînant une autre, elle baissa la fermeture de son jean.

Où étaient passées ses bonnes résolutions ?

Leurs ébats furent plus intenses que jamais, chaque baiser plus ardent, chaque caresse plus intime et, juste au moment où il s'apprêtait à la pénétrer, alors qu'elle frissonnait de désir contre sa peau, il lui chuchota à l'oreille une question qu'elle entendit à peine :

— Préservatif ou pas ?

On ne peut pas dire qu'il lui accordait beaucoup de temps pour réfléchir ! D'autant plus que, emportée dans une spirale ascendante, elle perdait déjà le contrôle.

— Non, murmura-t-elle sur sa bouche.

Spence émit un long gémissement d'approbation et se glissa en elle.

En tant qu'amants, ils avaient toujours été en parfaite harmonie, leurs corps instinctivement à l'écoute de leurs désirs respectifs, et elle jouit presque instantanément. Spence ne la suivit qu'après l'avoir projetée une deuxième fois au septième ciel.

Un peu plus tard, alors qu'il reposait, un bras possessif enroulé autour de sa taille, et que son souffle reprenait un rythme normal, elle fut soudain frappée par la réalité. Qu'est-ce qui était le plus surprenant : sa propre inconséquence ou celle de Spence ?

— Je croyais que tu ne faisais jamais l'amour avec une femme, *quelle qu'elle soit*, sans préservatif, dit-elle en s'efforçant de rassembler son calme. Du moins, pas sans en avoir discuté sérieusement avant. Et par *sérieusement*, je ne veux pas dire…

Elle se tut, trop embarrassée par sa réaction irraisonnée pour continuer.

Le mince croissant de lune suspendu devant la fenêtre éclairait la pièce et leurs deux corps d'une lueur argentée. Spence la serra contre lui.

— D'abord, tu n'es pas n'importe quelle femme, décréta-t-il. Et nous en avons discuté. Tu m'as demandé si je voulais des enfants et j'ai dit « oui ».

— Tout de suite ?

— D'après ce que j'en sais, il faut à peu près neuf mois.

— Arrête. Chaque fois que tu fais de l'humour, j'ai envie de te gifler.

— Permets-moi de te rappeler que je ne t'ai pas forcé la main. Je t'ai demandé si tu voulais que j'utilise une protection et tu as dit « non ».

— Oui, mais…

Il la coupa en lui taquinant le cou avec sa langue, une chose qu'il faisait très, très bien…

— Je veux vivre avec toi. Je suis même prêt à recueillir tes chats, aussi bizarres soient-ils. Quant à mon chien, il te préfère à moi ; ce qui, si tu veux la vérité, est plutôt mortifiant. Ecoute, Melody, inutile de paniquer. Je suis là. Pour toujours. De toute façon, vu l'âge de mes préservatifs, je doute qu'ils soient très efficaces. Je ne suis pas allé en racheter, parce que tu m'as soutenu qu'avec toi, je n'avais aucune chance. Alors ce qui doit arriver arrivera. Est-ce que l'on peut en rester là ?

— Facile à dire ! Ce n'est pas toi qui auras le bébé.

C'était fou, totalement fou, mais à son grand étonnement, elle s'aperçut qu'elle avait *envie* d'être enceinte.

— Bien sûr que si, riposta-t-il en lui décochant un petit coup de coude. Nous l'aurons ensemble.

Aussitôt, elle se détendit et se pelotonna contre lui.

Deux minutes plus tard, il se mit à ronfler. C'était juste un souffle un peu fort, un bruit de respiration, n'empêche qu'il était rassurant à entendre dans le noir.

Elle tripota le bracelet à son poignet.

Et si elle mettait ses gris-gris en vente ?

16

Spence termina de seller des chevaux.

Toujours partant pour galoper, Reb était toutefois rétif aux rênes. A deux ans, l'animal avait si fière allure que Spence avait songé à en faire un étalon. Mais vu sa fougue, il était plus prudent de le castrer. Et puis il n'était pas éleveur de chevaux. Il désirait simplement une bonne monture, et il n'était pas déçu.

— Tout beau, doucement, dit-il en caressant l'encolure de son compagnon. C'est juste une balade. On part en promenade, pas faire la course. Et c'est toi qui conduiras la marche, alors du calme. Tu dois bien te tenir. D'autant plus qu'il y aura des enfants.

Apparemment, ses explications eurent l'effet escompté, car le cheval cessa aussitôt de piaffer et lui mordilla la manche.

— En selle ! lança Moe avec autorité. Nous allons rejoindre la rivière et monter le camp à la tombée de la nuit. Il n'y a pas une minute à perdre. La journée est déjà bien entamée.

Spence sauta en selle en réprimant un sourire. On n'était pas dans un film de John Wayne. Il aurait peut-être dû crier « Westward Ho ! », mais après avoir passé la matinée à briefer les garçons et à écouter les innombrables questions de leurs parents — qui désiraient tous être rassurés sur le sort de leur progéniture —, il n'était pas d'humeur à badiner.

Il aurait bien emmené Harley avec lui, mais il avait préféré le laisser avec Melody. Tout prétexte était bon pour inciter la jeune femme à s'installer chez lui et, surtout, cela le rassurait de la savoir sous protection. Harley était la meilleure alarme que l'on puisse trouver, et si quelqu'un s'approchait du ranch, il ne manquerait pas de le faire savoir, et bruyamment. Ses aboiements s'entendraient probablement jusqu'au comté voisin.

Aucun progrès concernant les cambriolages. C'était donc le pire moment pour s'absenter. Mais il s'était engagé à superviser la randonnée, et dans ce genre de boulot, il n'y avait jamais de moment opportun.

L'enquête piétinait. Calme plat. Pas plus de bulles à la surface de l'eau que de mouvements en dessous.

Ce n'était pas uniquement à cause de Melody qu'il souhaitait résoudre au plus vite cette affaire. Il n'appréciait pas du tout que les vols se soient produits sous *sa* surveillance, et prenait d'autant plus les choses au sérieux. Mustang Creek était une petite ville, il connaissait tout le monde, et pourtant il n'avait pas l'amorce d'une piste.

En fait, il en avait peut-être une, songea-t-il soudain.

Il appela Junie.

— J'exagère sûrement, mais cela t'ennuierait de faire quelque chose pour moi ?

— Je crois que je suis payée pour ça, chef, répondit Junie en riant. Quel genre de chose ?

— Pourrais-tu lancer une recherche sur quelqu'un ?

— Est-ce que je recevrai une augmentation ?

— Non, m'dame. Seulement ma reconnaissance éternelle.

— On en reparlera. Donne-moi le nom.

Quelques heures plus tard, il faisait rôtir des tartines sur un feu de camp. Et les gamins affamés s'en emparèrent et les dévorèrent avec bien plus d'enthousiasme que ne le méritaient de simples sandwichs fromage-tomate. Même Moe fut stupéfait.

— Bon sang ! J'espère que ces morfals vont nous en laisser, marmonna-t-il.

— Tu te souviens de toi à leur âge ? lui demanda Spence avec nostalgie. Si j'avais le leur, je n'en laisserais pas une miette. Quand ma tante voulait nettoyer le réfrigérateur, elle chargeait tous les restes sur un plateau : lasagnes, pilons de poulet, salade de pommes de terre et j'en passe, puis elle venait frapper à la porte de ma chambre. Je me jetais sur le plateau et n'en faisais qu'une bouchée. Toute nourriture était bonne à prendre. Et la vie était belle.

Moe s'assit sur un tronc d'arbre et soupira.

— On dirait que ma vie était à l'opposé, dit-il. Avec ma mère, tout était planifié et organisé au dernier degré. Le soir, elle exigeait que l'on s'assoie à table et qu'on lui raconte notre journée. Quelle journée ? A quoi ça rimait ? Je me levais et j'allais à l'école, point barre ! A l'adolescence, j'ai commencé à me rebeller et je me suis fourré dans le pétrin. Et aujourd'hui, je suis devenu ennuyeux et prévisible. J'ai un boulot que j'aime, une femme que j'adore, et je compte bien que ça dure. Alors je fais tout pour ça.

Une heure plus tard, ils reprirent la route.

Les garçons les suivaient en file indienne. Pour la randonnée, Tripp avait sélectionné des bêtes placides. Les vieux chevaux de monte connaissaient la musique et n'avaient pas vraiment besoin qu'on les guide. Et ils étaient accoutumés aux mœurs des humains, alors que les jeunes chevaux se montraient parfois remuants.

— Ce soir, j'ai prévu des burgers et des frites, et demain matin, ce sera œufs-saucisses, annonça Spence. Après tout, nous n'avons pas promis de menus avec supplément.

— J'ai apporté de la salade de fruits.

— Bonne idée.

— Une idée de ma femme.

— Génial ! Mais dis-moi, ce n'est pas un truc à la noix de coco, j'espère ?

— Je n'en sais rien, chef. A la maison, ça se passe comme ça : ma femme prépare un plat, elle le pose devant moi et je le mange. Un peu comme avec votre tante.

— J'ai appris, de source sûre, que les femmes ressemblent aux chats et les hommes aux chiens, déclara soudain Spence.

— Hein ? répliqua Moe, perplexe.

— Laisse tomber. Les gamins auront suffisamment les crocs pour dévorer tout ce qu'on leur offrira, mais je n'insisterai pas pour qu'ils finissent leur assiette. Après tout, l'expédition est censée être un divertissement. Et puis la plupart des gosses n'ont rien à faire de l'équilibre nutritionnel, surtout les garçons. D'ailleurs, j'ai embarqué des pommes et des oranges. Il y aura donc de la nourriture saine pour ceux qui en désirent.

Melody lui avait aussi suggéré d'emporter des bâtonnets de céleri et du beurre de cacahuètes. De son côté, l'ami de Moe, qui appartenait au service des Eaux et Forêts, un jeune homme sérieux du nom de Steve Whitehall, qui fermait la marche, avait emporté, au cas où, le bon vieux mélange traditionnel de fruits secs. Personne ne mourrait de faim en cours de route, c'était une certitude !

Sur le plan nourriture, la randonnée des filles risquait d'être bien différente, car il avait confié le soin des menus à Hadleigh, Bex et Melody. D'après Tripp, on avait évoqué des cookies aux éclats de chocolat blanc fourrés de noix de macadamia, des biscuits forêt-noire et du poulet aux pennes, à la sauce Alfredo. Un programme fort alléchant. Toutefois, confectionner un repas pareil sur un feu de bois n'allait pas être chose facile. D'après ce qu'il avait entendu dire, les agences de luxe, qui organisaient des descentes en rafting, fournissaient des paniers-repas gourmets aux participants. Pourquoi des gamins de douze à seize ans n'auraient pas eu droit à des repas gastronomiques ? Quoi qu'il en soit, les femmes s'investissaient à fond et ce n'était pas lui qui allait critiquer leurs menus, aussi compliqués à réaliser soient-ils.

Il avait décrété qu'au cours de la randonnée des filles, il s'occuperait exclusivement de seller les chevaux et de monter les tentes. Il imaginait déjà les soirées pyjama bruissant de gloussements et chuchotis. Mais comme il était capable de dormir dans n'importe quelles conditions, cela ne risquait pas de le déranger. Et puis il pourrait discuter avec Jim. Et s'il était impossible de partager une tente, ou mieux, un sac de couchage avec Melody, au moins il la verrait toute la journée, et ce, pendant trois jours entiers.

Les nouveaux outils de la jeune femme étaient arrivés et, demain, elle irait assister à plusieurs ventes aux enchères, à Bliss et dans les comtés environnants, afin de trouver un diamant susceptible de remplacer celui qu'on lui avait volé.

— Ce soir, Steve a suggéré de camper à Hack's Rigde, annonça Moe, qui montait un hongre tacheté. C'est là-bas, précisa-t-il en pointant un alignement de grands arbres. Le sol est plat, il y a une source et on peut faire du feu sans danger dans la clairière. J'y suis allé hier pour couper du bois d'avance. Mais demain, il faudra improviser.

— Nous connaissons bien la zone, tous les trois, répondit Spence en faisant manœuvrer Reb pour éviter un éboulis, car une portion du sentier avait été emportée par la pluie.

Convaincu que les autres chevaux sauraient eux aussi l'éviter, il lança à son adjoint un regard en coin.

— Je sais que tu passes la plupart de tes week-ends à camper et à pêcher. Est-ce que Sherry t'accompagne ?

— Oh non ! s'exclama Moe avec un petit sourire. Vous n'imaginez pas les efforts que j'ai dû déployer pour qu'elle accepte de s'installer ici. C'est une fille de la ville. Je crois que si notre mariage dure longtemps, ce sera parce que nous n'avons pas besoin de rester collés l'un à l'autre. Durant l'été, elle peut profiter du week-end pour aller faire du shopping ou sortir avec ses copines, pendant que moi, je vais camper au grand air. Un mariage de rêve.

L'aspect positif des intérêts divergents pouvait se discuter, il n'empêche que Spence espérait lui aussi un mariage de rêve.

— Hé, chef, ça ne vous est pas venu à l'esprit qu'avec la moitié de nos effectifs en vadrouille, il pourrait y avoir du grabuge en ville, ce week-end ? demanda soudain Moe.

— Bien sûr que si !

La randonnée n'était un secret pour personne, pas plus que l'identité des accompagnants.

Tout ce que l'on pouvait espérer, c'était que le chef des voleurs n'aurait pas l'audace de frapper de nouveau. Et puis, si Junie et Estes trouvaient le renseignement qu'il avait demandé, il aurait bientôt un suspect sérieux à se mettre sous la dent.

*
* *

Melody examina la véranda à l'arrière de la maison de Spence et se mit à réfléchir.

Bien qu'étant le premier à admettre qu'il n'avait rien d'un artiste, Spence ne s'était pas trompé sur la lumière. La pièce serait parfaite pour travailler durant au moins trois des quatre saisons, et en hiver, avec le poêle à bois, elle resterait praticable.

Qu'est-ce qu'elle devait faire ? Elle n'en avait pas la moindre idée.

Elle aimait sa douillette petite maison. Non seulement c'était la sienne, mais elle l'avait confortablement installée suivant ses goûts et ses besoins spécifiques. Et ses chats s'y sentaient bien.

Cependant… même si la maison de Spence aurait pu bénéficier d'un peu plus d'amour et d'attention, elle était spacieuse. Et malgré son statut de célibataire, Spence s'était arrangé pour la garder plus ou moins propre. Ce, en dépit d'un morceau de savon racorni découvert dans la salle de bains de la chambre principale et du trio de serviettes élimées dans le placard à linge. A l'évidence, cela ne figurait pas au top de sa liste de priorités. De plus, si Harley avait de la nourriture à foison et que Spence devait sûrement entretenir Reb avec le plus grand soin, il n'y avait rien à manger, ni dans le réfrigérateur ni dans le congélateur.

D'où ce brusque besoin qu'elle avait de cajoler Spence ? Si un homme pouvait s'occuper de lui-même, c'était bien Spence Hogan.

Les enchères dans le comté voisin étaient prévues à midi. Elle prit donc une douche rapide et se dépêcha de partir. Elle n'avait pas grand espoir, mais sait-on jamais ? Ces ventes recélaient parfois des trésors. Il suffisait d'être au bon endroit au bon moment. Un jour, elle avait fabriqué un mobile très original à partir d'anciennes cuillères en argent, mobile qu'elle avait vendu rapidement — et un bon prix !

Au moins, il faisait beau. Malheureusement, ni Bex ni Hadleigh ne pouvaient l'accompagner. Elle s'y rendit donc seule et, pleine d'espoir, s'assit sur la chaise pliante marquée à son nom. Elle ne s'attendait pas à trouver un diamant digne du Pierce, mais peut-être qu'une autre pierre pourrait l'inspirer.

Elle eut soudain la vision d'un objet pour la maison de Spence, et le modèle se forma aussitôt dans sa tête. L'objet qu'elle voulait créer pour lui était une horloge. Une horloge absolument originale.

C'est alors qu'elle aperçut la pièce parfaite : un fragment d'urne antique en cuivre, doté d'une patine sublime. Aussitôt, elle plaça une enchère dessus.

Tous les chiffres de l'horloge seraient légèrement différents avec une peinture du ranch en arrière-plan… Elle découperait les chiffres dans le fin métal de l'urne pour former le cadran. A cette intention, elle demanderait à Tripp de l'aider à utiliser sa scie électrique. Pour le reste, bien qu'elle soit créatrice de bijoux et pas horlogère, elle avait en stock un vieux mécanisme provenant d'une horloge de Seth Thomas. Le décor serait peint à la main et exclusivement réservé à Spence. Pour cela, elle devait trouver la bonne perspective et choisir la technique idéale. L'aquarelle ? La peinture à l'huile ? Plus elle y pensait, plus elle mourait d'envie de la réaliser, cette horloge…

Ainsi, quoi qu'il puisse se passer entre eux, chaque fois qu'il la regarderait, Spence se souviendrait d'elle.

Elle voulait lui fabriquer un bel objet qu'il puisse garder accroché toute sa vie au mur, car elle était persuadée qu'il terminerait son existence dans la maison où il l'avait invitée à vivre avec lui.

Mais sans mention du mariage.

Pas de doute, elle avait besoin de discuter de la question.

Ai grand besoin de bavarder entre filles. Appelle-moi.

Un seul texto à l'intention de deux destinataires.

Bex appela immédiatement.

— Chez moi ou chez toi ? s'enquit-elle d'emblée.

— Je pensais plutôt chez Hadleigh. Je dois demander une faveur à Tripp. Attends ! C'est elle qui me bipe.

— Rappelle-moi.

— Promis.

— Bon, qu'est-ce qui se passe ? lança Hadleigh. Devine ce que je suis en train de faire ? De la poitrine de bœuf. Je la teste sur Tripp, car je compte en garnir des sandwichs pour la randonnée. Vu qu'il n'arrête pas de traîner dans la cuisine, j'en déduis que ça doit sentir bon. Viens vite à sa rescousse, car je ne vais pas tarder à lui botter les fesses.

— J'apporte des pommes de terre ?

— Si tu fais l'impasse, ça fendra le cœur de mon mari. L'autre soir, ton gratin a été si vite avalé qu'il en a à peine mangé. Du moins c'est ce qu'il prétend, parce que je jurerais qu'il en a repris deux fois. Lâche-toi encore sur le fromage. Et apporte un maillot de bain. Nous allons jouer aux femmes de pionniers et nous installer dans un jacuzzi bien chaud pour discuter.

Elle devait demander un service à Tripp, alors s'il suffisait d'un rab de fromage pour le satisfaire, qu'à cela ne tienne !

— Je ne suis pas sûre que les femmes de pionniers marinaient dans des jacuzzis, fit-elle remarquer en riant. Quoi qu'il en soit, ce programme me convient à merveille.

— Peut-être, mais c'est ce qu'elles auraient fait si elles en avaient eu un !

Deux heures plus tard, elle était plongée dans un bain bouillonnant, sur la terrasse arrière du ranch Galloway, avec deux paires d'yeux inquisiteurs fixées sur elle.

— Vous aimez mon nouveau vernis ? demanda-t-elle en sortant son pied de l'eau pour agiter les orteils. Il s'appelle *Rouge Soleil Levant*.

— Très joli, répondit Bex. Qu'est-ce que je donnerais pour avoir ce job ! Tu sais, celui des gens qui choisissent les noms de vernis à ongles. Je suis sûre qu'ils se disent : « Bien sûr, on pourrait l'appeler *Rose*, tout simplement, mais trouvons quelque chose de plus tarabiscoté, ça permettra d'augmenter le prix. » Ceci dit, oublie tes petits petons et vas-y. C'est le moment de discuter entre filles.

— Oui, accouche, renchérit Hadleigh.

Après tout, pourquoi pas ? De toute façon, ses amies en

entendraient parler un jour ou l'autre. Elle tendit la main et pressa le bouton pour stopper les jets.

— Spence m'a demandé de m'installer chez lui, annonça-t-elle.

— Fais-le ! lança Hadleigh.

— Ne le fais pas ! décréta Bex en même temps.

Aïe. Elle s'attendait à un front uni — pour ou contre —, mais sûrement pas à deux opinions discordantes.

— Ah, merci ! Vous m'aidez beaucoup, répliqua-t-elle en repoussant un nuage de bulles.

Le jacuzzi était relaxant et ses muscles commençaient à se détendre. Avec un soupir excédé, elle saisit son poignet pour montrer son bracelet.

— Apparemment, mon amulette a perdu ses pouvoirs. Je veux entendre vos arguments, un à la fois.

Hadleigh, splendide dans son maillot de bain, vu qu'elle avait l'injuste avantage de bénéficier d'un léger hâle tropical, prit la parole en premier.

— Je ne trouve pas que ce soit une mauvaise idée de vérifier si vous êtes capables de vous supporter au quotidien, avant de faire le grand saut. Votre histoire est plutôt tumultueuse, alors une période d'essai paraît sensée.

S'il devait y avoir un grand saut. Car Spence n'avait jamais montré le moindre signe indiquant qu'il était tenté de plonger dans les eaux du mariage…

— Je comprends que le cambriolage lui ait causé un choc, intervint Bex. J'en ai été aussi choquée et angoissée. N'empêche que je considère que tu mérites la totale, Mel : la bague, la demande, le mariage et tout le tintouin. Et surtout, ce grand amour que nous nous sommes promis entre nous et que nous attendons. Spence veut te protéger et je m'en réjouis, mais nous nous sommes juré de tenir bon et de *tout* obtenir.

Les deux points de vue se défendaient, et sur une échelle de 0 à 10, la confusion de Melody avoisinait… les 20 !

— J'ai besoin de lui parler, dit-elle. C'est vrai, j'ai envie de me marier. Mais il faut qu'il en ait envie aussi.

Le soulagement de ses amies était si flagrant, si transparent, qu'elle se sentit obligée de réagir.

— Quoi ? lança-t-elle. Vous pensiez que je ne voulais pas me marier avec lui ?

Hadleigh et Bex se regardèrent, avant de se tourner vers elle.

— Pas du tout, répondit Bex. On savait que tu en mourais d'envie, seulement on n'était pas sûres que tu finirais par l'admettre.

A l'évidence, le fait qu'elle était amoureuse de Spence Hogan n'était plus un secret.

— Le problème, c'est que je n'arrive pas à le faire parler, expliqua-t-elle en agitant les doigts dans l'eau. Le choix lui appartient. Car il n'est pas question que je prenne le risque de le demander une deuxième fois en mariage.

— Et pourquoi pas ? demanda Hadleigh, avec une lueur étrange dans le regard. Si le moment est propice, fonce.

17

Les chevaux, bien dressés, avançaient dans le canyon en file indienne. Pour ne rien gâter le temps restait au beau fixe, pas une goutte de pluie, un ciel sans nuages et un soleil des plus agréables. Et si les garçons étaient un peu turbulents, jusqu'ici ils s'étaient plutôt bien comportés.

La veille au soir, dans les tentes, ils avaient joué avec acharnement aux jeux vidéo, mais Spence s'en fichait, tant qu'ils respectaient le règlement le reste du temps.

Primo : interdiction d'utiliser les portables. Vu l'absence totale de relais dans les parages, faire respecter cette règle ne demandait pas de gros efforts de discipline.

Secundo : interdiction de se battre. Et il ne transigerait pas avec cette règle-là. S'il était capable de séparer les plus costauds d'entre eux, il préférait de beaucoup que les garçons résolvent leurs conflits à l'amiable. Tout mâle bourré de testostérone devait apprendre à se maîtriser et à ne pas s'emporter pour des broutilles.

Cette randonnée devait être une leçon de vie et il espérait que les gamins rentreraient chez eux avec une vision positive, non seulement des forces de l'ordre, mais de la nature qui les environnait. Beaucoup d'entre eux, peut-être la plupart, n'y avaient jamais eu accès. Si le voyage continuait à bien se passer, peut-être que l'année prochaine on pourrait étendre le concept à Casper ou à Cheyenne.

Melody lui manquait.

Et pas seulement sur le plan physique. Oh ! Faire l'amour

avec elle lui manquait beaucoup, mais aussi le bruit apaisant de son souffle dans le noir et sa douce chaleur, quand il roulait sur le lit et rencontrait son corps voluptueux. La nuit dernière, il avait rêvé qu'il marchait seul sur une route, avec l'impression de faire du surplace, sans aucune maison en vue, rien que la prairie déserte. Dans son rêve, il recherchait quelque chose, ou quelqu'un, mais n'avait rien vu du tout. Personne. Paniqué, il s'était mis à courir et s'était réveillé en sursaut, trempé de sueur.

Nul besoin de psychologue pour interpréter ce fantasme. Peut-être que la chose à faire était d'offrir une bague à Melody. Mais faire sa demande comportait des risques.

Elle pouvait refuser.

Ce qui serait une belle revanche. En effet, le jour où elle lui avait demandé de l'épouser, il avait refusé. Elle ne le lui avait jamais pardonné.

Oui, ce serait un retour de bâton, avec son cœur dans la balance. D'accord, il l'avait probablement mérité. Il n'empêche qu'il refusait de s'engager sur cette voie-là.

Soudain, un aigle interrompit ses mornes pensées en prenant son essor au-dessus de sa tête. Puissant et majestueux, il plana dans le ciel et lança un cri aigu. Derrière lui, il entendit Steve Whitehall donner un cours aux garçons sur les rapaces. Que ceux-ci enregistrent ou pas la leçon, le spectacle était splendide.

Arrivé sur le lieu du campement, il sortit son téléphone. Comme il fallait s'y attendre, il n'y avait pas de signal. Il brûlait de savoir si Junie avait découvert un indice susceptible de l'aider.

Deux éléments restaient ancrés dans son esprit, aussi déplaisants l'un que l'autre : le magasin d'antiquités et le saccage de la maison de Melody.

Rien n'indiquait que le voleur connaissait l'existence du diamant, pourtant il commençait à croire le contraire. Bien sûr, c'était la faute de Melody si elle ne l'avait pas mis à l'abri, mais à l'inverse de certains, elle était guidée par la conviction que le monde était un coin sympa peuplé de gens généralement bons et honnêtes.

Cette bienveillance était une des qualités qu'il préférait chez elle.

Steve avait emmené les garçons dans les bois pour leur montrer les fleurs d'automne qui pointaient. Même si ces gosses se fichaient comme d'une guigne de la flore sauvage, c'était éducatif. Après tout, leur faire découvrir la nature dans toute sa beauté et sa diversité n'était-il pas le but de cette randonnée ?

Pendant ce temps, Moe et lui montaient les tentes.

— A présent, nous avons sept vols sur les bras, avec grosso modo, le même mode d'effraction, dit-il à son adjoint. La vitre brisée chez Melody a été le plus radical, et c'est aussi chez elle que le voleur s'est montré le plus brutal. Est-ce que ce type a pris le mors aux dents et si oui, pourquoi ? Je n'arrête pas de retourner cette question dans ma tête et de me demander si cela a une signification. Donc, toute idée sera la bienvenue.

Moe déposa une pile de bûches près du feu de camp et lui tendit une brindille de jeune cèdre en guise d'amadou.

— Notre voleur, car j'ai noté que vous vous référez à *un* voleur et non à plusieurs, semble se polariser sur cette communauté, répondit-il après un instant de réflexion. Il est observateur, il sait quand tombe le moment d'agir et il a les testicules gros comme des melons.

Spence se servit de la brindille enflammée pour allumer le feu.

— Un choix de formule intéressant, observa-t-il, amusé. Et pourquoi donc ?

— Si piquer le moulinet de quelqu'un n'est pas une bonne idée, voler les bijoux d'une dame en est *vraiment* une mauvaise. Et si, en sus, c'est son gagne-pain, ça signifie qu'il ne recule devant rien. Je crois que ce type a bien étudié la question et découvert comment fonctionnait Mustang Creek. Il a compris qu'il était facile de tirer profit de certaines personnes vulnérables, qui ne verraient pas le coup venir.

— Comme Melody Nolan ?

— Oui, répondit Moe, le visage figé, dans la lumière vacillante du feu qui s'embrasait. Toutes les victimes étaient des proies faciles, des femmes ou des personnes âgées, et les cambrioler était simple comme bonjour. En plus, il savait qu'elles possédaient des biens de valeur.

— Comment ?

— Je cherche encore, répondit Moe en se levant pour rajouter une bûche dans le feu.

Dans le lointain, on entendait les garçons rire en dessellant les chevaux. Spence était sûr à cent pour cent qu'il devrait aller vérifier que les bêtes avaient été correctement brossées, cependant ces gamins apprenaient vite, et même s'ils grognaient un peu pour accomplir leur besogne, en général ils se montaient attentifs et semblaient bien s'amuser. Et de plus, ils respectaient leur monture, ce qui à ses yeux était primordial.

Le premier matin, quand il leur avait montré comment brider un cheval en réchauffant le mors dans la main pour éviter que le métal soit trop froid au moment de le glisser dans la bouche de l'animal, quelques-uns des garçons s'y étaient mis tout de suite. Les chevaux étaient de grosses bêtes imposantes, et pour un enfant, ils étaient encore plus impressionnants, mais si certains s'étaient montrés intimidés, il était presque sûr que, dès demain, tout le monde serait capable de seller son cheval.

L'aventure était toute nouvelle pour eux, alors il pouvait se montrer indulgent. Le comté de Bliss étant une région rurale, ces gosses n'étaient pas à proprement parler des citadins, cependant, tout le monde ne bénéficiait pas des mêmes privilèges.

Lui n'avait pas eu droit à grand-chose, car sa tante ne pouvait se permettre aucun extra, ce qui n'empêchait pas qu'elle l'aimait et qu'elle avait fait tout ce qu'elle pouvait pour lui. Et puis, c'était mille fois mieux que d'être recueilli par les services sociaux, qui auraient été son unique alternative. Il faudrait qu'il parle de la carte de sa mère à sa tante… Mais une chose à la fois. Pour l'instant, il allait se concentrer sur l'enquête et sur la randonnée, qui étaient prioritaires. Après toutes ces années de silence, sa mère passait loin derrière. Et si, comme il le savait, ce n'était qu'un prétexte pour repousser l'échéance, tant pis !

Le feu de camp brûlait bien et, attirés par la promesse d'un repas, les garçons s'étaient rassemblés autour. Quand Spence alla vérifier l'état des chevaux, ce fut pour découvrir que les jeunes cavaliers avaient accompli un boulot satisfaisant. C'était au tour de Moe de faire les grillades et, cuisson réussie ou pas, il n'en resta rien en un temps record !

Après le dîner, Spence s'occupa de la vaisselle, puis ordonna l'extinction des feux. Il prit son duvet et alla l'étendre à proximité des tentes.

Il avait décidé de dormir à la belle étoile, sauf qu'il n'arrivait pas à dormir. Il observa donc le ciel en méditant sur la vie. Pour lui, ce voyage était aussi une expérience enrichissante.

Tripp et Hadleigh essayaient d'avoir un enfant, il le savait, et le moment venu, ils seraient des parents formidables.

Et lui, était-il prêt à être père ?

La dernière fois qu'il avait fait l'amour avec Melody, il n'avait pas mis de préservatif, et elle ne lui avait pas demandé de le faire. Bien qu'ils aient été emportés par la passion, cela avait été une décision prise en commun. D'où venait cet espoir insensé qu'elle soit tombée enceinte ?

Bien qu'il n'ait pas encore fait sa demande, le mariage représentait un pas en avant important. Et devenir parent un autre pas, monumental.

Pourtant, il se sentait prêt. Pour tout : le mariage et la paternité. Cela lui avait pris neuf ans, mais il était fin prêt.

Il observa les tentes dispersées dans la clairière. A l'évidence, deux garçons étaient encore éveillés, car ils bavardaient et riaient en se lançant de gros « chut ! » quand le ton montait trop haut. Le hurlement d'un loup s'éleva soudain dans le lointain. Cela leur coupa le sifflet. Spence ne put s'empêcher de sourire devant le silence terrifié qui s'ensuivit. La première nuit où il avait entendu le hurlement d'un loup, lui aussi était resté tétanisé. Il s'était recroquevillé, tel un gosse effrayé, dans son sac de couchage. Et pourtant, cette peur primale avait quelque chose d'exaltant.

— Qu'est-ce que c'était ? demanda une voix tremblante dans la tente la plus proche, celle qui abritait les plus jeunes.

— Un loup, débile !

— Ça semblait tout près.

— Tu as les jetons ? lança un des gamins en reniflant avec mépris. Dis-moi combien de gens sont dévorés par des loups chaque année ? Laisse-moi deviner… Aucun.

— Je ne veux pas être le premier.

— Arrête de paniquer. Le chef Hogan ne dort même pas sous la tente. Si c'était dangereux, il ne le ferait pas.

— Oui, mais lui, il a un revolver.

— Tu n'es qu'une mauviette.

Le loup lança un nouvel appel, auquel répondit un de ses congénères. L'un des gamins grommela un juron qu'il n'aurait certainement jamais osé sortir devant sa mère, Spence l'aurait juré.

Il réprima un petit rire.

Maintenant qu'il était adulte et accablé de responsabilités, il n'allait plus souvent camper.

Il rêvait d'avoir un fils, ou une fille, pour l'emmener en excursion.

Et il voulait que Melody les accompagne.

Il s'éclaircit la gorge et lança :

— Les garçons, il faut dormir ! Le jour va bientôt se lever. Et puis les loups pourraient vous entendre et découvrir l'emplacement de notre campement.

Aussitôt, un silence paisible s'abattit sur le camp.

5 heures du matin. C'était trop tôt pour se lever. D'ailleurs, Harley ronflait toujours sur le lit.

Qu'importe ! Melody, qui avait reçu ses nouveaux outils, avait été réveillée par une force irrésistible. Hourra ! Elle pouvait de nouveau travailler !

Elle se leva donc et se mit au travail.

Bercée par une douce musique d'ambiance, un mixte de concertos de Bach, de chansons country et de musique pop, elle but deux tasses de café. A la suite de quoi, elle s'installa devant son projet de collier et avança à pas de géant.

C'était toujours gratifiant d'avoir la sensation de toucher au but. Cette pièce serait une merveille. Une grande partie du crédit en revenait à Mme Arbuckle — c'était elle qui avait choisi les pierres semi-précieuses —, toutefois elle était très fière de sa création, maintenant qu'elle avait pris forme. Lettie Arbuckle pourrait la porter à toutes ses soirées mondaines, où elle ferait sensation.

La bague devrait attendre. Tant qu'elle n'avait pas trouvé la pierre idéale, elle n'aurait pas le cœur de s'y consacrer. Contre toute logique, elle gardait le fol espoir que l'on retrouverait le diamant Pierce.

Evidemment, elle aurait dû dépasser ce blocage, mais l'art n'était pas un domaine qui fonctionnait sur commande. L'inspiration venait quand elle venait, prenant parfois des vacances à l'improviste. Sa muse, du moins celle dont elle aurait eu besoin pour cette bague, devait être en villégiature quelque part sur la Riviera, bronzant au soleil en refusant de répondre à ses messages.

A propos de vacances… Spence et sa troupe de gamins revenaient aujourd'hui. Vu que Bex, Hadleigh et elle s'apprêtaient à se lancer dans la même aventure, il serait instructif d'apprendre comment s'était passée l'expédition.

Si son unique balade sur Sunset n'avait pas suffi à faire d'elle une cavalière émérite, elle lui avait permis de recouvrer une partie de ses réflexes oubliés. C'était déjà quelque chose. Cependant, Bex, dotée d'un corps aussi superbe que tonique, était la personne la plus sportive qu'elle connaissait, et Hadleigh montait régulièrement en compagnie de Tripp. Elle avait donc peu de chances d'être élue reine de la randonnée.

Bon, elle ruminerait plus tard sur ses piètres qualités d'écuyère. Pour le moment, elle avait autre chose en tête.

La fabrication de l'horloge était un défi. Heureusement,

Tripp avait promis de l'aider à découper les chiffres — et aussi de garder le secret. Il avait également proposé de s'occuper du mécanisme. Elle avait sauté sur cette offre généreuse, car l'horlogerie était loin de son domaine d'expertise.

Dès qu'il y eut suffisamment de lumière, elle nourrit Harley.

— Allez, viens cow-boy ! lança-t-elle, quand il eut fini sa ration de croquettes.

Le chien ne se fit pas prier pour l'accompagner.

Son domaine à elle, c'était le décor de l'horloge. La maison, l'écurie, le corral… Aujourd'hui, elle allait ébaucher quelques croquis et voir le motif qui correspondait le mieux à l'image qu'elle avait en tête.

Elle s'assit dans l'herbe, Harley auprès d'elle, et se concentra sur le paysage devant elle. Elle fit des croquis jusqu'à midi et sentit qu'elle touchait au but. Elle était toujours au même endroit, absorbée par sa tâche, quand elle entendit du bruit sur le chemin.

Des claquements de sabots.

Les randonneurs revenaient. Elle rentra en vitesse et s'empressa de remplir un panier de pique-nique avec des sandwichs poulet-salade, auxquels elle ajouta un reste de salade de pommes de terre et quelques-uns des fameux cookies de Hadleigh. Quand Spence apparut, elle l'aurait volontiers salué en criant, si Harley ne s'en était chargé pour elle. Le chien fila vers son maître en aboyant. Elle se contenta donc d'agiter vaguement la main, avant de retourner à son travail, persuadée que Spence viendrait bientôt la rejoindre.

En effet, c'est ce qu'il fit. Mais pas avant vingt bonnes minutes.

Le voyant s'approcher, les cheveux humides, elle en déduisit que c'était une bonne douche qui avait figuré en tête de ses priorités. Sans s'embarrasser d'un bonjour, il se laissa tomber à côté d'elle et désigna le panier.

— J'espère que c'est le déjeuner que tu m'as promis, dit-il.

— Oui, répondit-elle en refermant son carnet de croquis. Tu as manqué à Harley.

— Seulement à lui ? lança-t-il en la plaquant sur son torse pour un baiser mémorable.

— Oui, seulement à lui, confirma-t-elle, mutine, quand il la relâcha.

— Le déjeuner pourrait attendre…, murmura-t-il en lui caressant l'épaule.

— Pas question, je meurs de faim, et je suis sûre que toi aussi, répliqua-t-elle en le repoussant pour s'asseoir et ouvrir le couvercle du panier. Comment ça s'est passé ?

Il s'étendit sur l'herbe, les mains croisées derrière la tête.

— L'excursion ? Plutôt bien. Les garçons se sont remarquablement bien conduits et le temps aussi. Si je peux contrôler des gosses, le temps, c'est plus ardu. Alors je remercie le ciel pour sa clémence. Ces ados débordent d'énergie. Les confiner trop longtemps sous la tente, c'est rechercher les problèmes. Heureusement, nous avons bénéficié de belles journées et de nuits claires, et il n'y a pas eu de disputes.

— Tant mieux. Tiens, voilà pour toi, dit-elle en lui tendant un sandwich. Ce n'est pas moi qui ai cuit le pain, mais j'aurais bien aimé. En revanche, c'est Hadleigh qui a préparé les biscuits. J'aime bien faire de la pâtisserie, mais là, j'étais trop occupée. Je ne suis même pas sûre de m'être brossé les cheveux, ce matin.

— Pour moi, ça ne fait pas de différence. A mes yeux, tu es toujours aussi jolie.

Avant de s'attaquer à son déjeuner, il prit le temps de confirmer sa déclaration en l'étudiant de la tête aux pieds avec une satisfaction évidente. A la suite de quoi, l'opération sandwich prit trente secondes chrono.

Heureusement, elle avait anticipé son appétit d'ogre et lui en offrit un second, accompagné de quelques cookies.

— Hadleigh voudra savoir si tu les as aimés, dit-elle. Ils sont au chocolat blanc et aux cerises séchées.

— Des cerises séchées ? Dans un cookie ?

Méfiant, il observa les points rouges qui piquetaient les biscuits avant d'en goûter un.

— C'est bon, conclut-il sur un ton qui semblait sincère.

N'empêche qu'elle soupçonnait qu'il aurait fait le même commentaire si elle lui avait offert un Figolu rassis provenant des rayons de l'épicerie locale.

Inutile d'informer Hadleigh qu'elle s'était décarcassée pour rien sur cette recette — du moins, en ce qui concernait Spence.

A son avis, ces cookies étaient délicieux. Elle, elle avait l'intention de confectionner des sandwichs Hot Brown, une recette inventée et baptisée d'après le fameux hôtel du Kentucky. Elle se composait de toasts à l'ail et de filet de dinde, nappés de sauce Mornay. Pour la touche finale, il faudrait qu'elle trouve le moyen de les faire griller.

Pourquoi pas en passant dessus un brandon enflammé ? L'idée l'enchanta. Ce serait vraiment à la manière des pionniers.

Pendant ce temps, Spence l'observait avec un regard interrogateur chargé de désir. L'après-midi avait beau être radieux, ils avaient beau être seuls au monde — à l'exception de Harley — et elle avait beau être terriblement tentée de batifoler toute nue avec lui, elle n'en était pas moins résolue à tenir bon. Pour une fois.

Refusant de se laisser émouvoir par le spectacle envoûtant de ses boucles sombres ondulant sous la brise, elle prit un cookie et annonça :

— Nous sommes très divisés sur ton invitation à vivre ici. Evidemment, Harley vote pour, et Hadleigh prend son parti, mais Bex et moi restons très réservées. Quant aux chats, ils se plaisent beaucoup chez moi et préféreraient rester où ils sont.

— Et, bien sûr, leur opinion est prépondérante.

Elle choisit d'ignorer cette réflexion acide et poursuivit :

— Cela fait donc cinq voix contre deux.

— Parce que mon vote ne compte pas ?

Elle corrigea aussitôt.

— D'accord, cinq contre trois. Tu ne fais toujours pas le poids.

— Minute ! Reb prétend que c'est la meilleure idée qu'il ait jamais entendue, rétorqua-t-il. Alors, ça fait cinq contre quatre. Et si je fais un sondage au bureau, je suis presque sûr que Moe et Estes penseront comme moi. Tu vois. J'ai gagné.

Et, maintenant que j'y pense, Junie, qui veut mon bonheur, voterait certainement pour.

Il la fit basculer sur le dos et lui arracha son cookie.

— Madame Nolan, vos sandwichs au poulet étaient délicieux. J'ai bien aimé le cookie, mais puis-je avoir un rab de dessert ?

— Il faut que j'y réfléchisse, répondit-elle en lui caressant le visage. Alors laisse-moi un peu d'espace.

Il ne protesta pas. Tous deux savaient qu'il était capable de la séduire d'un claquement de doigts, et cela ne la rendait que plus amoureuse quand il ne cherchait pas à exploiter cet avantage. Il roula sur le dos, fixa un moment le bleu du ciel, puis sauta sur ses pieds et lui offrit sa main pour l'aider à se relever en lançant :

— Merci pour ce fantastique déjeuner.

18

— Tu dis que ce nom n'apparaît pas à Mustang Creek ?

— Non, répondit Junie en fixant d'un œil soucieux l'écran de Spence par-dessus son épaule. J'ai essayé de toutes les manières possibles, j'ai surfé sur tous les moteurs de recherche, contacté tous les services de police du pays. Rien.

— Alors, selon toi, cette personne n'existe pas.

— Mary Allen ? Bien sûr que si ! On en trouve partout, mais pas à Mustang Creek, expliqua Junie en s'asseyant sur une fesse au bord de son bureau. Je trouve plutôt insultant qu'aucune Mary Allen n'ait daigné s'installer chez nous. Qu'est-ce qui cloche, dans notre belle ville ?

— Les répartitrices trop fouineuses, j'imagine. Merci pour tes recherches, la belle. Rentre chez toi, et passe une bonne soirée. Tu vas chez Billy, ce soir ?

— Quelle question ! Aujourd'hui, c'est un dollar la bière, répliqua Junie en se hâtant vers la porte. Au fait, ravie que la randonnée se soit bien passée, ajouta-t-elle au moment de sortir.

Spence, qui avait commencé à lire les informations, hocha distraitement la tête, un peu déconcerté par ce qu'il découvrait.

Mary Allen n'avait pas d'adresse légale à Mustang Creek. Ce qui devait expliquer pourquoi, les rares fois où ils étaient sortis ensemble, elle avait refusé qu'il aille la chercher chez elle et lui avait toujours proposé qu'ils se retrouvent en ville. L'alchimie entre eux n'avait rien eu d'exceptionnel, et il s'efforçait de se rappeler ce qu'elle avait bien pu lui raconter sur son passé.

En réalité, presque rien.

Elle prétendait être une experte, spécialisée dans l'estimation d'objets anciens.

Quelques jours plus tôt, il l'avait vue entrer chez Ronald Keith et cela le turlupinait. Est-ce qu'elle travaillait pour lui ? Si oui, à quel titre ?

Il appela Melody.

— Le jour où tu as acheté la bague, qui t'a servie, Ronald ?

— Oui, c'était lui, parce que c'était une pièce rare et très chère. Tu ne crois tout de même pas qu'il…

— Non, affirma-t-il en se grattant le menton. Je pensais aux théières.

— Tu pensais aux *théières* ? Pourquoi ? Je ne comprends rien à ce que tu racontes.

— Je m'enfonce dans le terrier du lapin d'Alice et tout cela n'a pas beaucoup plus de sens pour moi, mais j'y travaille. A propos, qu'est-ce qu'on fait ce soir ?

— Voilà qui semble présomptueux, chef Hogan. Qui a dit que nous ferions quelque chose ?

Il avait manqué de tact et devait vite rattraper sa bourde.

— Je voulais dire : est-ce qu'une pizza et une soirée cinéma te tenteraient ? Je te laisse le choix du film. Inutile que ce soit un film d'action, mais évitons les mélos tire-larmes, d'accord ? Moi, je me charge de la pizza. On se retrouve au ranch, dans quoi ? Une heure maximum ?

— Je ferai un effort pour le film, si tu inclus des légumes à la garniture de la pizza, répliqua-t-elle en riant. Et pas une double ration de poivrons avec une tonne de saucisses. *Deux* légumes au moins, et tu gagneras mon cœur.

— Marché conclu !

Après avoir raccroché, il se concentra — avec quelque difficulté — sur son enquête et réfléchit aux ressources dont il disposait pour la mener à bien. A Cheyenne, il avait un copain susceptible de l'aider. Alors pourquoi ne pas l'appeler pour obtenir un second avis ? Jack Pearson était inspecteur à la section des homicides, et les cambriolages n'étaient pas vraiment son domaine, mais il avait plus l'habitude que lui d'enquêter sur des affaires complexes.

Jack n'était pas au bureau.

Il aurait dû s'y attendre. Il laissa un message, puis appela la pizzéria Chez Mike Mule pour commander une maxi-pizza à pâte fine avec supplément de légumes, avant de s'installer confortablement dans son fauteuil en position « décontractée ».

Estes, assis à son bureau, lui adressa un petit salut impertinent.

— Bonne soirée, chef !

— J'espère bien.

— La seconde randonnée a lieu ce week-end. On a parié qu'au retour, vous ne seriez pas d'humeur aussi enjouée.

Les places pour cette excursion-là étaient parties bien plus vite que pour celle des garçons. Pas étonnant que les parents aient été si furieux que l'on ait exclu leurs filles de l'aventure.

— Heureux d'apprendre que mes variations d'humeur divertissent autant ce service, répliqua-t-il sèchement.

— Ce n'est rien de le dire, rétorqua Estes avec un petit rire, avant de retourner à son ordinateur.

Evidemment, c'était bondé chez Mike Mule et, bien qu'il ait commandé à l'avance, Spence dut patienter un bon moment dans la file d'attente. Le temps qu'il retourne à son pick-up avec sa pizza, il avait pris du retard. En remontant l'allée du ranch, il vit que la lumière était allumée.

Son cœur fit un drôle de petit bond dans sa poitrine, et la phrase « la chaleur d'un foyer » se mit à tourner dans sa tête — il aurait presque juré voir des oiseaux gazouillant voleter autour de lui !

Harley et Melody étaient blottis sur le canapé. Ensemble. Il s'était démené pour empêcher son chien d'y dormir, mais si son autorité avait quelque poids en ville, ce n'était apparemment pas le cas dans sa maison. La preuve : en le voyant passer la porte, Harley agita joyeusement la queue, alors qu'il aurait dû descendre précipitamment du canapé, la queue entre les jambes et l'air contrit.

Il alla poser la pizza sur la table.

— Tu as une mauvaise influence sur ce chien, dit-il. Pour ta gouverne, sache qu'il n'est pas censé monter sur le canapé.

— Il a dormi sur mon lit, alors, le canapé…, riposta Melody, ravissante dans son vieux jean, son T-shirt fané et ses chaussettes écossaises. Hum ! Cette pizza sent délicieusement bon. J'espère que tu as des assiettes en carton. Cela nous évitera d'interrompre le film pour faire la vaisselle. La séance peut commencer. Je n'ai plus qu'à appuyer sur le bouton.

Elle avait choisi un vieux classique qu'il ne connaissait pas, *Grand méchant loup appelle*, avec Cary Grant. Il s'esclaffa en engloutissant une bonne part de la pizza durant toute la durée du film. A la fin, alors qu'il tenait Melody nichée dans ses bras et que Harley ronflait comme si c'était son boulot, il dut s'assoupir, car un léger coup de coude dans les côtes le fit brutalement redescendre sur terre.

— C'est pour toi, dit Melody en lui tendant son portable, qu'il avait posé sur la table basse.

C'était Jack.

— Salut ! lança-t-il, s'efforçant de dissimuler qu'il s'apprêtait à dormir du sommeil du juste pour la première fois depuis des jours.

— Je ne t'appelle pas trop tard ? J'étais sur le terrain et je viens juste de trouver ton message.

— Non, pas du tout, répondit-il, conscient que Melody n'en perdait pas une miette. J'ai seulement une ou deux questions à te poser. Je crois qu'il y a un réseau de voleurs d'antiquités qui opère chez nous, à Mustang Creek. J'en ai parlé à la police fédérale, mais le problème semble purement local. Ces voleurs sont particuliers. Ils volent les pièces, les revendent et les revolent dans la foulée. Du moins, c'est ma théorie. Aurais-tu des contacts spécialisés dans ce genre de délits ?

— J'aimerais te dire non, malheureusement, j'ai des contacts spécialisés dans tous les types de délits, répondit Jack, visiblement intrigué. Quel veinard je suis ! Bon. Je vais donner quelques coups de fil. Je te contacte demain matin, si j'ai trouvé quelque chose.

— Merci beaucoup, Jack.

Dès qu'il raccrocha, Melody lui jeta un regard accusateur.

— Je refuse de croire que Ronald puisse avoir quelque chose à voir là-dedans, dit-elle. J'adore cet homme. C'est un amour.

— J'ai dû rater le moment où je l'accusais de quoi que ce soit, rétorqua-t-il en l'attirant contre lui. Si ça peut te soulager, je ne le considère pas comme suspect. Je me renseigne, c'est tout.

Melody ne fit aucun commentaire, mais alors qu'il était sur le point de se rendormir, elle lança :

— C'est à ça que ressemblera la vie avec toi ?

Il ouvrit un œil et vit qu'elle rougissait.

— Je veux dire, c'est à ça que ça *ressemblerait*..., corrigea-t-elle. Oh ! Et puis zut ! Tu es mort de fatigue. Allons nous coucher.

Aussitôt, Harley sauta à terre et fonça vers la chambre.

Le signal était clair comme de l'eau de roche, songea Spence, amusé malgré tout. Lui, il n'était pas censé dire ou faire quoi que ce soit, simplement rester où il était, c'est-à-dire... sur le canapé. A l'inverse de Harley. Message compris cinq sur cinq.

Ce chien était un petit futé.

« Si tu veux coincer un voleur, il faut penser comme lui. »

Melody n'avait rien d'un détective, en revanche, elle connaissait bien le monde des antiquaires. Si telle était la théorie de Spence, il fallait qu'elle l'étudie et y réfléchisse sérieusement. Peut-être qu'un indice utile pourrait lui revenir...

Elle était impliquée dans ce gâchis, et jusqu'au cou, ce qui lui conférait le droit d'agir, non ?

Curieusement, elle connaissait quelqu'un qui pouvait l'aider.

A son entrée dans le poste de police, Junie leva les yeux et lui adressa un sourire apparemment sincère.

— Salut, Melody. Désolée, Spence est absent.

— Je sais. C'est toi que je suis venue voir. On peut parler deux minutes ?

— D'accord, répondit Junie, visiblement surprise. Il peut y avoir des appels, alors ne m'en veux pas si je suis obligée de les prendre. Que se passe-t-il ?

— Ma maison a été cambriolée.

— Je sais. C'est moi qui ai téléphoné à Spence pour le prévenir.

— Oui, et je t'en remercie, répondit Melody en s'asseyant devant son bureau. Sinon je n'aurais découvert le désastre qu'en voyant des policiers dans mon jardin, à mon retour à la maison. Même si l'épreuve a été pénible, la présence de Spence a adouci les choses.

— C'est le type le plus gentil du monde. En même temps, vu qu'il est comme mon petit frère, je suis sûrement de parti pris.

« Avec son mètre quatre-vingt-dix, Spence n'a rien de *petit* », se dit Melody, soulagée de n'éprouver aucun pincement de jalousie.

— Ce n'est pas moi qui te contredirai, dit-elle. Je suis venue te demander une faveur, mais pourrais-tu le garder pour toi ?

— Tu rigoles ? J'adore les secrets. D'autant plus que je travaille avec des mâles qui s'informent les uns les autres, quand ils vont aux toilettes, expliqua Junie en levant les yeux au ciel. Comme s'ils ne pouvaient pas garder *ce* secret pour eux. Quelles créatures compliquées ! Si j'étais capable de fabriquer des bijoux, j'échangerais volontiers ma place contre la tienne ! Mais je suis aussi douée pour l'art qu'une limace. En quoi puis-je t'aider ?

— Hier soir, Spence a semblé sous-entendre que les vols pouvaient être liés à la boutique d'antiquités de la grand-rue. Le magasin de Ronald Keith. Cassandra est ta cousine, non ?

— Oui, répondit Junie, soudain méfiante, en la scrutant d'un regard aigu.

— Et elle travaille à mi-temps là-bas, n'est-ce pas ?

— Pardonne-moi, mais j'aimerais savoir où tu veux en venir. D'accord, la vie privée de Cassie est minable. Tu dois être au courant de son divorce. Un conseil, n'épouse jamais un avocat, parce que en cas de divorce, la chance ne tournera pas en ta faveur. N'empêche que c'est une gentille fille.

— Ne t'inquiète pas, je ne l'accuse de rien, précisa aussitôt Melody. Je me demandais simplement si elle avait remarqué des gens qui venaient souvent à la boutique. Spence a parlé d'un réseau spécialisé dans le vol d'antiquités. Ça a retenu mon attention, parce que c'est le genre d'objets que l'on a volé chez moi. Tu crois que l'on peut se fier à Cassandra pour ouvrir l'œil ? Je la connais depuis le lycée, mais pas suffisamment pour que je lui demande ce service. Tu peux lui dire que j'offrirai une récompense au cas où je récupérerais ma bague. Même si l'assurance couvrira les pertes, je tiens beaucoup à cette pierre.

— C'est ce qu'on dirait. Bien sûr, je vais lui demander de faire attention, en précisant, au passage, que c'est une idée de Spence.

— Lui ne m'informera probablement de rien. Je doute qu'il veuille que je m'investisse dans l'enquête.

— Certainement pas, confirma Junie. Il est fou de toi, et il refusera que tu prennes le moindre risque. Tu dois reconnaître que des gens qui cambriolent le domicile d'autrui ne sont pas des enfants de chœur.

« Il est fou de toi. » Comme c'était doux à entendre…

— J'ai toujours su qu'il finirait par te choisir, reprit Junie. Comme s'il avait eu le choix ! « C'est la blonde qu'il te faut », je lui ai dit, il y a des années, quand vous sortiez ensemble. Faut dire que j'étais un peu plus âgée que lui, donc plus mûre et beaucoup plus sage. Ce qui n'a pas changé, conclut-elle avec détermination.

— Mais il ne t'a pas écoutée, répondit Melody, qui se rappelait encore sa demande en mariage ratée, le jour où elle lui avait proposé qu'il l'enlève.

— Oh ! Il m'a entendue. C'est pour ça qu'il s'est carapaté dans la direction opposée. Dès qu'il s'agit d'engagement, Spence est plus timide qu'une rosière. Je dirais que, par rapport à avant, son niveau de confiance a augmenté d'à peu près 200 %.

N'empêche que tu dois garder à l'esprit que le boulot qu'il fait et la tendresse, ça ne va pas vraiment ensemble. Qu'importe ! Accroche-toi. Parce qu'il en vaut la peine.

Un des adjoints passa devant elles et toucha poliment son chapeau en lançant :

— M'dames.

Melody lui rendit son sourire. Spence allait savoir qu'elle était venue. Ce que confirma aussitôt Junie.

— Je parie que Moe a déjà sorti son portable, dit-elle, amusée, en regardant son collègue disparaître au coin du couloir. Je l'adore. Rien n'angoisse plus un homme que deux femmes en train de parler de lui. Et même si c'est d'un autre qu'elles parlent, ça lui fiche les chocottes.

C'est alors que Melody découvrit qu'en dépit de sa jalousie, elle aimait bien Junie et comprenait pourquoi Spence l'aimait aussi.

— Merci de m'aider, dit-elle.

— Pas de problème. Promets-moi simplement que tu n'iras pas fouiner partout sans en avertir d'abord Spence.

— Oh ! Je n'ai pas le temps de mener une enquête. La randonnée approche et j'ai plusieurs bijoux à terminer avant de partir.

— Au fait, j'adore ce bracelet. J'imagine que c'est toi qui l'as créé. Ce serait possible d'en acheter un ? Les breloques en disent beaucoup sur les gens, mais seuls leurs propriétaires savent ce qu'elles signifient.

— Je vais en créer une spéciale à ton intention et te l'offrir. Alors réfléchis au symbole qui te plairait et je le fabriquerai.

Le visage de Junie s'illumina.

— Tu ferais ça pour moi ? C'est trop gentil !

— Oui, et avec plaisir, répliqua-t-elle en souriant.

Et elle était sincère. Junie commençait à bien lui plaire.

— Attends un peu… Tiens ! Je sais quel gri-gri je désire, dit soudain Junie. Des bottes de cow-girl. Spence se moque toujours de moi en disant que je suis une bouseuse, et peut-être que j'en suis une. Parce que j'avoue que j'adore les rodéos sauvages du samedi soir.

— Tu auras tes bottes, lui promit Melody. Appelle-moi si Cassandra a quelque chose à raconter.

— Compte sur moi.

Après avoir quitté le poste de police, Melody s'arrêta au supermarché afin d'acheter les produits nécessaires pour le soir où elle serait de corvée de cuisine, durant la randonnée. De la dinde rôtie, du parmesan et des toasts texans pour ses sandwichs Hot Brown, plus quelques tomates bien mûres. Et si elle préparait à dîner pour Spence ? Un poulet au barbecue et une salade de pommes de terre seraient parfaits pour clore cette belle journée d'été. Ses achats faits, au lieu de retourner chez elle, elle prit la direction du ranch.

Est-ce qu'elle pourrait y vivre ? se demanda-t-elle, durant le trajet. La maison de Spence n'avait rien de glamour, mais elle était confortable et offrait un panorama splendide sur les montagnes. Un ranch avec une vue pareille, quelle femme n'en aurait pas rêvé ? Surtout avec Spence inclus dans le package.

Et Harley, bien sûr. A son arrivée, le chien bondit hors de l'écurie pour la saluer et suivit sa voiture en courant. Même si elle adorait ses chats, il fallait reconnaître que leurs manifestations d'affection étaient nettement moins exubérantes. L'adoration inconditionnelle — et bruyante — de Harley était aussi drôle que touchante.

Une fois descendue de voiture, elle le caressa pour le remercier de son accueil.

— Oui, mon beau, je t'aime aussi.

Il aboya et se remit à courir en traçant des cercles autour d'elle, certainement sa manière de dire qu'il partageait ses sentiments. Soudain, elle s'aperçut qu'il s'appuyait sur trois pattes. De plus, il refusa de monter sur le perron. Il s'arrêta au bas des marches et fixa la porte d'entrée en grondant.

Elle comprit alors que quelque chose n'allait pas.

Spence risquait de regretter de n'avoir pas fermé sa maison à clé, parce que la porte principale était entrouverte. Quelqu'un était entré, se dit-elle en s'approchant pour regarder prudemment à l'intérieur.

Quelle horreur ! Spence aurait *vraiment* dû verrouiller sa porte.

Les dégâts étaient similaires à ceux qu'avait subis sa maison. Le plancher du salon était jonché d'objets divers et de débris de vaisselle.

Consternée, elle restait figée sur place, quand elle entendit un pick-up se garer. Tenant toujours ses sacs de courses, elle se retourna. Spence.

— Tiens, quelle belle surprise ! lança-t-il en descendant de son camion.

Mais soudain, il remarqua son expression et son sourire s'évanouit.

— Mel ? Ça va ?

Elle se laissa tomber dans un des fauteuils sous le porche, déposa ses sacs et annonça le plus calmement possible :

— Je crois que tu as reçu la visite d'un invité indésirable. Je me demandais pourquoi Harley était dans l'écurie et pas à sa place, sur le perron. Même ses aboiements semblaient différents, comme s'il cherchait à me dire quelque chose.

— Un *quoi* ? Tu es sérieuse ?

Il grimpa l'escalier quatre à quatre et s'arrêta sur le seuil.

— Le salaud, grommela-t-il, le visage crispé de colère.

Harley se coucha en gémissant et se lécha la patte avant droite.

— Je crois que le pauvre s'est battu avec l'intrus, fit remarquer Melody. Il boite.

Oubliant sa maison saccagée, Spence dévala les marches aussi vite qu'il les avait montées et s'agenouilla à côté de son chien.

— Hé, mon gars, laisse-moi voir un peu, dit-il en le caressant d'une main douce.

— J'appelle le vétérinaire ?

— Il y a du sang séché sur son pelage, je ne crois pas que ce soit le sien, mais mieux vaut s'en assurer, répondit-il, laconique et non sans une certaine satisfaction.

Il sortit son téléphone et, tout en continuant à caresser Harley, le lui tendit.

— Appelle le Dr Richards, s'il te plaît. Il n'est pas spécialiste des animaux de compagnie, mais c'est lui qui s'occupe de Reb. Il viendra tout de suite. Son numéro est dans ma liste de contacts.

Heureusement, Reb paissait paisiblement dans son enclos. Les cambriolages et le vol de bétail n'étaient pas du tout considérés sur le même plan dans l'Etat du Wyoming, où une loi inflexible interdisait de voler le cheval d'autrui.

Encore sous le choc, Melody prit le téléphone. Elle expliqua au vétérinaire qui elle était et ce qui s'était passé. Celui-ci répondit qu'il venait le plus vite possible et ordonna que le chien soit gardé au calme jusqu'à son arrivée.

Quand elle lui rendit son portable, Spence pressa une touche.

— Junie, envoie Moe et Estes chez moi, ordonna-t-il. Il faut qu'ils rédigent un rapport pour vandalisme et peut-être cambriolage. Et rends-moi un service. Appelle l'hôpital régional et toutes les cliniques du coin. Demande-leur de signaler toute personne venant se faire traiter pour des morsures de chien.

Après avoir raccroché, il se tourna vers elle, une lueur sombre ternissant l'azur de ses yeux.

— Cela t'ennuierait de rester près de Harley pour t'assurer qu'il ne bouge pas, pendant que je vérifie l'étendue des dégâts ? Cette affaire commence à prendre un tour personnel, qui me déplaît sérieusement. On n'a pas constaté de dégradations aussi délibérées et malveillantes, au cours des premières effractions. Uniquement chez toi et chez moi. J'ai des soupçons sur la personne qui pourrait se dissimuler derrière tout ça, mais je dois trouver des preuves.

L'info était intéressante, et elle comptait bien exiger des explications, plus tard.

Elle s'assit auprès de Harley et lui caressa les flancs.

— Evidemment, je vais rester avec lui, dit-elle.

Elle patienta dehors avec Harley pendant que Spence faisait le tour des lieux. Moe et Estes arrivèrent rapidement et se mirent au travail avec une détermination farouche, non sans avoir traité ceux qui avaient fait ça de tous les noms.

— La seule chose qui manque, ce sont mes boîtes anciennes

en métal, lui expliqua Spence, une fois que ses adjoints furent repartis, après avoir pris des photos, relevé les empreintes et pris des notes pour leur rapport.

Ensuite, tous deux passèrent une heure à ramasser les morceaux de verre et la vaisselle cassée, à redresser les meubles et à tenter de réparer les dommages.

Comme chez elle, les dégâts étaient superficiels, mais Spence avait raison : ils semblaient tous les deux visés.

Une vendetta personnelle.

Au moins, Harley n'était pas gravement blessé. Le Dr Richards leur avait assuré que s'il boitait c'était parce qu'il avait certainement tenu tête au voleur, qui, en prenant la fuite, avait dû lui écraser la patte.

Le vétérinaire venait d'ailleurs d'appeler, il y a une heure, pour confirmer que le sang n'était pas celui de Harley.

Bon chien.

Super chien.

Parce que si le voleur était allé se faire soigner, Spence obtiendrait peut-être l'indice dont il avait besoin pour progresser.

Assise en face de lui, elle mangea un peu de salade de pommes de terre. Elle était délicieuse, d'autant plus qu'elle y avait ajouté du bacon. Mais le cœur n'y était pas vraiment.

A l'évidence, Spence n'avait nulle envie de discuter, mais, après tous ces événements, elle estimait qu'il lui devait des explications.

— Alors, à ton avis, c'est qui ? demanda-t-elle, jugeant avoir patienté assez longtemps.

— J'ai brièvement fréquenté une femme, qui m'a dit s'appeler Mary Allen, répondit-il en soupirant. Je l'ai rencontrée par hasard à l'épicerie. Après avoir entamé la conversation, nous sommes allés prendre un café, et nous avons même dîné une fois ensemble. Ce n'est pas qu'elle manque de séduction, mais je crois qu'un officier de police sent instinctivement quand quelqu'un n'est pas très clair. Je ne l'ai donc jamais réinvitée. Ce qui est bizarre, c'est qu'apparemment elle vit en ville, or je n'arrive pas à trouver son adresse. Pourtant, l'autre jour, je l'ai aperçue dans le magasin d'antiquités de Ronald. Elle y entrait au moment où j'en sortais.

— Qu'est-ce qui te fait croire qu'elle est liée à cette affaire ?

— D'après ce qu'elle m'a dit, elle gagnerait sa vie en expertisant des antiquités.

Ah. Elle comprenait mieux, à présent.

— J'ai demandé à Junie si Cassandra pouvait rester aux aguets et surveiller les gens qui viennent fréquemment au magasin, avoua-t-elle.

— Parce que tu joues les détectives amateurs, à tes heures perdues ? répliqua-t-il sévèrement.

— Je *veux* récupérer mon diamant.

— Je sais, dit-il sur un ton radouci. Et je veux être celui qui te le restituera.

19

Liste des choses à faire.

Harley chez Tripp. Pointé. En dépit de sa blessure à la patte, il s'amuserait bien avec les autres chiens.

Les chevaux sellés, les bagages chargés. Pointé.

— Que le spectacle commence, fils ! lança Jim Galloway qui se tenait à quelques mètres devant Spence.

— Si vous êtes prêt à partir, moi aussi, dit-il en retenant un soupir.

Si, d'un côté, il était content de pouvoir veiller à la sécurité de Melody, de l'autre, il hésitait à quitter la ville en ce moment.

Hadleigh était montée sur Sunset, Melody sur un cheval bai appartenant à Tripp — qui lui avait juré que la bête était docile — et Bex sur une jument empruntée à un ami. Pauline Galloway chevauchait une monture très sage, choisie par Jim dans le cheptel du ranch, et toutes les gamines, prêtes à partir et bavardant avec excitation, attendaient derrière elles.

Certaines portaient des sacs à dos *roses*, avait-il constaté. Mais il s'abstiendrait d'en faire la remarque, car ce n'était pas lui qui commandait l'expédition. Jim et lui n'étaient là qu'en renfort, des gros bras embauchés pour effectuer le travail pénible.

Quand même, du *rose*, pour camper dans la nature ? Ces sacs roses lui semblaient totalement déplacés, mais qu'importe ! Et puis un jour, il pourrait bien avoir une fille. Il espéra juste que ce rose fluo n'effraierait pas trop les animaux.

Et aussi que les plats raffinés de Hadleigh, Bex et Melody seraient meilleurs que ce qu'ils avaient servi aux garçons.

Des biscuits forêt-noire ? Quoi que cela puisse être, Moe, Steve et lui n'avaient rien cuisiné de semblable.

— Tripp est là-bas, en train de se tenir les côtes, murmura-t-il à Jim.

— Il meurt de rire, renchérit le vieil homme en souriant avec affection. Ne te bile pas, on lui rendra la monnaie de sa pièce. On va lui jouer un tour de notre façon. J'y réfléchissais justement.

— Bonne idée !

— Je réfléchis aussi à cette histoire de cambriolages. Je ne vois personne dans le coin qui fasse un bon suspect. Et si on agitait un appât pour coincer les voleurs ?

Piéger des délinquants n'était pas légal, car c'était considéré comme une incitation à enfreindre la loi. Toutefois, sachant que jamais Jim n'aurait fait quoi que ce soit d'illégal — sauf pour protéger un être aimé ou un animal en danger —, il le pria de s'expliquer.

— Je possède une épée ancienne, dit-il. J'ai toujours cru qu'elle datait de la guerre civile, mais il y a peu, j'ai fait des recherches et je crois qu'elle remonte à la guerre d'Indépendance.

Spence, qui chevauchait à sa hauteur, se tourna vivement vers lui.

— Pardon ?

— J'ai enquêté sur l'homme dont le nom est gravé sur la lame, expliqua Jim, comme s'il parlait du dernier rodéo. Un certain Hanson. Il se trouve que c'était un orfèvre qui travaillait avec Paul Revere. Qui aurait pu penser ça ?

Spence rajusta son Stetson sans répondre. Il y avait des matins où on se levait sans soupçonner ce qui vous attendait au tournant.

— Laissez-moi récapituler, Jim. Vous possédez une épée qui remonte à 1776 ? Si elle est authentique, elle devrait se trouver à la Smithsonian Institution. Où est-ce que vous la conservez ?

Le vieil homme jeta un regard vers les femmes et les gamines qui les suivaient et baissa la voix pour répondre :

— D'ordinaire, au grenier. Mais je pourrais me balader avec sous prétexte de la faire expertiser ? Authentique ou pas, elle est assez spectaculaire pour attirer l'attention des voleurs.

— Et si vous l'enfermiez sous clé, plutôt ? Nous trouverons un autre biais pour résoudre l'affaire. Pardonnez-moi de trop vous aimer, Pauline et vous, mais je refuse d'inviter des voleurs à venir chez vous. C'est ce qui vient de m'arriver et j'ai modérément apprécié.

— Eh bien, c'est que j'ai déjà lancé l'opération, l'informa Jim, ennuyé. Mais ce n'est pas grave. Il suffit de lui trouver une meilleure cachette. Justement, je l'ai apportée pour qu'on en choisisse une ensemble.

— Vous l'avez *apportée* ?

— A ton avis, c'est quoi, ce long fourreau attaché à ma selle ?

Spence n'arrivait pas à le croire. Jim trimballait dans la nature une épée datant de la guerre d'Indépendance. Une relique, probablement passée entre les mains de Paul Revere, et qui devait valoir une fortune.

Ça, c'était le pompon !

Des épées, des sacs à dos rose bonbon, des biscuits forêt-noire et quoi encore ? Cette excursion commençait à prendre un tour surréaliste.

Pour couronner le tout, la météo s'était plantée en beauté.

Aucune des gamines ne hurla de joie quand il se mit à pleuvoir. Visiblement la coiffure était leur principal motif de récrimination. Heureusement, on était en été. Alors, si se faire doucher n'avait rien d'agréable, ce n'était pas bien méchant.

Spence remonta la colonne pour voir comment se comportait la troupe et s'arrêta au niveau de Melody qui lui lança froidement :

— Je t'invite à expliquer ça aux filles. Les pauvres ont

certainement passé un temps fou à se pomponner pour le voyage, alors vas-y. Et bonne chance !

Audacieux mais pas téméraire, il battit prestement en retraite et remonta en tête du convoi, près de Jim.

— L'argument « ça pourrait être pire » n'a pas eu le succès escompté, dit-il.

— Je t'avais dit que c'était peine perdue, fils, mais je te comprends. Tu voudrais que Melody reste de bonne humeur.

— Je veux l'épouser.

— Ça, ça fait longtemps que je le sais.

Spence repoussa son chapeau, et des gouttes d'eau s'accrochèrent à ses cils. La pluie tombait à verse, ce qui, ce soir au bivouac, n'allait pas lui faciliter la tâche.

— Je ne sais pas comment faire ma demande, expliqua-t-il. C'est une question décisive.

— Décisive, tu l'as dit.

— En tout cas, votre Pauline est un bon petit soldat.

— C'est vrai, répondit Jim, ravi. Mais tu dois te souvenir qu'elle a un avantage sur les autres : l'expérience de la vie. Elle sait que rien ne se déroule jamais à la perfection. Et puis elle en a affronté de dures. En comparaison de ce qu'elle a traversé, cette balade sous la pluie est une partie de plaisir.

— De mon côté, j'ignore ce que ma mère a enduré, car ça fait des années que je ne l'ai pas vue, dit-il soudain. Tout récemment, elle m'a envoyé un message. C'est drôle, il y a une part de moi qui voudrait l'ignorer. Vous comprenez ça ? J'aimerais me secouer comme un chien mouillé, décréter que c'est une cause perdue et apporter l'enveloppe à ma tante pour la laisser se débrouiller avec. Sauf qu'elle s'est déjà suffisamment coltiné mes problèmes. A votre avis, je peux le faire ? Ce ne serait pas injuste ? D'autant plus que je n'ai pas la moindre idée de ce que renferme cette lettre, ou cette carte.

— La vie n'est pas juste, c'est... la vie. Y a des tas de pékins de par le monde qui se cassent la tête pour essayer de tout expliquer. Je ne crois pas que ce soit faisable. Alors je vais te donner un conseil : fais-toi confiance. Ouvre cette lettre, lis-la, et après, décide si tu y réponds ou pas. Ce n'est pas plus compliqué que ça.

Le conseil était avisé.

Ils continuèrent leur route, sans que le temps s'améliore d'un iota.

Quand ils s'arrêtèrent pour dresser le camp, Spence fut encore plus reconnaissant à Tripp de lui avoir recommandé d'inviter Jim à les accompagner. Il avait beau ne pas être manchot, le vieux rancher savait monter une tente encore plus vite que lui. Et son extraordinaire sourire lui gagna le cœur de toutes les gamines, malgré leurs cheveux trempés et leurs mines ronchons.

Hadleigh ne fut pas très contente non plus de devoir annuler son poulet sauce Alfredo.

Mais le temps allait de mal en pis.

Les cieux se déchirèrent littéralement et des trombes d'eau s'abattirent sur eux.

Spence se sentit fusillé par des regards accusateurs.

Ce n'était tout de même pas sa faute s'il faisait un temps de chien !

Malheureusement, si le camp était bien abrité, il ne l'était pas suffisamment pour qu'ils restent au sec.

Après une demi-heure de halte, quand toute la troupe se retrouva plus ou moins à l'abri dans les tentes, il se rendit dans celle que Melody et ses amies partageaient.

— Désolé, lança-t-il à l'intention de Hadleigh. Je t'abriterai sous un parapluie, pendant que tu cuisineras. Tu en as apporté un, non ?

La jeune femme, qui, la seconde d'avant, semblait prête à fulminer contre les intempéries, éclata brusquement de rire, aussitôt imitée par Bex et Melody.

— Oh oui ! s'exclama-t-elle en s'écroulant sur son sac de couchage. Je rêve de voir le chef de la police brandir un parapluie fuchsia au-dessus de ma tête, pendant que je cuisinerai du poulet et des pâtes ! D'accord, Spence. Marché conclu.

— Ben quoi, ça devrait fonctionner, non ?

Il essayait d'être serviable et voilà que toutes les trois se payaient sa tête.

Reprise de fou rire, Hadleigh fut incapable de répondre. Quant à Melody et Bex, inutile de compter sur leur soutien.

— Hé ! Je suis prêt à me faire tremper jusqu'aux os pour que vous puissiez cuisiner et vous trouvez ça drôle ? protesta-t-il, excédé.

En effet, elles trouvaient cela hilarant.

Ce fut Jim qui lui sauva la mise en lui tapant sur l'épaule. Il lui tendit une assiette couverte d'un film plastique à donner aux occupantes de la tente.

— Pauline a écouté la météo, mais elle ne l'a pas crue. Alors, au cas où, elle a apporté du beurre de cacahuètes et de la confiture. Elle vient de préparer des sandwichs pour tout le monde. Je suis chargé de les distribuer. Les filles semblent plutôt contentes.

Spence était si soulagé qu'il aurait volontiers embrassé le vieil homme sur les deux joues. Ou, encore mieux, Pauline, qui, dans son rôle de grand-mère gâteau, était absolument délicieuse.

Bex se rua sur l'assiette et arracha le plastique.

— Je meurs de faim. Ouah ! Je n'y crois pas. Des sandwichs au raisin *et* à la framboise ? Calme-toi, mon cœur. Les filles, si vous voulez de la framboise, il va falloir vous battre.

— Je te les laisse, je préfère le raisin, répondit Melody, qui tendit l'assiette à Bex, après s'être servie. Du beurre de cacahuètes et de la confiture, ça me rappelle quand j'allais camper, gamine.

Elle se tourna vers Spence et, après avoir observé son chapeau dégoulinant, murmura d'un ton faussement désolé :

— On t'inviterait bien à dîner, sauf que tu prends trop de place et que tu es tout mouillé. Ici, c'est la jungle. Alors chacun pour soi. Mais… ça t'ennuierait de faire passer les cookies aux autres tentes ?

Tout sourire et avec une lueur malicieuse dans ses yeux magnifiques, elle lui tendit un gros sac.

— Ils sont répartis en sachets. Un pour chaque tente. A partir de maintenant, considère-toi comme l'elfe des cookies.

Bex et Hadleigh se plaquèrent une main sur la bouche, mais le fou rire n'était pas loin.

— Humph ! marmonna Spence, qui avait la sensation d'être ridicule.

C'était probablement les fameux cookies au chocolat blanc et aux cerises séchées. C'est vrai qu'ils étaient bons, n'empêche qu'un homme arpentant la montagne sous une pluie battante pour distribuer des cookies n'avait plus qu'à restituer sa carte du club des mâles.

Non seulement il était trempé comme une soupe, mais il devait encore prendre soin des chevaux et de l'équipement. Jouer le distributeur de friandises ne le tentait que moyennement.

Jim ne cachait pas son amusement et, pour ne rien arranger, Spence entendit les trois femmes hurler de rire lorsqu'il referma leur tente.

— Galloway, si vous dites un mot là-dessus, je kidnappe Pauline, maugréa-t-il.

— Fils, c'est une terrible menace de la part d'un elfe des cookies tout dégoulinant, répliqua le vieil homme qui, à présent, se tenait les côtes en riant à gorge déployée.

— Espèce de sadique ! grommela Spence en se dirigeant à grands pas vers la tente la plus proche.

Une fois que les gâteaux, accueillis par des piaillements de ravissement, furent consciencieusement distribués, Jim l'aida à accomplir les corvées. La seule consolation de Spence fut qu'en dépit du mauvais temps et de la privation de repas gastronomique, des éclats de rire jaillissaient de toutes les tentes. En particulier de celle des chaperons.

C'était déjà quelque chose.

Sa tente avait été la dernière à être montée. En temps normal, il aurait arraché ses vêtements, avant de se glisser dans son sac de couchage, mais au milieu d'un groupe d'adolescentes, c'était hors de question.

Personne n'ayant songé à déposer des sandwichs dans sa tente, il mangea deux des barres de musli qu'il emportait toujours dans son paquetage, les fit passer avec de l'eau en bouteille, puis grignota des noix en songeant au stratagème de Jim.

Cette histoire d'épée pouvait marcher.

Et si Jim avait dégainé trop vite en exhibant son trésor en ville, au moins il avait eu le bon goût de l'emporter avec lui. Il faudrait que le voleur soit sacrément costaud pour les pister sous cette pluie battante.

Sans avertissement, le rabat de sa tente s'ouvrit et quelqu'un plongea, tête la première, à l'intérieur.

Vu qu'il n'y avait nul autre endroit où atterrir, Melody s'écroula sur lui, et ce fut de justesse qu'il réussit à la rattraper dans ses bras.

Le poids de son corps était… si réconfortant et sensuel.

— Je passe en coup de vent t'embrasser pour te souhaiter bonne nuit. Je suis censée donner l'exemple, alors il ne fallait pas que l'on me voie me glisser dans ta tente, murmura-t-elle contre sa bouche, avant de l'embrasser.

Un très joli baiser, assaisonné d'une pointe de perversité, qu'il lui rendit sans se faire prier.

Le baiser se termina bien trop vite à son gré. Melody se recula prestement, comme si elle se préparait à partir, mais avant, elle sortit un sachet de la poche de son ciré.

— Tes cookies. J'avais oublié de te les donner.

Comme il n'était pas fier, il les dévora de bon cœur en songeant, amusé, qu'il devait y avoir en lui quelque chose d'un homme de la Renaissance — tout du moins sur le chapitre des cookies —, car il commençait à développer un goût prononcé pour les cerises séchées.

Le second jour fut pire que le premier.

Si la pluie s'était arrêtée, en revanche il bruinait et le vent s'était levé. Melody n'était pas totalement désespérée, mais il s'en fallait de peu. Quand ils s'étaient arrêtés pour déjeuner, elle n'avait pas compris comment Spence et Jim s'étaient débrouillés pour allumer un feu. Cependant, Hadleigh avait dû renoncer à ses pâtes au poulet, car il était hors de question de faire bouillir de l'eau. Elle avait dû improviser et faire griller les morceaux de viande, qu'elle avait servis accompagnés de salade en sachet, assaisonnée de vinaigrette campagnarde. Les filles n'en avaient pas laissé une miette.

En dépit de son époustouflante beauté, il était difficile d'apprécier le décor, avec ce vent déchaîné, soufflant à près de quatre-vingts kilomètres-heure.

Sans vouloir s'appesantir sur le sujet, Melody avait aussi terriblement mal aux fesses et elle était persuadée que c'était le cas de toutes les autres.

Alors que Jim et Spence montaient à cheval comme s'ils étaient nés en selle, la totalité des muscles qu'elle avait sollicités la veille commençaient à se manifester, et elle souffrait à différents endroits stratégiques.

Au moment où ils montèrent le camp pour le soir — heureusement, le déluge s'était calmé —, elle aurait tout donné pour échanger sa selle contre un lit confortable.

Hélas, ce n'était pas une option.

Ce vent incessant était éprouvant, car la tente était secouée comme un prunier et les arbres craquaient en fouettant l'air de leurs branches, tandis qu'un étrange sifflement retentissait dans l'air. Après avoir confectionné ses sandwichs Hot Brown, elle avait essayé de les griller à l'aide du petit chalumeau à gaz qu'elle utilisait pour la crème brûlée, mais y avait rapidement renoncé, n'ayant aucune envie d'être responsable d'un incendie de forêt.

Finalement, tout le monde avait dû se contenter de sandwichs spongieux à la dinde.

— Nous devons être les pires accompagnatrices de randonnée de tous les temps, fit-elle remarquer, étendue sur son sac de couchage, une heure après ce dîner calamiteux qui resterait sans nul doute dans les annales. Jim et Spence ont fait tout le boulot. Eux se fichent comme d'une guigne de l'humidité, des corvées, des chevaux, du vent… Moi, mes cuisses me font si mal que je crains de rentrer avec les jambes arquées !

Pour couronner le tout, la tente menaçait d'être arrachée par le vent et de s'envoler vers le pays de nulle part.

— Je fais quotidiennement de la gym, et si ça peut te consoler, mes cuisses compatissent avec les tiennes, renchérit Bex, allongée elle aussi sur son duvet.

Hadleigh, qui montait souvent à cheval, était en bien meilleure forme qu'elles. Vêtue d'un pantalon de pyjama et d'un débardeur, elle s'assit souplement, croisa les chevilles et laissa nonchalamment tomber :

— Comme tout, c'est une question de pratique.

— Tu veux étrangler Miss Sunshine ou je m'en charge ? lança Melody en échangeant un regard avec Bex.

— On pourrait s'y mettre à deux.

— Quoi ? répliqua Hadleigh en haussant les sourcils. Il faut bien que quelqu'un reste positif, dans cette tente maudite des dieux. Et puis je parie que vous n'êtes pas capables de me battre, même en vous y mettant à deux. Oui, les choses ne se déroulent pas vraiment au mieux. Et alors ? Moi, je m'amuse bien. Ça fait combien de temps qu'on n'a pas passé des vacances ensemble ? Ça m'a manqué. J'ai l'impression de retrouver nos soirées pyjama d'antan.

D'accord. Il fallait reconnaître qu'elle marquait un point.

— Je me souviens que c'était toi qui inventais les meilleures histoires, dit Melody en roulant sur le ventre. Allez, Hadleigh, raconte.

— Bon, j'en ai une ! lança cette dernière, après avoir réfléchi un instant. Il était une fois une princesse…

— Tu veux que je te dise, je crois que celle-ci, on la connaît, l'interrompit Bex.

— Attends de voir. La princesse en question est blonde et super-belle, mais terriblement entêtée. Elle aime à la folie le chef de la police sexy d'un petit patelin, situé au fin fond d'un royaume appelé le Wyoming. Mais, comme ils sont tous deux très indépendants, ils finissent par se séparer et prendre des chemins différents. Cependant, il se trouve que lui est canon et, plus important, un mec formidable. Alors, ils finissent par se retrouver et se remettre ensemble.

— Tu es hilarante, marmonna Melody en relevant la tête pour la fixer. *Sexy ? Canon ?* Désolée de t'informer que les frères Grimm n'ont jamais utilisé ce genre de vocabulaire.

— Ce n'est pas un conte de fées, répliqua Hadleigh en frissonnant. N'empêche que cette princesse est bête comme ses pieds. Elle ne se rend pas compte du trésor qu'elle a sous le nez.

— « Bête comme ses pieds » ? C'est trop gentil ! protesta Melody, outrée mais désireuse de connaître la suite. Et puis c'est connu, tout le monde rêve d'épouser une princesse stupide.

— Tu oublies qu'elle est blonde, fit remarquer Bex, qui buvait du petit-lait.

— Hé, c'est *mon* histoire ! s'indigna Hadleigh. Est-ce que je peux finir ? Bon. Des années auparavant, avant que notre héros ne devienne chef de la police, la princesse lui avait demandé de l'épouser, mais, en homme avisé, il avait refusé.

— *Avisé ?*

— Aucun des deux n'était prêt, éluda gaiement Hadleigh en agitant la main. Et là, je sais de quoi je parle.

C'était sûrement vrai, car, s'il avait eu lieu, son premier mariage aurait été l'erreur du siècle.

— Ça finit bien, j'imagine ? demanda Melody.

— A mon avis, la princesse devrait réitérer sa demande, déclara Hadleigh en se penchant vers elle. Ecoute, c'est un secret, mais je sais que c'est le chef de la police qui a déniché le diamant que l'on a volé chez la princesse. C'est *lui* qui a acheté la pierre à son intention et passé commande de la bague.

En dépit des hurlements du vent, un grand silence s'abattit dans la tente.

Melody fixait son amie, essayant de comprendre ce qu'elle venait d'entendre.

— J'ai eu tort de vendre la mèche, je sais, parce que Spence voulait te faire la surprise, chuchota Hadleigh en la fixant. Mais je n'ai pas pu m'en empêcher. Je vous aime tous les deux et je sais que vous êtes destinés l'un à l'autre. Quand je vois comment il te regarde…, bredouilla-t-elle, les yeux mouillés de larmes. La plupart des gens ignorent que

Mme Arbuckle est sa marraine. D'après Tripp, Spence voulait que tu dessines ta propre bague de fiançailles, et comme il ne savait pas comment s'y prendre, il l'a appelée à la rescousse.

Cela expliquait beaucoup de choses, en effet, et pourtant Melody ne savait plus quoi dire.

Elle avait guetté le moindre signe indiquant que Spence songeait au mariage, mais bien sûr, jamais il ne l'aurait dit. Pensez donc !

Pourtant… il avait distribué des biscuits sous une pluie battante, nourri ses chats, emmené des gamins en randonnée. Des gestes plus importants pour elle qu'une bague, et qui la touchaient au plus profond d'elle. Certains hommes peinaient certainement à trouver leurs mots et préféraient exprimer leur gentillesse et leur générosité par des actes. Spence était de ceux-là.

— A ton avis, comment dois-je procéder ? demanda-t-elle enfin. La première fois, je me suis plantée en beauté. Tu sais déjà que je ne suis pas douée pour les demandes en mariage. Je l'ai prouvé, il y a neuf ans. Alors j'avoue que l'idée d'être envoyée sur les roses une seconde fois me rend légèrement circonspecte. Je ne sais pas comment font les hommes. Faire sa demande, c'est comme s'ouvrir la poitrine au couteau pour montrer à l'autre son cœur palpitant.

— Oh ! Quelle image romantique ! intervint Bex en prenant une plaque de chocolat dans son sac à dos et en la cassant en morceaux. Il faut élaborer un plan de bataille. Puisque je pense être la seule saine d'esprit ici, c'est moi qui m'y colle, annonça-t-elle en leur en tendant des carrés.

— La *seule* saine d'esprit ? s'exclamèrent Melody et Hadleigh.

Bex s'était appuyée sur un coude pour grignoter à son aise et la lumière de la lampe se reflétait sur son visage.

— Depuis le début, je crois que votre problème, à toi et à Spence, c'est que vous voulez tout contrôler dans vos vies, expliqua-t-elle. Alors que l'objectif c'est de les fusionner en une seule vie partagée. L'obstacle principal à cela, c'est qu'il y a longtemps que vous volez de vos propres ailes. Aucun de vous n'est prêt à faire des concessions et vous vous heurtez continuellement. N'empêche que tu veux que la relation dure et lui aussi. Ce n'est un mystère pour personne, sauf pour vous.

Melody se glissa dans son duvet et s'y blottit avec son chocolat en lançant :

— Puisque tu es en veine de conseils, petite maligne, qu'est-ce que tu me suggères de faire ?

— J'essaie d'aider, d'accord ? répliqua Bex avec une grimace de reproche. A mon avis, tu devrais regarder Spence droit dans les yeux et lui dire : « Ecoute, je suis prête à m'installer avec toi, mais seulement en tant qu'épouse. »

— Tu appelles ça une demande *romantique* ? Moi j'appelle ça un ultimatum, fit remarquer Hadleigh. Et les hommes réagissent mal aux ultimatums.

— Tu te crois experte en la matière, parce que tu es la seule mariée ? riposta sèchement Bex. Pourtant, Tripp et toi ne vous en êtes pas si bien tirés que ça, la première fois. Excuse le cliché, mais votre idylle est loin d'avoir été un long fleuve tranquille.

Danger ! Querelle en vue !

Melody, ne voyant qu'un seul moyen de les arrêter, se contenta de lancer sur un ton neutre :

— Je me demande si je ne suis pas enceinte.

Elle avait toujours aimé l'adjectif « estomaqué », sans jamais trouver l'occasion de l'utiliser dans une phrase. Là, cela paraissait le moment idéal, car ses copines étaient visiblement sidérées, ébahies, abasourdies, plus ou moins la définition de ce mot.

— Je n'ai pas dit que je l'étais, simplement que c'est une possibilité, corrigea-t-elle.

— Ah bon ? Spence s'est montré aussi irresponsable ? murmura Hadleigh, incrédule.

— Spence ? Pourquoi pas moi ? J'ai été aussi irresponsable que lui. Mais ça, ça ne te surprend pas, on dirait.

— J'ai comme l'impression que tu as envie de ce bébé, déclara Bex à voix basse. Et, ce que veut dire Hadleigh, c'est que c'est pareil pour Spence.

Cela ressemblait au bon vieux temps quand, gamines, elles faisaient leurs soirées pyjama et chuchotaient avant de s'endormir. Mais sur des sujets beaucoup plus graves. Et si elles parlaient encore des garçons, ceux-ci s'étaient mués en hommes. Une page différente pour le même sujet.

Melody aurait probablement répondu si le rabat de leur tente ne s'était brusquement ouvert et si trois filles hors d'haleine ne s'étaient ruées à l'intérieur. Les gamines se mirent à parler toutes en même temps, jusqu'à ce qu'elle leur intime l'ordre de se taire.

— S'il vous plaît, calmez-vous et qu'une seule d'entre vous s'exprime.

— Il y a quelque chose dehors, on l'a entendu, balbutia en tremblant une fille mince, aux cheveux bruns, nommé Tina. Je crois que ça… grognait. Et ça a griffé notre toile de tente !

— C'est vrai ! s'exclamèrent les autres en chœur.

Et, en quelques minutes, la tente fut envahie de gamines terrorisées. Manifestement, c'était la panique.

Une violente bourrasque ébranla la tente. Une des filles hurla, ce qui ne fit qu'empirer les choses, car, en réaction, tout le monde se mit à brailler — y compris Melody, Bex et Hadleigh.

Heureusement, le vacarme alerta Spence et Jim qui arrivèrent en courant.

Ebouriffé et visiblement réveillé en sursaut, car il n'était vêtu que d'un jean, Spence souleva le rabat.

— Quelqu'un peut-il m'expliquer ce qui se passe ? demanda-t-il.

— Un bruit effrayant, expliqua sommairement Bex, qui tenait une fillette terrifiée dans les bras.

— Un bruit effrayant ? répéta-t-il, en fourrageant dans ses cheveux. Vous vous fou… moquez de moi ? Tous ces cris et ce raffut à cause d'un *bruit* ? D'abord, quel genre de bruit ? Quelqu'un a d'autres informations à me donner ? Décrivez-le-moi.

— Les filles ont entendu un grognement et quelque chose

a griffé leur tente, expliqua Melody. Alors, « bruit effrayant » me semble convenir parfaitement.

— Ecoute, fils, les gamines n'ont pas inventé cette histoire, intervint Jim. Nous avons un problème d'ours sur les bras.

Spence aurait tout donné pour dormir.

Piquer un somme, ce n'était pas trop demander.

Un ours en vadrouille. Super nouvelle ! Parce que ces bêtes étaient non seulement futées, mais tenaces. Les seules raisons pour lesquelles ils s'attaquaient aux humains, c'était pour se défendre, défendre leur petit ou chercher à manger.

Nul besoin d'être biologiste pour imaginer ce qui motivait celui-ci. La nourriture.

Il retourna à sa tente. Au moment où il enfilait une chemise, il entendit des craquements et se tourna vers Jim qui, fusil en main, attendait les ordres.

— C'est quelle espèce ? Vous avez vérifié ?

— A priori, c'est un ours brun, mais ça pourrait aussi bien être un jeune grizzli, répondit le vieil homme. Les oursons des grizzlis argentés ressemblent vite à des adultes.

Un *grizzli* ? Il ne manquait plus que ça ! De quelle taille ? Parce qu'ils pouvaient être grands. Enormes, même. Un jour qu'il campait, à l'âge de quinze ans, il était tombé nez à nez avec l'un d'eux, qui, heureusement pour son salut, s'était rapidement enfui, après l'avoir toisé dédaigneusement.

— Ce .22 ne l'arrêtera pas, dit-il en désignant le fusil de son compagnon.

— Il réussira peut-être à l'effrayer, répliqua Jim. L'animal a complètement lacéré une des tentes.

Spence laissa échapper un juron.

— C'est à cause de ces satanés cookies, marmonna-t-il. Mélangez des fruits, des noisettes et du sucre, et devinez ce qui se passera ? Je croyais avoir demandé à toutes les gamines qui avaient des sucreries de me les confier pour que je les range en lieu sûr. Et j'avais promis de les leur rendre demain matin, à la première heure. Bon sang ! Cette bestiole terrorise les chevaux. Je les entends s'agiter d'ici.

Jim lui tendit un sachet.

— Ce sont les gâteaux de Pauline. Avec ses excuses. Elle a rejoint les autres dans la tente.

Génial ! Maintenant, il avait des appâts à ours sur lui. Il se retourna, un fusil de gros calibre à la main.

— Ne me dites pas que ces pestes ont laissé des cookies dans *toutes* les tentes. Quand je leur ai parlé des ours, je me suis montré clair, non ?

Jim avait beau prendre l'incident au sérieux, il s'amusait comme un petit fou, ainsi que le prouvait son sourire narquois.

— Oui, je parie qu'il y en a dans toutes les tentes, et Dieu sait quoi d'autre aussi, répondit-il. Et oui, tu t'es montré très clair.

— Ça risque d'être coton, conclut Spence, après avoir observé les alentours. Vous préférez chasser l'ours ou monter la garder et veiller sur les chevaux ? Il n'est pas question de laisser les filles toutes seules. D'autant plus qu'elles doivent encore planquer des cookies qui vont attirer les ours.

— Je garderai la tente, répondit Jim. Le fait que toutes les gamines soient regroupées dedans, avec les femmes, va me faciliter la tâche. Mais ça t'ennuierait que l'on échange nos fusils ? Celui que tu tiens serait un bon argument pour le faire fuir et protéger la précieuse cargaison dont j'ai la charge, cargaison qui inclut ma femme et ma belle-fille. Avec le mien, je réussirai peut-être à l'inciter à bouger, mais ce n'est pas gagné. C'est à toi de décider.

Evidemment, Spence accepta son offre et tous deux échangèrent leurs armes. Pourvu que la théorie du jeune grizzli soit erronée et qu'il s'agisse d'une erreur d'identité, car les oursons restaient généralement deux ans près de leur mère. Alors, un ours ça allait. Mais un petit grizzli accompagné d'une mère surprotectrice… c'était nettement plus ennuyeux.

Et puis l'espèce n'avait pas vraiment d'importance. Les ours noirs tuaient plus de gens que les grizzlis ou les ours bruns, mais beaucoup moins que les guêpes et les frelons.

Si mère nature abondait en créatures dangereuses, les bêtes sauvages évitaient généralement les hommes. L'ours cherchait de la nourriture et il en avait trouvé. Il ne restait plus qu'à l'encourager à aller faire ses courses ailleurs.

— Obligez les filles à vous avouer ce qu'elles cachent, dit-il à Jim, tout en vérifiant que le fusil était chargé et prêt à tirer. Si je découvre que l'une d'entre elles a apporté un sac de gâteaux dans la tente où elles sont toutes réunies, je risque de péter un plomb. Et demandez à Mel, Bex et Hadleigh de vérifier qu'il n'y a rien à manger dans leur tente. Vous connaissez les ours.

— Oui, chef. Attends ! lança-t-il soudain, avant de partir en courant. Prends ça aussi, dit-il quand il revint, deux minutes plus tard, en lui tendant l'épée.

C'était une blague.

Cette excursion devenait de plus en plus dingue.

Après tout, quel meilleur moyen de parachever cette balade que de ferrailler contre un grizzli affamé avec une épée datant de la guerre d'Indépendance ? Spence voyait déjà les gros titres : « Pour défendre des jeunes filles en détresse, le chef de la police d'une petite bourgade pourfend une espèce protégée. »

— A tout à l'heure, si je ne suis pas balayé par le vent jusqu'au Nebraska, grommela-t-il. Ou dévoré par un ours. Ou empalé sur cette épée.

Avec un juron, il s'enfonça dans l'obscurité et n'eut aucun mal à dénicher sa proie. D'abord, les ours étaient de grosses bêtes et, ensuite, n'ayant aucun prédateur naturel, à part leurs congénères et les êtres humains, ils n'éprouvaient nul besoin de se montrer discrets.

En fait, c'était un ours brun. Un animal adulte qui avait déjà dévasté plusieurs tentes. Deux détonations suffirent à le persuader de rebrousser chemin en se dandinant vers la forêt.

C'est alors que s'ensuivit le pire épisode de cette débâcle.

A son retour, aucune des filles n'accepta de regagner son lit.

Toutes les douze insistèrent pour dormir ensemble dans

la tente, en compagnie des quatre femmes. Elles implorèrent même Jim et lui de coucher sur place.

Coucher où ? Elles étaient déjà plus serrées que des harengs en caque !

Pas question ! C'était totalement exclu.

Il recommençait à bruiner. Avant de retourner à leur tente avec Jim, Pauline lui avait confié sur un ton de regret qu'elle pensait que la pluie durerait toute la nuit.

— Je dormirai dehors, devant votre tente, annonça-t-il aux gamines qui le fixaient avec des yeux écarquillés. Je suis armé d'un fusil et d'une épée, alors vous ne risquez rien. Réveillez-moi si…

— Une *épée* ? le coupa Melody. Qu'est-ce que tu racontes ?

— Laisse tomber. On en parlera plus tard, répondit-il, avant de pointer du doigt l'arbre auprès duquel il avait planté sa tente. Je vais chercher mon sac de couchage. Ensuite, je camperai sur votre seuil, d'accord ? Pour arriver jusqu'à vous, il faudra me passer sur le corps.

— D'accord ! répondirent les filles qui semblaient nettement plus calmes.

Bingo ! Il allait de nouveau être mouillé. Trempé jusqu'aux os. Avec un peu de chance, un ours le déchiquetterait en lambeaux au cours de la nuit, mettant fin à son calvaire, songea-t-il, maussade, en entrant dans son duvet et en resserrant la capuche. Grand protecteur d'une bande de filles entassées dans une tente surpeuplée, il dormait en plein air avec, pour seule protection, un minable calibre .22 et une épée n'ayant pas été affûtée depuis près de trois siècles.

Résigné, il s'installa confortablement dans son sac de couchage — du moins, aussi confortablement que le permettaient les circonstances — et, ignorant stoïquement la pluie, ferma les yeux.

20

Spence faisait un héros assez impressionnant.

Quand la caravane arriva au ranch des Galloway, il ne faisait aucun doute que toutes les filles de l'expédition avaient le béguin pour le séduisant chef de la police de Mustang Creek.

Melody, pour sa part, était totalement sous le charme.

Dès que la caravane était arrivée à portée d'un émetteur, les gamines avaient commencé à appeler leurs parents pour qu'ils viennent les chercher, et une file de voitures encombrait déjà l'allée.

Le soleil eut le toupet de pointer son nez à travers les nuages au moment exact où Spence descendit de sa monture. Visiblement, il n'était ni fourbu ni courbatu, et il commença aussitôt à aider la troupe à mettre pied à terre, bientôt rejoint par Tripp qui vint s'occuper des chevaux.

— J'espère que l'une d'entre vous sera assez sympa pour me prêter son homme pendant dix minutes, geignit Bex. Il faut que je recrute Tripp ou Spence pour me porter jusqu'à ma voiture. Moi qui croyais qu'au troisième jour, mes courbatures ne seraient plus qu'un mauvais souvenir ! J'ai beau être entraînée à courir six épreuves différentes de marathon, *ça*, ça n'a rien à voir.

Le fessier endolori de Melody était du même avis.

— Jamais plus je ne serai la même, dit-elle, quand son cheval s'immobilisa. Au lieu de descendre de selle, je crois que je vais me laisser tomber.

— Trêve de lamentations ! intervint Hadleigh. Récapitulons

les faits : oui, nous avons été trempées jusqu'aux os, oui nous avons dormi à quinze dans une tente prévue pour trois, oui, nous nous sommes nourries de sandwichs spongieux et nous avons été menacées par un ours monstrueux. N'empêche que c'était une super expérience, non ? Je veux dire, pour les filles, corrigea-t-elle hâtivement, devant le regard noir de ses amies.

— Tout ce que je sais, c'est qu'un bon bain chaud me tend les bras, déclara Melody avec emphase. Ainsi qu'un verre de vin frais et un lit moelleux, qui devrait soulager *en partie* mes courbatures. Pour dîner, je veux un steak. Un bon steak bien juteux.

Elle poussa un petit cri lorsque Spence, qu'elle n'avait pas vu arriver, la saisit par la taille et la souleva de selle.

— Ça peut s'arranger, dit-il en la déposant doucement sur la terre ferme. Alors comme ça, on a rendez-vous ? Chez toi ou chez moi ?

Elle avait des steaks dans son réfrigérateur. Et il lui tardait d'être chez elle et de voir ses chats. Même si une amie était venue nourrir Ralph, Waldo et Emerson, ils lui manquaient.

— Chez moi, répondit-elle. Le triumvirat serait déçu que je ne passe pas du temps avec eux.

— Marché conclu, répondit-il en lui décochant un clin d'œil. 18 heures, ça ira ?

Il aida ensuite Bex à ôter sa selle puis, de son pas chaloupé de cow-boy, alla voir si tout se passait bien avec les excursionnistes qui étaient toujours là. Elle le vit parler à une maman au visage angoissé, certainement à cause de l'aventure avec l'ours, et constata que son sourire rassurant dissipait presque instantanément l'anxiété de la dame.

— Il est gentil, on ne peut pas lui enlever ça, murmura Bex.

Ce n'est pas Melody qui allait la contredire.

— Tiens, je vois Tate Calder ! lança-t-elle. C'est sympa de sa part d'être venu aider. Demande-lui donc de te porter jusqu'à ta voiture.

Bex piqua un fard et, rouge comme une pivoine, elle répondit, gênée :

— Je n'oserais pas, on ne s'est rencontrés qu'une fois. Ce n'est pas…

Tripp, qui les avait rejointes pour aider Hadleigh à descendre, interrompit leur conversation.

— Alors, comment ça s'est passé ? demanda-t-il.

— Hum, demande d'abord à Spence et à Jim, répondit Hadleigh en se laissant glisser dans ses bras. Je confirmerai ou infirmerai leurs propos, et Bex et Mel m'appuieront.

— Je vois ! répliqua-t-il en riant avant de l'embrasser. Tout ce que je peux dire, c'est que les gamines clament qu'elles ont passé un moment du tonnerre. Je les ai entendues parler à leurs parents, pendant que je récupérais les chevaux.

— *Pardon ?* s'écrièrent les trois femmes en le fixant, bouche bée.

— Ben oui, elles disaient que c'était une super randonnée, confirma-t-il avec un haussement d'épaules.

Elles se regardèrent, ébahies.

— Je doute que Spence soit du même avis, mais ça fait plaisir à entendre, dit Melody. Au fait, Pauline est formidable et Jim m'a aussi beaucoup impressionnée.

Combien de temps lui faudrait-il pour clopiner jusqu'à sa voiture ? Mieux valait attendre que la foule se soit éclaircie pour réduire le nombre de témoins de son infortune.

— Ils ont été cambriolés durant leur absence, annonça soudain Tripp, sur un ton accablé. Ça s'est passé exactement comme chez toi. Les voleurs sont entrés en brisant une vitre. J'ai été prévenu par un voisin.

— Oh non ! s'exclama-t-elle, bouleversée.

— C'est drôle, mon père n'a pas paru surpris, quand je lui ai appris le cambriolage il y a quelques minutes, observa Tripp, perplexe. Il semblait presque joyeux. Il va falloir que l'on ait une petite conversation, tous les deux.

Reb et Harley étaient tous deux contents d'être rentrés. L'un à l'extérieur, dans sa pâture, l'autre ronflant sur le tapis du salon.

Spence, encore plus satisfait après une bonne douche chaude, consulta les messages stockés sur son répondeur, non dans l'ordre de leur arrivée, mais selon leur importance.

Jack figurait en tête de liste.

Il le rappela aussitôt et réussit à le joindre directement.

— Jack Pearson au téléphone !

— Salut, Jack, c'est Spence. Je viens juste de rentrer d'une expédition cauchemardesque, que je te raconterai peut-être un jour, autour d'une bonne bière. Tu as quelque chose pour moi ?

— Oui, une arrestation éventuelle. Un gros poisson. Tu veux des détails ?

— Tu rigoles ? C'est moi qui t'ai sollicité, tu te souviens ?

— Attends… je parcours mes notes… ah, voilà ! Il y a un réseau, basé dans notre bonne ville, qui opère dans tout le Wyoming et le Montana. Il est même soupçonné d'avoir commis des vols dans l'Idaho. Ce gang est spécialisé dans le vol d'antiquités qu'il revend dans tout le pays, et son mode d'action pour repérer ses proies semble être de pratiquer des expertises. A la suite de quoi, les pièces disparaissent. La femme à la tête du réseau agit sous nombre de couvertures et pseudonymes différents, mais elle n'en est pas moins diplômée de Harvard et une authentique experte en art. Son véritable nom, c'est Marilyn Artois. Ça fait un moment que le FBI s'intéresse à elle, car ses agissements sont à la croisée de plusieurs juridictions, mais ils ne sont jamais arrivés à la localiser. Tu as idée de la valeur de toutes ces antiquailles ?

L'épée ! Elle valait une fortune et cette Marilyn Artois — qui n'était autre que Mary Allen, c'était évident — devait déjà avoir un acheteur privé sous le coude. Si elle mettait la main sur cette épée, l'objet ne passerait jamais en salle des ventes.

— Un peu, parce que les circonstances m'ont obligé à ingurgiter un maximum d'infos sur le sujet, répondit-il. Tu pourrais m'envoyer une photo de cette Marilyn Artois ? Je crois que je pourrai vous aider, le FBI et toi, grâce à l'astuce d'un vieux rancher rusé. Si cette femme est toujours à Mustang

Creek, ce que je soupçonne, considérant ce qui s'est passé ce week-end, je vais peut-être pouvoir la coincer.

— Je t'envoie sa photo par mail.

— Ce serait formidable.

— Si tu arrives à mettre ce gang sous les verrous, tu deviendras une vedette. Ça fait un bail qu'ils sévissent et ils figurent sur les listes de plusieurs agences fédérales. La tête pensante, c'est Marilyn Artois. Sans elle, les autres ne pourraient plus opérer. D'après ce que j'ai compris, elle est belle, très séduisante et ses références sont impeccables. La bande se déplace beaucoup, et jusqu'ici, elle est passée sous les radars, parce qu'il n'y a pas eu de blessé. N'empêche qu'elle a amassé une fortune.

Pas de blessé, façon de parler, songea Spence, qui n'oublierait jamais la panique de Melody pour ses chats et la blessure de Harley. Le retour à la maison de Pauline et Jim, après cette pénible expédition, n'avait pas dû être très joyeux non plus.

— Je me fiche de devenir une vedette, répondit-il. Je veux juste récupérer un diamant.

Et les boîtes en fer-blanc de sa grand-mère. Même si elles n'avaient pas grande valeur marchande, il y tenait beaucoup.

— Un diamant ? répliqua Jack. Tu m'expliqueras quand on prendra un pot, j'espère.

— Promis.

— Bonne chance.

La photo de Marilyn Artois arriva, et Spence n'eut aucun mal à reconnaître Mary Allen. Même s'il n'était sorti que deux ou trois fois avec cette femme, c'était un peu embarrassant d'avoir fréquenté une voleuse réputée.

Il appela immédiatement Tripp.

— Préviens ton père que l'opération *Epée* a été un coup de génie.

— Euh, ça t'ennuierait d'expliquer de quoi tu parles ?

— Oui. J'ai un rendez-vous galant. Il faut que je file.

— Dis à Melody que je la salue. J'étais si occupé à accueillir Hadleigh que je ne crois pas y avoir pensé.

A son arrivée en ville, Spence s'arrêta chez l'antiquaire. Mais il n'y avait que Cassandra.

— J'espérais trouver Ronald, dit-il. Vous pourriez lui demander de me téléphoner ?

Cassandra alla chercher son téléphone portable, fit quelques manipulations et le lui tendit.

— Ce ne serait pas à cause de cette femme ? demanda-t-elle.

Aucun doute, c'était bien Marilyn Artois, alias Mary Allen. Il dut paraître ébahi, car Cassandra expliqua :

— Melody m'a demandé de chercher qui aurait pu être au courant de l'achat de sa bague. Je me suis souvenue que cette femme était présente quand j'ai empaqueté le bijou. Je l'ai donc prise en photo quand elle est revenue. Elle vient souvent, soit dit en passant.

— Vous n'auriez pas son adresse, par hasard ?

— Seulement une boîte postale. Mon ex est avocat, et je travaillais comme secrétaire dans son cabinet, alors je connais un peu les ficelles. J'ai épluché toutes nos factures. Il y a quelques mois, cette femme a acheté un bijou qu'elle a payé par chèque. Depuis, le compte a été clôturé. En revanche, sa boîte postale fonctionne toujours. Je me suis renseignée à la poste, vendredi, avant d'avertir Junie. Vous connaissez Terry, le directeur de la poste ? Il a remarqué qu'elle changeait souvent de banque, à moins qu'elle ne possède des comptes multiples.

— Je ne veux pas vous voler à Ronald, mais si vous cherchez du travail et qu'une place se libère dans la police, nous en reparlerons, déclara Spence, tout sourire, avant de quitter le magasin, non sans avoir remercié Cassandra de son initiative judicieuse.

Il regagna son pick-up et appela Moe.

— Il faut monter une surveillance au bureau de poste, ordonna-t-il. Je t'envoie un numéro de boîte postale et la photo de la suspecte. Si elle se montre, tu l'arrêtes.

— D'accord. Comment s'est passée la randonnée ?

— Il faudra en discuter l'année prochaine. Je ne meurs pas d'envie de renouveler l'expérience.

— Pourtant, le bruit court que tout le monde s'est éclaté.

— Pas tout le monde, riposta-t-il sèchement, s'attirant en réponse un gloussement étouffé.

— J'ai rencontré un des parents à l'épicerie. Il m'a parlé de l'ours.

— Si tu continues sur ce sujet, tu seras de service de nuit pendant une semaine, conclut-il en démarrant. Bon, j'ai rendez-vous. Faut que je parte.

Quand il arriva avec Harley chez Melody, une odeur délicieuse s'échappait de la maison. Melody vint lui ouvrir pieds nus et s'accroupit aussitôt pour caresser Harley. Elle était vêtue d'une jupe marron, d'un débardeur bleu pâle, et ses cheveux étaient souples et brillants.

— C'est bon de savoir que mon chien est le bienvenu, plaisanta-t-il.

Elle se dressa sur la pointe des pieds et l'embrassa. Rien de bien compliqué, un simple baiser, les mains posées sur ses épaules, et pourtant, au moment où elle se recula, il éprouva une faiblesse dans les genoux. Ce qui n'échappa pas à Melody.

— Entre, lança-t-elle. J'espère que tu accepteras de t'occuper des steaks, parce que j'ai tout le reste à préparer.

— Toutes tes suggestions sont des ordres.

— Vraiment ? Ravie de le savoir.

Elle avait une sublime chute de reins, et il prit grand plaisir à la suivre jusqu'à la cuisine.

Une fois arrivée à destination, elle se retourna, s'appuya au comptoir et repoussa ses cheveux en arrière. Puis elle l'observa un instant en silence et laissa brusquement tomber :

— Bon, ne perdons pas de temps. Je l'ai déjà fait, je mérite donc une médaille pour avoir le courage de recommencer. Veux-tu m'épouser ?

Il en resta sans voix. Ce n'était pas vraiment ainsi qu'il s'était figuré ce moment. N'était-ce pas lui qui était censé se mettre à genoux et lui offrir une bague ?

— A une condition, ajouta-t-elle. Nous ne nous marierons *que* si tu es amoureux. Ce point n'est pas négociable.

— Mel, tu sais bien que je t'aime.

— Non, je n'en sais rien. Tu ne me l'as jamais dit.

Il la fixa, interloqué. Et si elle avait raison ? Non, impossible. Il lui avait déjà dit qu'il…

Peut-être pas, après tout.

— Je ne crois pas non plus que tu me l'aies dit, riposta-t-il, jugeant que la contre-attaque était de bonne guerre, et particulièrement en amour.

A moins que ce ne soit dans les batailles ? Il s'embrouillait un peu, dans les clichés.

— Bien sûr que si ! répliqua-t-elle, outrée.

— Donne-moi une date.

— Comme si je trimballais un carnet pour noter ce genre de choses ! Spencer Hogan, je t'ai dit que je t'aimais, tu le sais.

Oui, elle l'avait dit. A l'instant. C'était un progrès.

Résolu à gagner cette controverse, il la poussa contre le comptoir et plaqua son corps sur le sien. Si, neuf ans plus tôt, son choix de refuser la demande en mariage de Melody lui avait semblé juste, elle ne lui en avait pas moins beaucoup coûté.

— Non, je ne crois pas que tu l'aies dit, insista-t-il. Quand tu as voulu que je t'enlève, tu m'as proposé de m'enfuir avec toi et de t'épouser. Il n'a jamais été question d'amour.

Elle pressa les mains sur son torse et tenta de le repousser.

— Alors pourquoi tu n'en as pas parlé *toi* ?

Il resta inébranlable et caressa sa bouche de ses lèvres.

— Peut-être parce que je t'aimais trop pour te laisser t'engager avec un homme qui n'était pas fou de toi. Même si c'était de moi qu'il s'agissait.

— Pardon ? s'exclama-t-elle, les yeux pleins de larmes.

— Tais-toi et embrasse-moi. Ma réponse est « oui ». Je veux t'épouser.

— Encore un effort, tu y es presque, murmura-t-elle en enfouissant son visage dans sa chemise.

— Je t'aime, souffla-t-il en passant ses doigts dans sa chevelure soyeuse.

— Enfin, nous y voilà ! Moi aussi, je t'aime.

— Attention, ce soir, je vais avoir la tête ailleurs. Je risque de faire brûler les steaks.

— Je surveillerai les opérations. Et puis, on aura toujours de la confiture et du beurre de cacahuètes. Parle-moi de cette épée, enchaîna t elle. Si tu me racontes tout, tu auras droit à une double ration de pommes de terre et à une salade d'épinards, accompagnée d'une vinaigrette dont tu me diras des nouvelles.

— C'est sacrément alléchant. Marché conclu !

21

Le lendemain fut une journée plutôt inhabituelle.

Autour de 6 h 45, Mme Arbuckle, vêtue d'une veste sans un pli et d'une jupe en tweed, sonna chez Melody, deux gobelets de café gourmet à la main.

La porte à peine ouverte, elle s'engouffra dans la maison, sans se soucier que Melody soit encore en pyjama.

Sidérée, Melody eut juste le temps de s'écarter pour la laisser passer.

— Bonjour, bonjour ! lança Lettie Arbuckle. J'arrive trop tôt ?

— Euh… non, pas du tout, j'allais me lever, bredouilla Melody, au moment où Harley jaillissait de la chambre.

Il suffit à Lettie Arbuckle de hausser un sourcil aristocratique pour que le chien se fige sur place et s'asseye docilement, sans qu'un seul mot soit prononcé.

— Mon garçon, il faut que vous rencontriez Roscoe, lança la vieille dame à Harley. Je regrette de l'avoir laissé à la maison.

Comme Melody marmonnait vaguement quelque chose, sa visiteuse se retourna vers elle et brandit un sac en papier.

— J'ai apporté des chaussons danois aux myrtilles, mes préférés.

— Euh… merci, répondit Melody, soulagée d'avoir pris le temps, la veille au soir, de ranger la cuisine, en dépit des manœuvres de Spence pour l'entraîner vers la chambre à coucher.

Tiens, en parlant de Spence, pourvu qu'il ne surgisse pas à l'improviste et en petite tenue au cours de la conversation qui s'annonçait inévitablement…

— Mon arrivée précipitée a un but précis, déclara Mme Arbuckle en glissant une main dans sa poche. Voilà. C'est la pierre idéale pour la bague que je vous ai commandée. Elle a été créée pour vous.

La nuit précédente, Spence lui avait avoué qu'il désirait lui offrir la bague de ses rêves et que Mme Arbuckle, sa marraine, avait accepté de l'aider. Melody s'était abstenue de révéler qu'elle était déjà au courant, grâce à Hadleigh.

La vieille dame ouvrit un écrin. A la vue du diamant Pierce blotti dans un nid de velours, Melody sentit son cœur s'emballer.

— Où l'avez-vous trouvé ? murmura-t-elle.

Son interlocutrice sirota une gorgée de café, avant de confier, avec une mine suffisante :

— Eh bien… je ne l'ai pas trouvé. Je l'ai dérobé au voleur.

Si le ciel était devenu vert et l'herbe bleue, Melody n'aurait pas été plus abasourdie. Et pourtant, en y réfléchissant bien, elle avait toujours su que Lettie Arbuckle était une force avec laquelle il fallait compter.

— Vous… *quoi* ? Comment ?

— Qui croyez-vous que les voleurs ont approché pour le vendre ? Une de mes amies, bien entendu. Or, dès que j'ai appris le vol, j'ai envoyé un mail à toutes mes relations pour leur demander de m'avertir si on leur présentait une bague, quelle qu'elle soit. Une jeune femme très élégante, se faisant appeler Margot, a contacté mon amie pour lui en proposer une, dont la provenance avait été maquillée. Elles ont décidé d'un rendez-vous pour l'examiner. Mon amie a refusé le bijou, à la suite de quoi, j'ai suivi cette Margot jusque chez elle. Je l'ai épiée par la fenêtre de son appartement, qui, heureusement, se trouvait au rez-de-chaussée, et je l'ai vue ranger la bague dans un tiroir. Après son départ, mon chauffeur m'a ouvert sa porte. Il se trouve que grâce à son passé, rien moins que respectable, cet homme possède des talents d'une remarquable utilité.

Imaginer Lettie Arbuckle s'introduisant clandestinement chez autrui dépassait les limites de l'imagination. Néanmoins, la redoutable vieille dame semblait attendre des compliments.

Melody, toujours sous le choc, réussit à articuler :

— Euh… C'était… très habile.

— Je trouve aussi, répliqua son interlocutrice, rayonnante de fierté. Vous vous doutez bien que j'ai donné l'adresse de cette femme à Spencer, qui a pris le contrôle de la situation. Et qui m'a expliqué toute l'histoire, bien entendu. Maintenant, passons à un sujet plus plaisant ! J'ai appris que la randonnée avait été un grand succès.

— Ah bon ? murmura Melody, avant d'avaler une bonne gorgée de café.

Peut-être qu'elle dormait encore et que toute cette scène n'était qu'un rêve.

— Oui, oui, répondit Mme Arbuckle. D'ailleurs, l'année prochaine, j'ai décidé de la sponsoriser.

Recommencer l'année prochaine ? En voilà une perspective réjouissante !

— Vous voulez financer une randonnée pour les filles ? demanda-t-elle, pour être sûre d'avoir bien compris.

— Mais oui. Je pourrais même y participer.

Oh mon Dieu !

En dépit de la tendresse qu'elle éprouvait pour la vieille dame assise en face d'elle, la suggestion n'avait rien d'attrayant. En fait, la simple idée d'une expédition semblable à celle dont elle ne s'était pas encore remise la faisait frissonner.

— Je m'intéresse aussi beaucoup à votre mariage, reprit Lettie Arbuckle. Avez-vous besoin d'aide pour l'organiser ?

Epineuse question… Même si la réponse qui lui venait immédiatement à l'esprit était : « Surtout pas ! »

— Eh bien, euh…

— Réfléchissez-y, ma chère. Sans vouloir me vanter, je suis particulièrement douée pour ce genre de choses. Bon, il faut que je me sauve, mais nous en reparlerons bientôt.

Quand Spence émergea de la chambre, une demi-heure plus tard, Melody dévorait un chausson danois. Comment faisait-il pour être aussi beau avec les cheveux dressés sur la tête ? Pour sa part, elle était sûre de ne jamais avoir eu l'air aussi sublime au saut du lit.

— J'ai senti l'odeur du café, lança-t-il.

— Il est parfumé à la vanille.

— Parfait.

— La dernière fois que je t'ai demandé de m'enlever, tu ne t'es pas montré très coopératif, mais pourrait-on s'enfuir tous les deux, s'il te plaît ?

— Pardon ? répliqua-t-il, interloqué.

— J'ai de très bonnes raisons pour ça.

— Avant le café ? s'enquit-il, après une pause.

— Non, après. Je te préviens, si tu refuses, Lettie Arbuckle va prendre notre mariage en main de A à Z. Au fait… toi qui es bien plus familier que moi avec la loi, tu crois que cette chose pourrait lui attirer des ennuis ?

En voyant le diamant, Spence poussa un juron et le fixa en fourrageant dans ses cheveux.

— Est-ce que c'est ce que je crois que c'est ? demanda-t-il.

— En effet. C'est le diamant Pierce.

— Où diable l'a-t-elle trouvé ? C'est une pièce à conviction.

— Mais un très joli geste.

Charitable, Melody lui tendit son propre café. Il le prit et l'engloutit d'un trait.

— Où l'a-t-elle trouvé ? répéta-t-il.

— Aucune idée.

Bon. C'était un mensonge, mais elle préférait laisser Lettie Arbuckle régler le *détail* de la récupération du diamant elle-même.

— Tu ne lui as pas demandé ?

— Non, assura-t-elle d'une voix ferme. Bon, revenons à l'enlèvement. Nous n'avons pas d'alternative. Soit on prend la fuite, soit on laisse ta chère marraine organiser le mariage.

Spence se laissa tomber en frissonnant sur une chaise.

— On part au Costa Rica ou dans un lieu encore plus

éloigné, genre désert de Gobi, Mars... Sérieusement, Mel, où Lettie Arbuckle a-t-elle trouvé ce diamant ?

— Je te l'ai dit. Je n'en ai aucune idée. Tout ce qu'elle m'a dit, c'est qu'elle l'avait « dérobé au voleur ». Est-ce que c'est un délit de récupérer un objet qui vous a été volé ?

— Je préfère laisser un juge trancher cette question, répondit-il, perplexe.

— Bonne chance à celui qui s'attaquera à Mme Arbuckle, répliqua-t-elle en se levant pour aller lui préparer du café. Au fait, qu'est-ce que raconte la carte de ta mère ?

A la fin de la randonnée, alors qu'ils chevauchaient côte à côte, Jim lui avait confié avoir conseillé à Spence de la lire. Si ce dernier suivait un avis, ce serait celui de Jim Galloway.

L'expression qui traversa son visage lui indiqua qu'il l'avait fait. Aussi fugitive soit-elle, elle montrait à quel point cela avait dû être important pour lui. Certainement un moment charnière de sa vie.

— Spence ?

— Le plus simple serait que tu la lises à ton tour.

Il se leva pour regagner la chambre et en revint juste au moment où la cafetière se mettait à crachoter. Le motif à l'extérieur de la carte, un modèle banal que l'on trouvait dans tous les drugstores, était une simple fleur.

— Ce n'est rien du tout, dit-il, alors qu'elle l'ouvrait.

Non ce n'était pas rien.

On lisait trois mots, mais pas ceux que tout le monde avait envie d'entendre. Il n'était pas écrit : « Je t'aime. »

Seulement : « Je suis désolée. »

— Je ne la connais pas suffisamment pour croire ce qu'elle raconte, alors à quoi ça sert ? lança-t-il en se versant une tasse de café. Et puis la plupart des gens ne s'excusent que pour se soulager et avoir bonne conscience. Elle est désolée. Parfait ! Grand bien lui fasse !

Malgré le chaume très sexy qui ombrait ses joues et son corps trop grand pour la chaise sur laquelle il était affalé, il y avait quelque chose du petit garçon abandonné à neuf ans en lui, à cet instant précis.

Jusqu'où devait-elle le pousser dans ses retranchements pour qu'il voie la relation avec sa mère d'un autre œil ? Elle l'aimait, il aurait donc été inapproprié de considérer que cela ne la regardait pas. Il n'empêche qu'au bout du compte, c'était à lui de gérer la situation à sa guise.

Elle se contenta donc de faire remarquer qu'il y avait un numéro de téléphone.

— C'est trop sympa de sa part de jeter la balle dans mon camp, répliqua-t-il. Je t'en prie. Dis-moi qu'il reste des pâtisseries.

Le sujet était clos. Elle se leva, alla chercher la boîte de gâteaux et la posa devant lui.

— Si tu n'avais pas débarqué à un moment aussi crucial, je les aurais planqués, mais là, je me sens obligée de les partager, dit-elle, feignant d'être désolée.

Il s'empara d'un chausson et lança à Harley :

— Chasse ce regard plein d'espoir de tes yeux, mon vieux. Tu connais les règles. Il y a la nourriture pour les humains et la nourriture pour les chiens.

Pas question d'avouer qu'elle avait offert ne serait-ce que la plus infime miette à Harley !

— A propos des cambriolages, Mme Arbuckle m'a dit que tu maîtrisais la situation, dit-elle. Qu'est-ce que ça signifie, en clair ?

— Grâce à la photo que Cassandra a prise d'elle, nous avons arrêté Marilyn Artois. Elle était à la poste, en train de récupérer son courrier, comme la citoyenne respectueuse des lois qu'elle n'est pas. Et Lettie Arbuckle m'a communiqué son adresse. Ce qui me dépasse, c'est comment elle l'a découverte. En tout cas, plusieurs services de police recherchent ses complices pour les coffrer. Jim s'est servi de son épée pour appâter les voleurs. Il a installé des caméras sur sa terrasse, du modèle que l'on utilise pour photographier les animaux qui rôdent autour des maisons, et qui s'activent au mouvement. Nous avons donc des photos d'eux en train d'entrer par effraction.

— Tu pensais que les vols étaient des vengeances personnelles.

— En effet. Ça me gêne d'avouer que Mary, je veux dire Marilyn Artois, a cru que notre relation était plus sérieuse qu'elle ne l'était. Elle m'en a donc voulu d'avoir rompu, et t'en a voulu à toi, quand elle a découvert notre relation. Donc, dans une certaine mesure, ces vols étaient personnels. Le fait que tu sois joaillière arrangeait parfaitement sa vendetta. C'est par Junie que j'ai appris ces détails. Marilyn a fait des confidences au policier qui l'a arrêtée, qui, ensuite, les a répétées à Junie.

— C'est pour ça qu'elle a ravagé ma maison et la tienne de cette façon ?

— Oui. On dirait bien qu'elle m'en voulait à mort.

— Pourquoi avouer ses forfaits ?

— Principalement pour souligner mon incompétence. Et c'est réussi, conclut-il amèrement.

Comme elle ouvrait la bouche pour prendre sa défense, il l'arrêta d'un geste.

— Aucune importance ! Bien que ses empreintes ne figurent dans aucune base de données de la police, pas plus locale que fédérale, pour dire à quel point elle est futée, on a fini par la coincer. Moi qui croyais qu'elle opérait seule ! En fait, elle dirigeait une véritable entreprise, comme le prouve le nombre de ses pseudos, de ses complices et cette impressionnante montée en puissance qui les a fait passer de délits très mineurs, tels que le vol du moulinet et des vieux outils de Ross Hayden, au vol du diamant Pierce.

— Quel gaspillage ! Avec toutes ses compétences, elle aurait pu prendre la tête d'une grande entreprise.

— En effet, à défaut de sens moral, cette femme a du talent.

— C'est ce qui t'a attiré chez elle ?

— Oui, j'aime les femmes intelligentes, mais je te rappelle que je l'ai à peine fréquentée. Elle n'était pas toi. Fin de l'histoire. Pareil pour toutes celles avec qui je suis sorti, ces neuf dernières années.

Indubitablement, il avait de bons moments. Touchée, elle lança :

— Je me sens d'humeur magnanime. Tu peux manger le reste des gâteaux.

C'était un peu mortifiant qu'un réseau criminel soit démantelé par tout le monde, sauf la personne qui aurait dû s'en charger. La seule consolation de Spence, c'était que les autres services de police s'étaient, eux aussi, cassé les dents sur l'affaire. Il avait dû s'exprimer au cours d'une conférence de presse — un fait sans précédent dans les annales de Mustang Creek, du moins, à sa connaissance —, ce qui ne l'avait pas emballé du tout.

Il aurait préféré chevaucher Reb au grand galop en respirant l'air pur à pleins poumons, Harley courant à leurs côtés. Ou mieux encore, avec une certaine cavalière aux cheveux blonds flottant au vent.

— Alors, qu'est-ce que tu en penses ? s'enquit Tripp. Ce n'est pas une beauté ?

— « Beauté » est un euphémisme, répondit-il en tendant une carotte à la jument palomino.

La bête aux yeux très doux s'empara de la friandise avec la délicatesse d'une dame bien élevée.

« Melody va l'adorer », songea-t-il, la gorge nouée.

— Son ancienne propriétaire a été mutée pour son boulot, expliqua Tripp. Comme elle ne trouvait pas de propriété suffisamment grande, et qu'elle refusait de la mettre en pension, elle l'a vendue avec tout son équipement. J'ai reçu des instructions très précises sur ses goûts en matière de brossage et du reste. Comme si je n'avais jamais brossé un cheval ! En même temps, je comprends la propriétaire. Si j'ai remporté la vente, c'est uniquement parce que je lui ai parlé de Melody, juste avant le début des enchères. Et si j'ai connu l'existence de cette jument, c'est grâce à Tate, qui projette de monter un élevage de pur-sang. Son père, qui dirige une usine automobile, est prêt à financer ses frais d'installation en attendant qu'il fasse des profits. Tate a fait le tour des ventes aux enchères de la région. C'est au cours de ses recherches qu'il a découvert cette jument digne, d'après lui, d'une femme d'exception. Mel tout craché.

« Absolument », songea Spence en caressant la crinière soyeuse de l'animal.

— Je vous dois une fière chandelle à tous les deux, dit-il, sincèrement reconnaissant.

— Hadleigh est enceinte.

Spence fit volte-face.

— Dois-je prendre l'air surpris ? lança-t-il en s'appuyant à la barrière. Je crois savoir à quoi vous employez votre temps libre, mais, félicitations tout de même !

— Merci, répondit Tripp avec une grimace.

Spence s'abstint de mentionner qu'ayant aperçu la breloque sur laquelle travaillait Melody, une jument avec son poulain, il avait immédiatement deviné à qui elle était destinée.

Après avoir rédigé un chèque à l'ordre de Tripp, il chargea la jument dans sa remorque et la ramena chez lui.

Après une prise de contact plutôt circonspecte, Reb et la nouvelle venue arrivèrent rapidement à une compréhension réciproque. Compréhension facilitée par quelques frottements de museaux et le fait de brouter ensemble.

A présent, ce que Spence désirait, c'était mettre au point la soirée idéale. Ne sachant trop par où commencer, il envoya un texto à Melody.

Que dirais-tu de venir au ranch ? Harley s'ennuie de toi.

Elle était raide dingue de ce chien. Alors pourquoi ne pas exploiter honteusement cette faiblesse ?

Elle répondit :

Je te vois un peu plus tard. J'ai une ou deux livraisons à faire.

Ce soir, tenue décontractée. Jean et bottes.

Il espérait ne pas avoir vendu la mèche avec ce dernier message, mais il avait très envie d'une balade à cheval. Or

Melody portait parfois un short ou une robe d'été, ce qu'il appréciait grandement, songea-t-il en visualisant ses longues jambes admirables.

Surtout quand elles s'enroulaient autour de lui… Mais patience.

Il s'assit sur le perron et appela sa tante.

— Tante Libby, je suis fiancé.

— Spence, on est à Mustang Creek. J'attendais que tu me l'annonces, mais si tu crois que je n'étais pas au courant, il faudra réviser ton jugement. Eh bien, ce n'est pas trop tôt, si tu veux mon avis ! Au fait, est-ce que Melody aime son cheval ?

— Est-ce qu'elle aime… ? répéta-t-il, interloqué, avant de soupirer. Je lui offre la jument ce soir. Je voudrais lui faire la surprise, alors j'espère que toute la ville n'est pas aussi bien informée que toi.

— Il se trouve que je suis tombée sur Pauline, à l'épicerie. Mais rassure-toi. Personne ne dira rien à Melody.

— Ma mère m'a envoyé une carte, annonça-t-il avec une certaine tension dans la voix.

— Ça, je l'ignorais, répondit Libby. Qu'est-ce qu'elle dit ? demanda-t-elle après un court silence.

— Qu'elle est désolée. Elle a écrit son numéro de téléphone dessus.

— Intéressant.

— C'est tout ce que tu trouves à dire ?

— Spence, ça fait vingt-sept ans que je ne l'ai pas vue et que je ne lui ai pas parlé, répliqua Libby, très calme. Je me suis toujours demandé si elle avait des regrets. En tout cas, je peux te dire une chose : pas moi. Même pendant la période la plus ingrate de ton adolescence, j'ai eu beaucoup de bonheur à t'élever. Oh ! Ne t'y trompe pas, tu m'as fait souvent tourner en bourrique, mais tu es devenu un homme bien et je suis fière de toi. Alors, tu vas l'appeler ?

— Je n'ai pas encore décidé.

— Quoi que tu fasses, tu as mon soutien. Il paraît que Lettie Arbuckle va organiser votre mariage.

Spence retint à grand-peine un gémissement. A Mustang

Creek, il suffisait du moindre prétexte pour que s'embrasent les commérages, or entre l'arrestation des voleurs et ses fiançailles, il y avait de quoi leur fournir du combustible !

— Ecoute, laissons Melody et elle régler ça entre elles, répondit-il.

Il devenait urgent de s'enfuir.

Au moment où il raccrochait, il vit la petite voiture jaune de Melody remonter l'allée. D'ailleurs, s'il ne l'avait pas vue, Harley l'aurait alerté en aboyant comme un fou.

Melody n'atteignit pas la maison, car elle freina brutalement devant l'enclos où paissaient les deux chevaux. En deux secondes chrono, elle sortit du véhicule et se pencha au-dessus de la barrière.

L'expression radieuse sur son visage n'avait pas de prix. Il n'eut même pas à dire un mot.

Aussi curieuse que sa nouvelle maîtresse, la jument trotta vers eux, suivie de près par Reb, bien sûr !

— Oh ! Spence, comme elle est belle ! murmura Melody, des étoiles dans les yeux.

— Vous allez bien ensemble.

— Elle s'appelle comment ?

— A toi de décider. Son ancienne propriétaire souffrait de l'angoisse de la séparation. Elle n'a pas voulu donner son nom. Elle désirait que sa jument en ait un nouveau pour entamer sa nouvelle vie.

— Le choix est facile. Charme.

Il approuva, même si ce choix ne le regardait pas.

— Des bottes et un jean, je me demandais pourquoi tu avais spécifié ça, dit-elle en caressant le museau rose de la jument. On va partir en promenade ?

— C'était l'idée, oui. Je vais seller les chevaux. Pendant ce temps, tu devrais câliner Harley. Il se sent négligé.

Une demi-heure plus tard, tous deux traversaient la prairie. Il n'avait fallu que quelques minutes pour que Melody et Charme fassent connaissance. La randonnée calamiteuse avait porté ses fruits, car à présent, Melody se sentait bien plus à l'aise en selle. Comme promis par Tripp, la jument avait une allure régulière et une nature douce.

Le ciel de velours bleu s'assombrissait au-dessus de leurs têtes et une brise tiède les caressait.

Spence tira sur les rênes de Reb. Le hongre s'arrêta, aussitôt imité par la jument. Intriguée, Melody lui lança un regard interrogateur.

— Tu vois ce talus herbeux là-bas ? dit-il, sur un ton aguicheur. Je me demandais si… c'est une belle nuit et les chevaux peuvent paître tranquillement…

— Tu veux faire l'amour à la belle étoile ?

— Tu connais un meilleur décor ?

Spence avait remporté le point, songea Melody, bonne joueuse.

Il mit pied à terre et l'aida à descendre. Elle ne fit aucune objection quand il l'allongea sur l'herbe et commença à lui ôter ses bottes, à déboutonner son chemisier et à dégrafer son soutien-gorge pour dénuder ses seins, mais elle poussa un petit cri involontaire quand il referma ses lèvres sur un téton.

Après s'être allongé confortablement sur elle en prenant garde de ne pas l'écraser sous son poids, il goûta le moindre centimètre carré de sa personne. Quand il arriva au cœur le plus intime de son être, elle fut traversée par un éclair de plaisir si intense qu'elle trembla comme une feuille. Elle aurait crié si elle n'avait pas eu le souffle coupé.

Il attendit le reflux de la vague, avant de recommencer, et ce n'est que quand elle fut écrasée de plaisir que, les yeux mi-clos, il la pénétra en poussant un profond soupir.

Elle avait atteint la limite de ce qu'une femme pouvait supporter, se dit-elle, plus tard, alors qu'elle flottait dans une voluptueuse brume de plaisir, le dos chatouillé par les herbes folles.

Spence lui prouva qu'elle avait tort.

A deux reprises.

Si vous avez aimé ce roman,
découvrez sans attendre le précédent roman de la série
« Les mariées de Bliss County » :

1/ *Promesse d'alliance*

Et ne manquez pas la suite dans votre collection Sagas :

La saison des mariages, à paraître en juin 2016

Le cadeau du hasard, de Sherryl Woods - N°33

PASSION À SEAVIEW KEY - TOME 2/2

Seaview Key, sa ville natale… Si elle n'y avait été contrainte, suite à son divorce, Abby n'y aurait jamais remis les pieds. Pourtant, très vite, elle décide de faire contre mauvaise fortune bon cœur : peut-être qu'ici, elle pourra commencer une nouvelle vie et reprendre confiance en elle… Des résolutions qui se voient pourtant contrariées quand, à peine arrivée, elle manque de se noyer dans le golfe du Mexique ! Par chance, un certain Seth Landry, un homme sexy en diable, parvient à la réanimer…

Le frisson de l'amour, de Susan Mallery - N°34

RENCONTRES À FOOL'S GOLD - TOME 3/3

Chargée de communication à la mairie de Fool's Gold, Maya est désemparée quand elle apprend qu'elle devra travailler avec Delany Mitchell. Delany, qui n'est autre que l'homme dont elle était folle amoureuse étant jeune, et qui l'a demandée en mariage… L'homme qu'elle avait fini par quitter parce qu'elle était trop jeune et trop effrayée pour oser croire qu'elle était digne d'être aimée. Dix années se sont écoulées depuis. Pourtant, les épaules larges de Del, mais aussi ses cheveux bouclés et son allure négligée lui font toujours le même effet…

Le sentiment d'aimer, de Susan Andersen - N°35

LE DÉFI DES FRÈRES BRADSHAW - TOME 2/3

Max Bradshaw est un loup solitaire. Les relations amicales et amoureuses ? Très peu pour lui : il n'a besoin de personne. Pourtant, quand il fait la connaissance de Harper Summerville, nouvelle bénévole dans l'association d'aides aux jeunes délinquants à laquelle il apporte son concours, il est bouleversé. Avec ses yeux verts et ses longs cheveux frisés, Harper le touche en plein cœur. Mais elle est bien trop belle et distinguée pour lui, Max le sait. Alors, malgré le désir qu'il éprouve pour elle, parviendra-t-il à garder ses distances ?

Retrouvez en juin,
dans votre collection

♦ SAGAS ♦

La saison des mariages, de Linda Lael Miller - N°36

LES MARIÉES DE BLISS COUNTY - TOME 3/3

Depuis la tragique disparition de Will, son fiancé, mort en Afghanistan quelques années plus tôt, Bex s'est fait une promesse : pour elle, l'amour, c'est terminé. De toute façon, entre son neveu, dont elle a la garde temporaire, et son travail, elle n'a pas le temps pour ça ! Alors ce n'est certainement pas l'arrivée dans sa vie de Tate Calder, jeune veuf et père de deux enfants, qui y changera quelque chose. Certes, les petits sont devenus amis et Tate et elle se fréquentent de plus en plus souvent. Mais ce n'est pas une raison pour qu'elle tombe sous son charme… Si ?

Les chaînes du passé, de Nora Roberts - N°37

LE DESTIN DES MACKADE - TOME 3/4

Cassie Connor se sent revivre. Maintenant qu'elle a eu le courage de porter plainte contre son mari – qui la battait depuis des années et qui croupit désormais en prison –, elle peut enfin savourer sa liberté toute neuve. Et même accepter d'être courtisée par Devin MacKade, l'un des célibataires les plus en vue de la région. Mais alors qu'elle croit le bonheur à portée de main, la nouvelle tombe que Joe s'est évadé, et qu'il est bien décidé à se venger de celle qui l'a envoyé derrière les barreaux…

Composé et édité par HARLEQUIN

Achevé d'imprimer en Italie (Milan)
par Rotolito Lombarda
en mars 2016

Dépôt légal en avril 2016

Pour l'éditeur, le principe est d'utiliser des papiers composés de fibres naturelles, renouvelables, recyclables, et fabriquées à partir de bois issus de forêts gérées selon un système d'aménagement durable. En outre, l'éditeur attend de ses fournisseurs de papier qu'ils s'inscrivent dans une démarche de certification environnementale reconnue.